Eugen Ovidiu Chirovici

E. O. Chirovici est un écrivain roumain, auteur de nombreux best-sellers dans son pays.
Jeux de miroirs est son premier roman traduit en français.

JEUX DE MIROIRS

E.O. CHIROVICI

JEUX DE MIROIRS

Traduit de l'anglais
par Isabelle Maillet

LES ESCALES

Titre original :
THE BOOK OF MIRRORS

© RightsFactory SRL 2017
© Éditions Les Escales, un département d'Édi8, 2017
ISBN : 978-2-266-27277-3
Dépôt légal : février 2018

À ma femme, Mihaela, qui n'a jamais oublié qui nous sommes vraiment et d'où nous venons.

La plupart des gens sont autres qu'eux-mêmes.

OSCAR WILDE

Première partie

PETER KATZ

Les souvenirs sont comme des balles de pistolet :
certains vous sifflent aux oreilles
et ne font que vous effrayer ;
d'autres vous transpercent et vous déchirent.

Richard Kadrey, *Kill the Dead*

J'ai reçu la proposition de manuscrit en janvier, au moment où tout le monde à l'agence tentait de se remettre d'une bonne gueule de bois postfestivités. Le mail, qui avait adroitement échappé au dossier du courrier indésirable, s'était retrouvé dans ma boîte de réception, parmi des dizaines d'autres en attente. Au premier coup d'œil, la lettre d'accompagnement a piqué ma curiosité, alors je l'ai imprimée, de même que l'extrait du texte envoyé en pièce jointe, puis j'ai rangé le tout dans un tiroir de mon bureau. Occupé comme je l'étais à négocier un contrat, j'ai totalement oublié l'existence de ces pages. C'est seulement à la fin du mois, à la veille du week-end prolongé par le Martin Luther King Day, que je les ai redécouvertes au milieu de ma pile de documents à lire pendant ces trois jours.

La lettre, signée « Richard Flynn », était ainsi formulée :

Cher Peter,

Je m'appelle Richard Flynn et, il y a vingt-sept ans, j'ai obtenu une licence d'anglais à

13

Princeton. Je rêvais de devenir écrivain, j'ai publié quelques nouvelles dans des revues et même écrit un roman de trois cents pages, que j'ai abandonné après avoir essuyé un certain nombre de refus de la part d'éditeurs (et qu'avec le recul je trouve moi-même médiocre et ennuyeux). Par la suite, j'ai décroché un poste dans une petite agence de publicité du New Jersey et je suis toujours resté dans ce secteur d'activité. Au début, je parvenais presque à me convaincre que la publicité se rapprochait de la littérature et que je retournerais un jour à mes premières amours. Il est évident aujourd'hui que ce n'est pas arrivé. Je crois que, pour la plupart d'entre nous, devenir adulte signifie hélas acquérir la faculté d'enfermer ses rêves dans une boîte et de la jeter dans l'East River. Je n'étais manifestement pas destiné à être l'exception qui confirme la règle.

Or, il y a quelques mois, j'ai fait une découverte importante, qui m'a remis en mémoire une série d'événements dramatiques survenus au cours de l'automne et de l'hiver 1987, pendant ma dernière année à Princeton. Vous croyez avoir oublié quelque chose – un événement, une personne ou une situation – et puis, brusquement, vous vous rendez compte que vos souvenirs prenaient la poussière dans un recoin de votre esprit mais qu'ils ont toujours été là, aussi nets que s'ils dataient de la veille. Vous voyez ce que je veux dire ? Une image me vient à l'esprit : vous sortez un objet d'un vieux placard bourré

14

de rebuts, et tout vous tombe dessus d'un coup.
C'est exactement ce qu'il s'est produit.

Cette révélation a eu sur moi l'effet d'un déto-
nateur. Une heure après, je réfléchissais tou-
jours à sa signification. Je me suis assis à mon
bureau et, submergé par les réminiscences, j'ai
commencé à écrire. Il était plus de minuit quand
j'ai arrêté et j'avais déjà tapé plus de cinq mille
mots. J'avais l'impression de me redécouvrir
après m'être complètement oublié. Au moment
de me brosser les dents, il m'a semblé voir une
personne différente dans la glace.

Pour la première fois depuis bien longtemps,
je me suis endormi sans avoir pris de somnifère.
Le lendemain, après avoir appelé l'agence pour
dire que j'étais malade et que je serais certai-
nement arrêté deux semaines, je me suis remis
à mon texte.

Les détails de ces mois de 1987 me sont
revenus avec une telle force et une telle acuité
qu'ils sont rapidement devenus plus prenants
que la réalité de mon quotidien. C'était comme
si j'émergeais d'un long sommeil, durant lequel
mon esprit s'était secrètement préparé au jour
où je raconterais ces événements impliquant
trois protagonistes : Laura Baines, le professeur
Joseph Wieder et moi.

Bien sûr, compte tenu de son dénouement tra-
gique, l'histoire a été relatée par les journaux de
l'époque, du moins en partie. J'ai moi-même été
harcelé par des journalistes et des inspecteurs
de police pendant un bon moment. C'est d'ail-
leurs l'une des raisons qui m'a poussé à quitter

Princeton pour aller terminer mes études à Cornell, où j'ai passé deux longues années sinistres. En attendant, personne n'a jamais appris la vérité à propos de ces faits qui ont changé ma vie à tout jamais.

Comme je l'ai dit, cette histoire m'est revenue en mémoire il y a maintenant trois mois, et j'ai compris alors que je devais la partager avec d'autres, même si la colère et la frustration que je ressentais, et ressens toujours, étaient immenses. Mais parfois, la haine et la douleur constituent un moteur aussi puissant que l'amour, comme en témoigne ce manuscrit que j'ai achevé récemment, au prix d'efforts qui m'ont épuisé tant sur le plan physique que psychologique. J'en ai joint un extrait à mon courrier, conformément aux instructions données sur votre site. Si vous souhaitez lire le texte dans son intégralité, je vous l'enverrai au plus vite. J'ai choisi comme titre provisoire Jeux de miroirs.

Je m'arrêterai là, car il semble que j'ai déjà dépassé la longueur autorisée pour les courriers de présentation. Quoi qu'il en soit, je n'ai pas grand-chose à ajouter à mon propos. Je suis né et j'ai grandi à Brooklyn, et je suis resté célibataire sans enfants, sans doute parce que je n'ai jamais vraiment oublié Laura. J'ai un frère, Eddie, qui vit à Philadelphie et que je vois rarement. Ma carrière dans la publicité n'a connu ni réussites spectaculaires ni échecs retentissants ; j'ai mené une vie remarquablement terne, en somme, caché au milieu des ombres de Babel. Aujourd'hui, je suis concepteur-rédacteur dans une agence de taille moyenne située à Manhattan, proche de Chelsea où j'habite maintenant depuis plus de vingt ans. Je ne roule pas en Porsche, je ne fréquente pas les hôtels cinq étoiles, mais je n'ai pas non plus peur du lendemain, du moins au niveau financier.

Je vous remercie par avance du temps que vous m'avez consacré et vous saurais gré de m'indiquer si vous souhaitez lire le manuscrit entier. Vous trouverez mes coordonnées ci-dessous.

Très cordialement,

Richard Flynn

Suivait en effet une adresse près de Penn Station, un quartier que je connaissais bien pour y avoir habité moi-même un certain temps.

À mes yeux, ce projet sortait du lot.

J'en avais lu des centaines, si ce n'est des milliers, depuis cinq ans que je travaillais comme agent littéraire chez Bronson & Matters. L'agence, où j'avais fait mes débuts comme assistant, avait toujours pris en compte les manuscrits envoyés par courrier. La plupart des lettres de présentation étaient empruntées, plates, dénuées de ce petit plus qui vous donne le sentiment que leur auteur s'adresse à vous personnellement, et non à n'importe lequel des centaines d'agents dont on peut trouver le nom et l'adresse sur le site du Literary Market Place, l'annuaire de l'édition. Certaines, truffées de détails superflus, n'en finissaient plus. Or, celle de Richard Flynn n'entrait dans aucune de ces catégories : elle était concise, bien écrite, et surtout empreinte d'humanité. Son auteur ne disait pas qu'il n'avait contacté que moi, et pourtant, sans pouvoir me l'expliquer, j'en étais presque sûr. Pour une raison qu'il n'avait pas jugé utile de préciser dans sa courte missive, il m'avait choisi, moi.

J'espérais sincèrement aimer le manuscrit autant que j'avais aimé la lettre, et pouvoir ainsi donner une réponse positive à l'expéditeur, qui m'inspirait déjà, de façon totalement irrationnelle, une sympathie secrète.

Alors j'ai mis de côté tous les textes auxquels j'avais prévu de jeter un coup d'œil, je me suis fait du café et, une fois installé sur le canapé du salon, j'ai entamé ma lecture.

1

Pour la plupart des Américains, 1987 fut l'année où la Bourse connut une envolée vertigineuse suivie d'une chute d'autant plus rude, où les remous de l'Irangate continuèrent de secouer Ronald Reagan à la Maison-Blanche et où *Amour, gloire et beauté* s'invita dans nos foyers. Pour moi, ce fut l'année où je tombai amoureux et découvris que le diable existe.

Alors étudiant à Princeton depuis un peu plus de trois ans, je vivais dans une vieille maison décrépite de Bayard Lane, située entre le musée et le séminaire. Elle se composait d'un salon et d'une cuisine ouverte au rez-de-chaussée, et de deux grandes chambres à l'étage, chacune dotée d'une salle de bains. Je n'étais qu'à dix minutes à pied du McCosh Hall, où avaient lieu la plupart de mes cours.

En rentrant chez moi un après-midi d'octobre, j'eus la surprise de trouver dans la cuisine une grande blonde aux longs cheveux séparés par une raie au milieu. Elle me gratifia d'un coup d'œil amical par-dessus ses lunettes à monture épaisse qui lui donnaient un air aussi sévère que sexy. Elle s'évertuait en vain à presser un tube de moutarde, n'ayant manifestement pas compris qu'il fallait d'abord ôter l'opercule métallique. Je le fis à sa place et lui rendis le tube. Elle me remercia, puis étala l'épaisse pâte jaune sur le hot dog qu'elle venait de se préparer.

— Merci encore, dit-elle. On partage ?

Elle s'exprimait avec un fort accent du Midwest auquel elle ne semblait pas disposée à renoncer pour suivre les diktats de la mode.

— Non, répondis-je. C'est sympa mais je n'ai pas faim. Au fait, moi, c'est Richard. Richard Flynn. T'es ma nouvelle colocataire ?

Un hochement de tête. Elle avait mordu à belles dents dans son hot dog et prit le temps d'avaler avant de répondre.

— Laura Baines. Enchantée. Dis, mon prédécesseur gardait un putois dans sa chambre ou quoi ? Qu'est-ce que ça pue, là-haut ! Je crois qu'un coup de peinture s'impose. Et qu'est-ce qui cloche avec le chauffe-eau ? J'ai dû attendre une bonne demi-heure pour avoir de l'eau chaude.

— Il fumait comme un pompier, expliquai-je. Mon coloc', hein, pas le chauffe-eau… Et pas que des cigarettes, si tu vois ce que je veux dire. Ça lui a pris d'un coup, il a décidé de tout plaquer pour s'offrir une année sabbatique et il est reparti chez lui. Il a du pot que la proprio ne lui ait pas réclamé le loyer jusqu'à la fin de l'année ! Pour en revenir au chauffe-eau, j'ai déjà appelé trois plombiers pour le réparer. Jusque-là, aucune amélioration, mais je ne désespère pas.

— *Bon voyage*[1], marmonna-t-elle entre deux bouchées, vraisemblablement à l'adresse de mon précédent colocataire.

Elle indiqua ensuite le four à micro-ondes sur le plan de travail.

— J'ai mis du pop-corn à chauffer, je voudrais regarder Jessica sur CNN.

— Mmm… C'est qui, Jessica ?

Le micro-ondes émit un bip signalant que le pop-corn était prêt à être versé dans le grand saladier en verre qu'elle avait extrait des profondeurs du placard au-dessus de l'évier.

— Jessica McClure, répondit-elle. Une p'tiote tombée au fond d'un puits au Texas. CNN diffuse en direct les images de l'opération de sauvetage. C'est dingue que tu ne sois pas au courant ! Tout le monde ne parle que de ça…

Après avoir rempli le saladier, elle me fit signe de la suivre dans le salon.

À peine assise sur le canapé, où je la rejoignis, elle alluma le téléviseur. Pendant quelques instants, nous regardâmes en silence les images défiler sur l'écran. Il faisait doux en ce mois d'octobre presque

1. En français dans le texte. *(Toutes les notes sont de la traductrice.)*

entièrement épargné par les précipitations habituelles, et les ombres du crépuscule s'allongeaient derrière la baie vitrée. Au-delà s'étendait le parc qui entourait Trinity Church, sombre et mystérieux.

Laura termina son hot dog, puis attrapa une pleine poignée de pop-corn. Elle semblait avoir complètement oublié ma présence. À la télé, un ingénieur expliquait à un journaliste les avancées réalisées dans le creusement d'un puits parallèle, qui permettrait aux sauveteurs d'accéder à l'enfant piégée sous terre. Quand Laura se débarrassa de ses pantoufles et replia ses jambes sous elle, je remarquai ses ongles de pied vernis en violet.

— T'es en quoi, au fait ? demandai-je.

— Je prépare une maîtrise de psycho, répondit-elle sans quitter des yeux l'écran. C'est ma deuxième. J'ai déjà obtenu une maîtrise de maths à l'université de Chicago. Sinon, je viens d'Evanston, dans l'Illinois. Tu connais ? Tu sais, là où les gars chiquent du Red Man et font brûler des croix…

Je me rendis compte qu'elle devait avoir deux ou trois ans de plus que moi, ce qui m'intimida un peu. À cet âge-là, un écart de trois ans s'apparente à un gouffre.

— C'est marrant, je croyais que c'était plutôt une spécialité du Mississippi, répliquai-je. Non, je n'ai jamais mis les pieds dans l'Illinois. Moi, je suis né à Brooklyn. Je ne suis allé dans le Midwest qu'une fois, en été. Je devais avoir quinze ans, et mon père m'a emmené pêcher dans les Ozarks. On

a aussi visité Saint Louis, si je me souviens bien…
D'abord maths, et après psycho, ce n'est pas un
peu bizarre, comme parcours ?

— Figure-toi qu'à l'école on m'a rangée dans
la catégorie des petits génies. Après, au lycée, j'ai
remporté toutes sortes de concours internationaux
en maths, et à vingt et un ans, ma maîtrise en
poche, je m'apprêtais à enchaîner sur un doctorat
quand j'ai changé d'avis : j'ai refusé toutes les offres
de bourse et décidé de m'inscrire ici, en psycho.
Mon diplôme m'a permis d'intégrer un programme
de recherche.

— OK. En attendant, t'as toujours pas répondu
à ma question : pourquoi ce virage ?

— Patience… répliqua-t-elle en ôtant les miettes
de pop-corn tombées sur son T-shirt.

Je me souviens bien de la scène : elle portait un
T-shirt blanc sur un jean délavé – le genre bardé
de fermetures Éclair.

Un instant plus tard, elle se leva pour aller chercher un Coca dans le frigo et me demanda si j'en
voulais un. Elle ouvrit les canettes, planta une paille
dans chacune d'elles puis revint au salon et me
tendit la mienne.

— L'été après la remise des diplômes, je suis
tombée amoureuse d'un garçon d'Evanston qui
était rentré pour les vacances, raconta-t-elle. Lui,
il préparait une maîtrise d'électronique au MIT,
un truc en rapport avec les ordinateurs… Bref,
c'était apparemment une tête. Et mignon, avec ça.

Il s'appelait John R. Findley, il avait deux ans de plus que moi et on s'était croisés au lycée. Au bout d'un mois, je me le suis fait piquer par Julia Craig, une des nanas les plus bêtes que j'aie jamais rencontrées – le genre primate qui aurait tout juste appris à prononcer dix mots, à s'épiler et à se servir d'une fourchette et d'un couteau. Du coup, je me suis rendu compte que j'avais beau maîtriser les équations différentielles et intégrales, je n'avais pas la moindre idée de ce que les autres, en particulier les hommes, avaient dans le crâne. Je me suis dit que j'avais intérêt à réagir, sinon je finirais ma vie entourée de chats, de cochons d'Inde et de perroquets ! D'où ma décision de venir ici à l'automne suivant. Ma mère s'est inquiétée et elle a essayé de me raisonner, mais elle savait que c'était peine perdue. Voilà, je suis maintenant en dernière année et je ne regrette pas mon choix.

— C'est la dernière année pour moi aussi, observai-je. Et alors, t'as atteint ton but ? T'as découvert ce que les hommes ont dans le crâne ?

Pour la première fois depuis le début de la conversation, elle me regarda droit dans les yeux.

— Pas sûr, répondit-elle. N'empêche, je pense quand même avoir progressé. John a rompu avec Godzilla quelques semaines plus tard. Par la suite, il a eu beau essayer de me récupérer, je l'ai ignoré. Peut-être que je suis trop difficile…

Elle termina son Coca et posa la canette vide sur la table basse.

Nous suivîmes encore un moment le sauvetage de la « p'tiote » du Texas et bavardâmes jusqu'à près de minuit, buvant du café et sortant de temps à autre fumer les Marlboro qu'elle était allée chercher dans sa chambre. Durant cette même soirée, je l'aidai à décharger ses affaires restées dans le coffre de sa vieille Hyundai, qu'elle avait rentrée dans le garage, et à monter sa penderie.

Laura était charmante, cultivée et elle avait le sens de l'humour. Pour ma part, comme n'importe quel jeune adulte, je n'étais qu'hormones en effervescence. N'ayant pas de petite amie à l'époque, j'étais cruellement en manque de sexe, pourtant je me souviens très bien de ne pas avoir envisagé au début la possibilité de coucher avec elle. J'étais sûr qu'elle avait un copain de toute façon, même si nous n'en parlions jamais. Quoi qu'il en soit, je me sentais agréablement troublé par la perspective de cohabiter avec une femme – une première pour moi. Il me semblait que j'allais enfin découvrir la clé de mystères jusque-là impénétrables.

En attendant, ma vie d'étudiant ne me plaisait pas et je n'avais qu'une hâte : terminer ma dernière année et mettre les voiles.

J'étais né et j'avais grandi à Brooklyn, dans le quartier de Williamsburg, près de Grand Street, où l'immobilier était beaucoup plus abordable qu'il ne l'est aujourd'hui. Ma mère enseignait l'histoire au lycée mixte de Bedford-Stuyvesant et mon père était aide-soignant à l'hôpital du comté de Kings. En d'autres termes, je n'étais pas issu d'un milieu ouvrier, mais c'était l'impression que j'avais compte tenu de l'abondance de bleus de travail autour de nous.

D'autant que mes parents ne pouvaient pas s'offrir tout ce dont ils rêvaient, même si nous n'avions pas de gros problèmes matériels. J'adorais le côté cosmopolite de Brooklyn et je me sentais comme un poisson dans l'eau au cœur de cette Babel où se côtoyaient tant d'ethnies et de mœurs différentes. Les années 1970 n'étaient cependant pas une période facile pour la ville de New York, et je me rappelle aussi les ravages causés par la misère et la violence.

Dès mon arrivée à Princeton, j'avais intégré plusieurs associations universitaires, j'étais devenu membre d'un de ces célèbres clubs de « The Street[1] » et j'avais traîné avec les comédiens amateurs du Triangle Club.

J'avais aussi pris l'habitude de lire devant un cercle littéraire au nom exotique certaines des nouvelles que j'avais rédigées à la fin du lycée. Le groupe était dirigé par un auteur qui avait connu son heure de gloire et enseignait désormais en tant que professeur invité, et ses membres rivalisaient de cruauté pour torturer la langue anglaise afin

---

1. Surnom donné à l'une des artères principales de Princeton, où se trouvent presque tous les clubs d'étudiants.

de produire des poèmes vides de sens. Lorsqu'ils s'aperçurent que mon style était plutôt « classique » et que je puisais mon inspiration dans les romans d'Hemingway et de Steinbeck, ils commencèrent à me traiter comme une bête curieuse. Résultat, un an plus tard, je passais tout mon temps libre à la bibliothèque ou chez moi.

La plupart des étudiants étaient issus de la classe moyenne de la côte Est – laquelle, après avoir connu une grosse frayeur dans les années 1960, quand son univers avait failli s'écrouler, avait éduqué ses rejetons de façon à prévenir toute récidive de cette folie. Ces années-là avaient été marquées par la musique, les manifestations, le *summer of love* chez les hippies, l'expérience de la drogue, Woodstock et les contraceptifs ; les années 1970, par la fin du cauchemar au Viêtnam, les débuts du disco, les pantalons pattes d'ef' et le mouvement d'émancipation des Noirs. En comparaison, j'avais le sentiment que les années 1980 étaient privées de cette dimension épique, que notre génération avait raté le coche. Tel un vieux chaman rusé, Ronald Reagan avait invoqué les esprits des années 1950 pour semer la confusion dans le cerveau de la nation. L'argent détruisait un à un les autels de tous les autres dieux et se préparait à entamer sa danse de la victoire, tandis que des angelots joufflus, coiffés d'un Stetson sur leurs boucles blondes, chantaient des hymnes à la gloire de la libre entreprise. *Go, Ronnie, go !*

Les autres étudiants m'apparaissaient comme des snobinards conformistes malgré les airs rebelles qu'ils se donnaient, croyant sans doute que l'élite universitaire se devait de perpétuer ainsi le souvenir des décennies précédentes. Mais si le respect des traditions avait une importance capitale à Princeton, il ne relevait à mes yeux que de l'affectation, car le temps les avait vidées de toute signification.

Quant aux profs, ce n'étaient pour moi que des personnages médiocres cramponnés à un boulot en or. Les étudiants qui jouaient aux marxistes et aux révolutionnaires tout en profitant de l'argent de papa avaient toujours le nez dans un pavé du style *Das Kapital*, et les autres, se réclamant de la tendance conservatrice, se prenaient pour les descendants directs de ce pèlerin sur le *Mayflower* qui, du nid-de-pie, une main en visière, avait crié un jour : « Terre ! » Les premiers voyaient en moi un petit-bourgeois issu d'une classe sociale méprisable dont les valeurs étaient tout juste bonnes à être foulées aux pieds ; pour les seconds, je n'étais qu'un jeune pouilleux blanc de Brooklyn qui, animé de desseins douteux et certainement condamnables, avait réussi sans qu'on sache trop comment à infiltrer leur merveilleux campus. J'avais l'impression de vivre au milieu d'une foule de robots prétentieux cultivant l'accent de Boston.

À moins que ces distinctions n'aient existé que dans ma tête ? Lorsque j'avais décidé de devenir écrivain, à la fin du lycée, je m'étais peu à peu forgé une conception du monde lugubre et empreinte de scepticisme, avec l'aide précieuse de MM. Cormac McCarthy, Philip Roth et Don DeLillo. Pour moi, un véritable romancier ne pouvait être qu'un triste sire solitaire, même s'il recevait de gros à-valoir et passait ses vacances dans des hôtels de luxe en Europe. Après tout, me disais-je, si le diable ne l'avait pas réduit à l'état de loque humaine assise sur un tas de fumier, Job n'aurait jamais réussi à se faire un nom, et l'humanité aurait été privée d'un chef-d'œuvre littéraire.

Comme j'évitais autant que possible de m'attarder sur le campus, je retournais en général à New York le week-end où, quand je n'écumais pas les bouquinistes de l'Upper East Side, j'assistais à des représentations dans d'obscurs théâtres de Chelsea ou allais à des concerts – dont ceux de Bill Frisell, Cecil Taylor et Sonic Youth – au Knitting Factory qui venait d'ouvrir dans Houston Street. Je fréquentais assidûment les cafés de Myrtle Avenue, et il m'arrivait de traverser le pont pour me rendre dans le Lower East Side, où je dînais avec mes parents et mon frère cadet Eddie – encore lycéen à l'époque – dans l'un de ces petits restaurants familiaux où tout le monde connaît tout le monde.

Je réussissais mes examens sans trop d'efforts, visant la zone confortable des B, ce qui me facilitait la vie et me laissait le temps d'écrire. Je rédigeai ainsi des dizaines de nouvelles et commençai un roman qui ne dépassa jamais quelques chapitres.

Je travaillais sur une vieille Remington que mon père avait dénichée dans le grenier et remise en état pour me l'offrir au moment de mon entrée à l'université. Néanmoins, une fois relus et corrigés, la plupart de mes textes finissaient à la poubelle. Chaque fois que je découvrais un nouvel auteur, je l'imitais à mon insu, tel un chimpanzé éperdu d'admiration à la vue d'une femme en rouge.

Étrangement, je ne prenais aucun plaisir à consommer de la drogue. J'avais fumé de l'herbe pour la première fois à quatorze ans, pendant une sortie scolaire au jardin botanique. Ce jour-là, un certain Martin avait apporté deux joints, que cinq ou six d'entre nous avaient fait circuler en cachette, avec le sentiment de sombrer pour de bon dans les eaux troubles de la criminalité. Plus tard, au lycée, j'avais encore quelquefois tâté de la marijuana, et je m'étais aussi saoulé à la bière bon marché lors de deux ou trois soirées organisées dans des appartements glauques de Driggs Avenue. Mais je n'avais pas plus apprécié l'expérience de la défonce que celle de l'ivresse, au grand soulagement de mes parents : en ce temps-là, ceux qui étaient tentés de s'écarter du droit chemin avaient de grandes chances de finir poignardés dans une ruelle ou victimes d'une overdose. J'avais donc trimé dur en classe et obtenu d'excellentes notes qui m'avaient valu d'être accepté à Cornell et à Princeton. J'avais choisi la seconde, considérée comme plus progressiste.

La télévision n'était pas encore devenue ce qu'elle est aujourd'hui, à savoir un interminable défilé de programmes où des tocards de tout poil sont obligés de chanter, de se faire insulter par des présentateurs vulgaires ou de s'aventurer dans des bassins remplis de serpents. Les émissions américaines ne s'étaient pas transformées en histoires contées par des idiots, pleines de bruit et de rires en boîte, et qui ne veulent rien dire. Pour autant, je ne trouvais aucun intérêt aux débats politiques hypocrites de l'époque, ni aux divertissements ou aux films de série B exhibant des adolescents sur le modèle de Barbie et de Ken. Les quelques producteurs et journalistes compétents des années 1960 et 1970 encore en activité dans les studios me paraissaient empruntés et aussi mal à l'aise que des dinosaures lorgnant d'un œil inquiet la météorite qui va mettre fin à leur ère.

Mais, comme je n'allais pas tarder à m'en apercevoir, Laura était accro à sa dose quotidienne de conneries télévisuelles. Elle affirmait que c'était le seul moyen pour elle de relâcher la pression, de donner à son cerveau la possibilité de trier, organiser et classer toutes les informations accumulées au cours de la journée. Alors, à l'automne de l'an de grâce 1987, je me gavai de télé comme jamais, éprouvant une sorte de plaisir masochiste à rester vautré sur le canapé à côté d'elle, et à renchérir dans la critique de tous les talk-shows, feuilletons hebdomadaires et titres des actualités comme les deux vieux ronchons sur le balcon du *Muppet Show*.

Elle ne me parla pas tout de suite du professeur Joseph Wieder. Ce fut seulement à l'approche d'Halloween qu'elle me confia le connaître. C'était l'une des personnalités les plus en vue du corps enseignant à Princeton, considéré comme le nouveau Prométhée descendu parmi les simples mortels pour partager le secret du feu. Ce soir-là, nous regardions « Larry King Live », où Wieder avait été invité pour parler de la dépendance à la drogue après la découverte la veille, dans un chalet près d'Eugene, Oregon, de trois garçons morts d'une overdose. Le professeur et elle étaient « bons amis », m'affirma-t-elle. Je devais déjà être tombé amoureux d'elle, même si je l'ignorais encore.

2

Les semaines suivantes furent probablement les plus heureuses de ma vie.

La plupart des cours de psychologie avaient lieu au Green Hall, situé à quelques minutes de marche seulement du McCosh Hall et du Dickinson Hall, où je suivais mes cours d'anglais, si bien que Laura et moi étions presque toujours ensemble. Nous nous retrouvions à la bibliothèque Firestone, longions le stade en rentrant chez nous, faisions une halte au musée d'art ou dans l'un des cafés voisins, ou alors nous prenions le train pour New York, où nous allions voir des films comme *Dirty Dancing*, *La Folle Histoire de l'espace* et *Les Incorruptibles*.

Laura avait beaucoup d'amis, en majorité des étudiants en psycho. Elle m'en avait présenté certains, mais elle aimait mieux rester en tête à tête avec moi. Nous avions des goûts musicaux différents : elle appréciait les sons nouveaux – dont les représentants à l'époque étaient, entre autres,

Lionel Richie, George Michael et Fleetwood Mac —, ce qui ne l'empêchait pas de prêter une oreille attentive à mes cassettes et CD de rock alternatif et de jazz.

Il nous arrivait de discuter jusqu'au petit matin, dopés par la nicotine et la caféine, puis de nous traîner en cours après deux ou trois heures de sommeil seulement. Même si elle possédait une voiture, elle ne s'en servait que rarement ; nous préférions nous déplacer à pied ou à vélo. Les soirs où elle n'avait pas envie de regarder la télé, Laura invoquait l'esprit qui hantait la console de jeux NES, et nous passions des heures à tirer sur des canards ou à nous prendre pour Bubbles le poisson rouge dans *Clu Clu Land*.

Une fois où nous avions joué ainsi pendant deux heures, elle lança soudain :

— Richard ? (Elle n'employait jamais de diminutif tel que Richie ou Dick.) Tu savais qu'on est le plus souvent incapables de faire la différence entre la fiction et la réalité ? Attention, hein ? Quand je dis « on », je veux parler de notre cerveau. Du coup, on peut aussi bien pleurer devant un film que rire devant un autre, tout en sachant pertinemment qu'on regarde des acteurs et que l'histoire est née de l'imagination d'un scénariste. Sans ce « défaut », on ne serait tous que des ROB.

Le ROB, ou Robotic Operating Buddy, était un gadget inventé par les Japonais pour tenir compagnie aux adolescents solitaires. Laura rêvait de s'en acheter un, de le baptiser Armand et de lui apprendre à lui apporter son café au lit ou à lui acheter des fleurs quand elle avait un coup de blues. Ce qu'elle ne savait pas, c'est que j'aurais volontiers fait toutes ces choses pour elle, et bien d'autres encore, sans avoir besoin d'être programmé au préalable…

On ignore ce qu'est la souffrance avant d'avoir reçu une blessure si profonde qu'elle relègue toutes les autres au rang de simples égratignures. Dans les premiers jours du printemps, mes difficultés d'adaptation à la vie de Princeton avaient été avivées par un événement tragique : la mort de mon père.

Une crise cardiaque l'avait tué presque instantanément sur son lieu de travail. Malgré l'intervention rapide de ses collègues, il n'avait pu être sauvé, et le décès avait été prononcé moins d'une heure après qu'il se fut effondré dans le couloir du service de chirurgie au troisième étage de l'hôpital. Mon frère m'avait annoncé la nouvelle par téléphone, pendant que maman s'occupait des formalités.

J'avais sauté dans le premier train pour New York. En arrivant chez nous, j'avais trouvé notre foyer déjà encombré de proches, de voisins et d'amis. Papa avait été enterré à Evergreen et, peu après, dans les premiers jours de l'été, maman avait décidé d'aller vivre avec Eddie à Philadelphie, où habitait sa sœur cadette Cornelia. J'avais alors éprouvé un choc terrible à l'idée que tout ce qui me rattachait à mon enfance allait disparaître et que je ne remettrais plus jamais les pieds dans ce trois pièces où j'avais passé l'essentiel de mon existence.

Depuis toujours, pourtant, je me doutais que ma mère détestait Brooklyn et qu'elle y restait uniquement pour mon père. Fille d'un pasteur luthérien d'origine allemande, Reinhardt Knopf, elle avait reçu une éducation stricte qui avait fait d'elle une personne mélancolique et enfermée dans ses livres. Je me rappelais vaguement avoir rendu visite à mon grand-père une année, pour son anniversaire. C'était un homme grand et d'apparence austère qui habitait dans le Queens une maison impeccablement tenue, dotée d'un petit jardin où même l'herbe semblait avoir été peignée avec soin. Sa femme était morte en couches à la naissance de ma tante et il avait élevé seul ses deux filles sans jamais se remarier.

Il était mort d'un cancer des poumons quand j'avais dix ans. Mais lorsqu'il était encore vivant, je me souviens que ma mère exprimait parfois le souhait d'aller s'installer dans le Queens – « un quartier convenable et propre », d'après elle – pour se rapprocher de lui. Elle avait fini par baisser les bras en comprenant que c'était une cause perdue : Michael Flynn, mon père, né et élevé à Brooklyn, était une vraie tête de mule irlandaise qui n'aurait pas vécu ailleurs pour un empire.

C'est ainsi que mon départ pour Princeton avait coïncidé avec le déménagement de ma mère et de mon frère. Au moment de ma rencontre avec Laura, je commençais tout juste à me faire à l'idée que je ne serais plus à Brooklyn qu'un invité de passage. Je me sentais dépossédé de tout. Les affaires que je n'avais pas emportées sur le campus avaient été remisées à Philadelphie, dans un deux pièces sur Jefferson Avenue, près de Central Station, et en allant voir ma mère et mon frère peu après leur arrivée, j'avais compris tout de suite que leur appartement ne serait jamais un foyer pour moi. Je devais également affronter une autre réalité : les revenus familiaux s'étaient rétrécis comme peau de chagrin après la disparition de mon père, et dans la mesure où mes notes n'étaient pas assez bonnes pour me permettre de décrocher une bourse, il me fallait chercher un boulot à temps partiel afin de payer mes études.

La mort de papa avait été si brutale que j'avais du mal à m'habituer à son absence ; je pensais souvent à lui comme s'il était toujours de ce monde. Parfois, les disparus sont bien plus proches de nous qu'ils ne l'étaient avant de passer dans l'autre monde : leur souvenir, ou du moins ce que nous croyons nous rappeler d'eux, constitue pour nous une incitation plus forte à essayer de répondre à leurs attentes que s'ils nous l'avaient demandé de leur vivant. Le décès de mon père m'avait rendu plus responsable, moins enclin à me laisser porter par les événements. Si les vivants accumulent les erreurs, les morts se retrouvent vite parés d'une aura d'infaillibilité par ceux qu'ils laissent derrière eux.

C'est donc durant cette période de mon existence où je me sentais particulièrement seul que ma nouvelle amitié avec Laura s'était épanouie et que sa présence m'était devenue de plus en plus indispensable.

Deux semaines avant Thanksgiving, alors que le temps se dégradait, Laura suggéra de me présenter au professeur Joseph Wieder. Elle travaillait sous sa supervision sur un projet de recherche dont elle comptait faire le sujet de son mémoire

Elle s'était spécialisée en psychologie cognitive, un domaine considéré comme novateur à cette époque où l'expression « intelligence artificielle » était sur toutes les lèvres après l'arrivée triomphale des ordinateurs dans nos foyers et dans nos vies. Pour beaucoup, il était entendu que, d'ici à une décennie, nous dialoguerions avec nos grille-pain et demanderions conseil à nos machines à laver sur l'évolution de notre carrière.

Laura me parlait souvent de son travail, mais je n'y comprenais pas grand-chose et, enfermé comme je l'étais dans cet égocentrisme caractéristique des jeunes mâles, je ne faisais pas trop d'efforts non plus pour m'y intéresser. En gros, j'avais retenu que le professeur Wieder, qui avait étudié en Europe et obtenu un doctorat de psychiatrie à Cambridge, arrivait au terme d'un projet de recherche monumental sur la mémoire et la formation des souvenirs, dont Laura disait qu'il était appelé à modifier complètement la façon d'appréhender le fonctionnement de l'esprit et le lien entre le stimulus interne et la réaction. D'après elle, ses connaissances en maths constituaient une aide précieuse pour Wieder, dont les sciences exactes n'étaient pas le point fort. Or, les travaux qu'il menait impliquaient l'utilisation de formules mathématiques pour quantifier les variables.

Ma rencontre avec le grand homme devait se graver à jamais dans mon esprit, mais pas pour les raisons que j'aurais pu imaginer.

Un samedi après-midi à la mi-novembre, nous fîmes nos fonds de poche pour acheter le côtesdu-rhône rouge que l'employé de l'épicerie fine nous avait recommandé et nous partîmes voir le professeur. Il vivait à West Windsor, aussi Laura avait-elle décidé de prendre la voiture.

Environ vingt minutes plus tard, nous nous garâmes près d'un portail ouvert, derrière lequel se dressait une maison de style Queen Anne voisinant avec un petit lac qui luisait d'un éclat mystérieux dans la pénombre du crépuscule. Un muret de pierre entourait la propriété. Nous nous engageâmes sur l'allée de gravier tracée au milieu d'une pelouse bien entretenue, bordée de rosiers et de mûriers. Sur notre gauche, un chêne imposant déployait ses frondaisons dépouillées au-dessus du toit en tuiles.

À peine Laura avait-elle appuyé sur la sonnette qu'un homme grand et bien bâti vint nous ouvrir. Il était presque chauve et arborait une longue barbe grise. En jean, tennis et T-shirt Timberland vert dont il avait retroussé les manches, il ressemblait plus à un entraîneur de foot qu'à un universitaire sur le point de faire une révélation fracassante, susceptible de révolutionner la communauté scientifique. Il dégageait aussi cette impression d'assurance propre aux personnes à qui tout sourit.

Il me gratifia d'une poignée de main ferme, puis embrassa Laura sur les joues.

— Ravi de vous rencontrer, Richard, dit-il d'une voix étonnamment jeune. Laura m'a beaucoup parlé de vous.

Il nous introduisit dans un vestibule haut de plafond, aux murs ornés de tableaux, et suspendit nos vêtements à une patère.

— En général, poursuivit-il, elle se montre plutôt critique et acerbe envers tous ceux qui croisent sa route, mais je ne l'ai entendu dire que du bien de vous. Alors j'étais impatient de faire votre connaissance, forcément ! Je vous en prie, suivez-moi.

Nous entrâmes dans un immense salon sur deux niveaux. Un coin-cuisine en occupait une partie, dominé par un plan de travail massif au-dessus duquel étaient accrochées toutes sortes de casseroles et de poêles en cuivre. Je remarquai aussi sur ma gauche un vieux secrétaire aux charnières en bronze, couvert de papiers, de livres et de stylos, devant lequel était disposée une chaise à l'assise en cuir.

Des fumets appétissants flottaient dans l'air, mêlés à l'odeur du tabac. Nous nous assîmes sur un canapé tendu d'un tissu à motifs orientaux, tandis que notre hôte nous préparait un gin-tonic en disant qu'il réservait notre bouteille de vin pour le dîner.

Je me sentais un peu intimidé par cet intérieur encombré d'œuvres d'art en tout genre – bronzes, tableaux et antiquités diverses –, qui m'évoquait un musée. Ici et là, des tapis tissés à la main réchauffaient les parquets cirés. C'était la première fois que j'entrais dans une telle demeure.

Après s'être servi un scotch additionné d'eau gazeuse, notre hôte s'installa dans le fauteuil en face de nous et alluma une cigarette.

— Voyez-vous, Richard, j'ai acheté cette maison il y a quatre ans, et j'en ai passé deux à la rénover pour lui donner l'aspect qu'elle a aujourd'hui. À l'époque, le lac n'était qu'une espèce de marécage puant et infesté de moustiques. Mais je crois que ça en valait la peine, même si c'est un peu isolé : à ce que m'a dit un professionnel du secteur, sa valeur a presque doublé dans l'intervalle.

— C'est magnifique, lui assurai-je.

— Tout à l'heure, je vous montrerai la bibliothèque à l'étage. C'est ma joie et ma fierté ; le reste n'est qu'accessoire. En tout cas, j'espère bien que vous reviendrez. J'organise quelquefois des dîners le samedi soir. Oh, rien de guindé ! Je réunis juste quelques amis et collègues. Et le dernier vendredi du mois, c'est la soirée poker. On ne mise que de la petite monnaie, ne vous inquiétez pas.

La conversation se poursuivit agréablement, au point que, au moment de passer à table une demi-heure plus tard (le professeur nous avait concocté des spaghettis bolognaise d'après la recette envoyée d'Italie par un de ses collègues), nous avions déjà l'impression de nous connaître depuis longtemps. J'en avais même oublié ma gêne initiale.

Laura, tout occupée à jouer les maîtresses de maison, ne participait presque pas à la discussion. Elle servit les plats, puis débarrassa la table et alla mettre assiettes et couverts dans le lave-vaisselle. Quand elle s'adressait à Wieder, elle ne disait ni « professeur », ni « monsieur », ni « monsieur

Wieder », mais simplement « Joe ». Elle semblait parfaitement à l'aise chez lui, et il me parut évident qu'elle avait déjà endossé auparavant le rôle d'hôtesse pendant que le professeur pérorait sur divers sujets, fumant cigarette sur cigarette et accompagnant ses propos de grands gestes.

Au cours de la soirée, je m'interrogeai brièvement sur leur degré d'intimité, avant de me dire que ce n'étaient pas mes affaires. Après tout, je n'avais à l'époque aucune raison de penser qu'ils puissent entretenir une relation autre qu'amicale.

Wieder vanta les qualités du côtes-du-rhône que nous avions apporté et se lança dans une longue digression sur les vignobles français, durant laquelle il m'expliqua comment choisir un vin en fonction des différents cépages – sans pour autant paraître pédant. Il me raconta ensuite qu'il avait vécu à Paris pendant deux ou trois ans quand il était jeune, et qu'il avait décroché une maîtrise de psychologie à la Sorbonne, avant de partir pour l'Angleterre, où il avait passé son doctorat et publié son premier livre.

Au bout d'un moment, il se leva et alla chercher dans les profondeurs de la maison une autre bouteille de vin français, que nous bûmes ensemble. Laura en était toujours à son premier verre ; elle avait averti le professeur qu'elle devait prendre le volant pour rentrer. Elle semblait ravie de nous voir si bien nous entendre et nous observait telle une baby-sitter soulagée que ses petits protégés n'aient pas envie de casser leurs jouets ou de se battre.

Néanmoins, pour autant que je m'en souvienne, la conversation avec le professeur fut quelque peu chaotique : il parlait beaucoup, sautant du coq à l'âne avec une aisance confondante. Il avait une opinion sur tout, de la dernière saison des Giants à la littérature russe du XIXe siècle. Certes, j'étais étonné par l'étendue de ses connaissances ; il était évident pour moi qu'il avait beaucoup lu et que les années n'avaient en rien entamé sa curiosité intellectuelle. (Pour quelqu'un comme moi, à peine sorti de l'adolescence, un adulte frisant la soixantaine était déjà vieux.) Mais en même temps, il me faisait penser à un missionnaire consciencieux qui se serait donné pour tâche d'éduquer les sauvages, tout en ayant de sérieux doutes sur leurs capacités mentales. Il pratiquait le questionnement socratique, donnait lui-même les réponses avant que j'aie pu ouvrir la bouche, puis trouvait des contre-arguments qu'il démolissait quelques minutes plus tard.

De fait, il s'agissait moins d'une « conversation » que d'un long monologue. Au bout de deux ou trois heures, j'avais acquis la conviction qu'il pourrait continuer de discourir ainsi même après notre départ.

Durant la soirée, le téléphone sonna à plusieurs reprises dans le vestibule. Le professeur alla répondre chaque fois, s'excusant auprès de nous et prenant rapidement congé de son interlocuteur. Un appel le retint cependant un moment, durant lequel il parla à voix basse pour ne pas être entendu du salon. Je ne distinguais pas ses propos mais sa voix exprimait une vive contrariété.

À son retour, il avait l'air ébranlé.

— Ces types sont complètement à côté de la plaque ! lança-t-il à Laura d'un ton furieux. Comment peut-on exiger ça d'un scientifique de mon niveau ? On leur donne le doigt et ils vous prennent le bras... Bon sang ! J'ai fait la plus grosse connerie de ma vie en acceptant de bosser avec ces crétins.

Laura s'abstint de toute remarque et disparut quelque part dans la maison. Sans me donner d'explications, le professeur partit chercher une autre bouteille de vin. Quand nous l'eûmes vidée, il semblait avoir tiré un trait sur le coup de fil désagréable et, d'un ton blagueur, affirma que les hommes, les vrais, boivent du whisky. Il s'éclipsa de nouveau et rapporta cette fois une bouteille de Lagavulin accompagnée d'un bol de glaçons. Nous l'avions déjà bien entamée lorsqu'il changea d'avis : selon lui, rien ne valait la vodka pour célébrer la naissance d'une belle amitié.

Je ne me rendis compte de mon ébriété qu'à l'instant où je me levai pour aller aux toilettes, après m'être héroïquement retenu jusque-là. Mes jambes ne me portaient plus et je manquai de m'étaler. Si je prenais un verre de temps à autre, je n'avais cependant jamais autant bu. Devant l'air amusé de Wieder, j'avais l'impression d'être un chiot maladroit.

Dans la salle de bains, je me campai devant le miroir au-dessus du lavabo et m'esclaffai en voyant mon reflet dédoublé. J'en oubliai de me laver les mains et dus retourner sur mes pas. Quand j'ouvris le robinet, l'eau trop chaude me brûla les doigts.

Laura reparut dans le salon quelques instants plus tard, nous gratifia d'un regard noir, puis alla nous faire du café. Pour sa part, le professeur avait l'air parfaitement sobre. À croire que j'avais été le seul à boire... Étais-je le dindon d'une espèce de farce ? me demandai-je soudain en prenant conscience de mon élocution pâteuse. J'avais également mal à la poitrine à force d'avoir enchaîné les cigarettes. Des nuages de fumée grise dérivaient dans la pièce tels des spectres, bien que les deux fenêtres fussent grandes ouvertes.

Nous bavardâmes encore une bonne heure, sans rien avaler d'autre que du café et de l'eau, puis Laura me fit comprendre qu'il était temps de partir. Wieder nous raccompagna jusqu'à la voiture et, au moment de nous quitter, me répéta qu'il serait très heureux de me revoir.

Alors que nous roulions dans Colonial Avenue, presque déserte à cette heure tardive, je lançai :

— La vache, qu'est-ce qu'il tient bien l'alcool !
T'as une idée de ce qu'on a descendu ?

— Il avait dû prendre quelque chose avant,
répliqua Laura. Des cachets, peut-être, ou un truc
comme ça… D'habitude, il ne boit pas autant. Et
comme tu n'es pas psychologue pour deux sous,
tu ne t'es pas rendu compte qu'il te tirait les vers
du nez sans rien te révéler sur lui.

— Tu rigoles ? Il m'a dit des tas de trucs !

J'avais surtout protesté pour la forme. En fait,
j'hésitais à lui demander d'arrêter la voiture pour
que je puisse aller vomir derrière un arbre. La
tête me tournait et je devais puer l'alcool à plein
nez.

— Il ne t'a rien dit de plus que ce qui est écrit
sur la jaquette de ses livres, rétorqua-t-elle. Toi,
par contre, tu lui as raconté que tu avais peur des
serpents, et aussi qu'à quatre ans et demi tu avais
failli te faire violer par un voisin taré que ton père
avait pratiquement laissé pour mort. Ça n'a rien
d'anodin, ce genre de confidences !

— Je lui ai dit ça ? Je ne me souviens pas…

— Il adore fouiller dans l'esprit des autres. Chez
lui, c'est plus qu'un réflexe professionnel, ça tient
presque de la curiosité pathologique, et il a beaucoup de mal à la refréner. C'est d'ailleurs pour
ça qu'il a accepté de superviser ce programme,
celui que…

Elle s'interrompit au beau milieu de sa phrase,
comme si elle avait peur d'être trop bavarde.

Je ne lui demandai pas de précisions. Au lieu de quoi, je baissai ma vitre pour laisser l'air frais m'éclaircir les idées. Un pâle croissant de lune brillait dans le ciel.

C'est ce même soir que nous devînmes amants.

Nous sautâmes le pas le plus simplement du monde, sans préliminaires hypocrites du style : « Je ne veux pas gâcher notre amitié. » Après qu'elle eut rentré la voiture dans le garage, nous restâmes un moment dans le jardin baigné par la clarté jaunâtre du réverbère, où nous partageâmes une cigarette en silence. En rentrant, je voulus éclairer le salon, mais Laura m'arrêta, me prit par la main et m'emmena dans sa chambre.

Le lendemain était un dimanche. Nous passâmes toute la journée à la maison, à faire l'amour et à nous découvrir, presque sans parler. En fin d'après-midi, nous allâmes manger au Peacock Inn, puis nous fîmes une longue promenade dans le parc, jusqu'à la tombée de la nuit. Je lui avais confié mon intention de chercher un petit boulot d'appoint et, quand j'abordai de nouveau le sujet, elle me suggéra de m'adresser à Wieder : il avait besoin de quelqu'un pour classer les ouvrages dans la bibliothèque qu'il n'avait pas eu l'occasion de me montrer la veille. L'idée me prit au dépourvu.

— Tu crois que je pourrais convenir ?

— En fait, je lui en avais déjà parlé, déclara-t-elle. C'est pour cette raison qu'il voulait te rencontrer. Sauf que, évidemment, vous avez discuté de tout sauf de ça. Ah, les hommes ! Mais bon, je suis sûre qu'il t'a trouvé sympa, alors ça ne devrait pas poser de problème.

Et moi, l'avais-je trouvé sympa ? me demandai-je.

— Dans ce cas, je suis partant, dis-je néanmoins.

Elle se pencha vers moi et m'embrassa. Sous sa clavicule gauche, au-dessus de son sein, se nichait un grain de beauté pas plus gros qu'une pièce de vingt-cinq *cents*. Ce soir-là, j'explorai méticuleusement le corps de Laura comme pour en mémoriser à jamais toutes les parties. Elle avait des chevilles d'une finesse exceptionnelle et des orteils assez longs, qu'elle avait baptisés son « équipe de basket ». Je recensai ainsi chaque marque et chaque petite imperfection sur sa peau qui conservait des traces de son hâle estival.

À cette époque où il était déjà devenu courant de consommer l'amour à la va-vite, sur le modèle de la restauration rapide, je n'avais pas échappé à la règle. J'avais perdu ma virginité à quinze ans, dans un lit au-dessus duquel était accroché un poster de Michael Jackson. L'occupante attitrée du lit en question s'appelait Joelle, elle avait deux ans de plus que moi et habitait Fulton Street. Les années suivantes, j'avais eu de nombreuses partenaires, et à deux ou trois reprises j'avais même cru être amoureux.

Mais cette nuit-là, je compris que je m'étais trompé. Dans certains cas, j'avais peut-être éprouvé de l'attirance, un élan de passion ou seulement de la tendresse. Or, avec Laura, je ressentais tout cela et plus encore : j'aurais voulu ne jamais la quitter, pas un seul instant de la journée. Me doutais-je déjà que notre histoire n'était pas appelée à durer ? Cette intuition expliquait-elle le sentiment d'urgence qui m'aiguillonnait, me poussant à rassembler assez de souvenirs d'elle pour me tenir compagnie jusqu'à la fin de mes jours ?

3

Je commençai à travailler pour le professeur Wieder dès le week-end suivant. Seul, cette fois, je pris le bus à Trinity Station pour me rendre chez lui. À mon arrivée, nous allâmes tous les deux boire une bière sur le banc au bord du lac, et il m'expliqua comment il envisageait d'organiser sa bibliothèque, riche de quelques milliers de livres.

Il avait acheté un ordinateur qu'il avait installé au premier, dans une pièce aveugle aux murs couverts de rayonnages en bois. J'étais censé mettre au point un système d'archivage codifié, afin qu'un moteur de recherche puisse indiquer l'emplacement de chaque ouvrage. Autrement dit, j'allais devoir entrer les données – titres, auteurs, éditeurs, références de la Bibliothèque du Congrès, etc. – et classer les livres par catégories. Après avoir fait un calcul rapide, nous parvînmes à la conclusion que cette entreprise m'occuperait tous les week-ends durant six mois, à moins que je ne puisse y consacrer quelques jours supplémentaires dans la semaine. J'étais déjà plongé dans la rédaction de mon mémoire de fin de licence, mais j'espérais être en mesure de me libérer un après-midi de temps à autre pour me consacrer à la mission confiée par Wieder.

Celui-ci me proposa un règlement hebdomadaire. La somme était plus que généreuse et il me remit un chèque couvrant les trois premières semaines. Je remarquai qu'en l'absence de Laura il se montrait moins bavard, plus direct.

Après m'avoir dit qu'il allait s'entraîner au sous-sol, où il avait installé quelques appareils de musculation, il me laissa me débrouiller dans la bibliothèque.

J'y passai deux ou trois heures seul, à me familiariser avec l'ordinateur et le logiciel. Quand je redescendis au rez-de-chaussée, je trouvai le professeur dans la cuisine, occupé à préparer des sandwichs. Nous les mangeâmes ensemble, en parlant de politique. À ma grande surprise, il se montra très conservateur dans ses opinions ; pour lui, le « libéralisme » était aussi dangereux que le communisme, et Reagan avait raison de brandir le poing devant les Russes, quand son prédécesseur, Jimmy Carter, n'avait fait que leur lécher le cul.

Nous étions assis au salon pour fumer, et la cafetière glougloutait dans la cuisine, lorsqu'il me demanda soudain :

— Laura et vous, vous êtes juste copains ?

Sur le coup, la question me prit de court et je ne sus que répondre. Je faillis répliquer que ça ne le regardait pas mais, conscient de l'importance que Laura accordait à leur amitié, j'optai pour une attitude plus mesurée.

— Oui, prétendis-je. On a tout de suite sympathisé quand elle a emménagé chez moi, même si on n'a pas grand-chose en commun.

— Vous avez une petite amie ?

— Non. Pour le moment, je suis célibataire.

— Ah bon ? Où est le problème ? Laura est superbe, intelligente, attirante à tous points de vue. Et vous passez beaucoup de temps ensemble, si j'ai bien compris.

— Que voulez-vous que je vous dise ? Parfois le déclic se produit, et parfois non.

Wieder alla chercher les tasses de café, m'en tendit une, puis alluma une autre cigarette en me dévisageant d'un air à la fois grave et inquisiteur.

— Elle vous a raconté quelque chose sur moi ? s'enquit-il.

La tournure prise par la conversation me mettait de plus en plus mal à l'aise.

— Laura a beaucoup d'estime pour vous et elle est heureuse de collaborer avec vous, répondis-je. Elle m'a expliqué que vous travaillez tous les deux sur un projet spécial, en relation avec la mémoire, qui devrait changer profondément notre conception de l'esprit humain. Voilà, c'est tout.

— Elle ne vous a pas donné de détails ?

— Non. Malheureusement, je suis dans un tout autre domaine, et Laura a renoncé à essayer de m'initier aux mystères de la psychologie, dis-je en faisant un effort pour paraître détendu. Sans vouloir vous vexer, l'idée d'aller fouiller dans le cerveau de mes semblables ne m'excite pas.

— Vous voulez devenir écrivain, pourtant, non ? répliqua-t-il, visiblement contrarié. Comment pourriez-vous développer vos personnages si vous n'avez pas la moindre idée de la façon dont pensent vos semblables ?

— C'est comme si vous disiez qu'il faut être géologue pour être capable d'apprécier la varappe ! rétorquai-je. Non, vous m'avez mal compris, Joe.

Il avait insisté pour que je l'appelle par son prénom, mais cela ne me venait pas naturellement.

— Il m'arrive de m'asseoir dans un café pour pouvoir observer les clients, étudier leurs gestes et leurs expressions en essayant d'imaginer ce qu'ils traduisent, poursuivis-je. C'est néanmoins ce qu'ils veulent révéler, consciemment ou pas, qui…

Le professeur ne me laissa pas terminer ma phrase.

— Vous me prenez pour une espèce de voyeur, c'est ça ? Eh bien, non, pas du tout. Certains d'entre nous ont besoin d'être aidés à mieux se comprendre, alors les psychologues doivent leur tendre une main secourable, sans laquelle leur personnalité se désintégrerait. En l'occurrence, mon objectif est différent. Vous vous rendez sûrement compte – ou peut-être pas, d'ailleurs, auquel cas je vous demande de me croire sur parole – qu'un tel projet de recherche doit être mené dans la plus grande discrétion, jusqu'au moment où je déciderai de publier les résultats. J'ai déjà signé un contrat avec un éditeur, autre que nos Presses universitaires, soit dit en passant, ce qui a suscité pas mal de mécontentement. Je n'ai pas besoin de vous parler de la jalousie dans le milieu enseignant, n'est-ce pas ? Vous avez été étudiant suffisamment longtemps pour en avoir une assez bonne idée. Et il y a aussi une autre raison pour laquelle le secret est requis dans un premier temps, mais je ne peux pas vous en dire plus. Bon, vous vous en sortez, avec la bibliothèque ?

C'était typique de sa part de changer brutalement de sujet, comme s'il essayait toujours de me déstabiliser. Je lui répondis que je savais désormais me débrouiller avec l'ordinateur et le logiciel, et que tout se présentait bien.

Un quart d'heure plus tard, au moment où j'allais partir, il m'arrêta devant la porte en m'annonçant qu'il voulait m'entretenir d'un dernier point.

— Après votre visite de la semaine dernière, avez-vous été abordé par quelqu'un qui avait des questions à poser sur mon travail ? s'enquit-il. Un collègue, un ami peut-être, voire un inconnu ?

— Non. De toute façon, personne n'est au courant que je viens ici. Sauf Laura, bien sûr.

— Tant mieux. N'en parlez pas, d'accord ? Cette histoire de bibliothèque doit rester entre nous. À propos, pourquoi Laura ne vous a-t-elle pas accompagné aujourd'hui ?

— Elle est partie à New York avec une copine. Elles iront au théâtre ce soir et passeront la nuit chez les parents de la copine en question. Elles rentreront demain matin.

Il me contempla un long moment.

— Tiens, tiens, dit-il enfin. Je serais drôlement curieux de connaître l'opinion de Laura sur la pièce... Comment s'appelle son amie ?

— Dharma, je crois.

— Il y a vingt ans, les prénoms classiques comme Daisy ou Nancy n'avaient plus la cote auprès des hippies, pas vrai ? Allez, à la prochaine, Richard, je vous reverrai après Thanksgiving. Je vous aurais bien invité à dîner pour l'occasion, mais je pars à Chicago demain et je ne rentrerai que vendredi. Au besoin, Laura a les clés de la maison. Alors, si vous avez le temps de venir pendant mon absence, ne vous gênez pas. Vous savez quoi faire. À bientôt.

Au lieu d'aller directement à l'arrêt de bus, je flânai un moment dans les rues voisines. Tout en fumant, je repensai à notre conversation.

Ainsi, Laura avait les clés de chez lui ? Ce détail me troublait, parce que je n'avais pas eu l'impression jusque-là qu'ils étaient proches à ce point. De plus, Wieder avait insinué que Laura m'avait menti à propos de cette soirée au théâtre. Et il avait été très indiscret dans ses questions sur la nature de la relation entre nous.

À force de ruminer, je rentrai de mauvaise humeur et je rangeai le chèque dans un tiroir de ma penderie avec le sentiment déplaisant qu'il s'agissait d'un paiement pour une transaction louche dont les tenants et les aboutissants m'échappaient encore. Pour la première fois depuis que Laura avait emménagé, j'allais me retrouver seul un samedi soir, et la maison me paraissait froide et hostile.

Après avoir pris une douche, je commandai une pizza et regardai un épisode de *Mariés, deux enfants*, sans rien trouver d'amusant aux aventures de la famille Bundy. Le parfum de Laura flottait dans la pièce, comme si elle était assise à côté de moi sur le canapé. Je ne l'avais rencontrée que quelques semaines plus tôt, pourtant il me semblait la connaître depuis des années tant elle occupait désormais une place importante dans mon existence.

J'eus beau ensuite me replonger dans un roman de Norman Mailer en écoutant du B.B. King, mes pensées me ramenaient toujours à elle et au professeur Wieder.

Il m'avait très bien reçu et m'avait proposé du travail, aussi aurais-je dû éprouver de la gratitude envers lui. De plus, c'était une sommité du monde universitaire, et je pouvais m'estimer heureux qu'il m'ait accordé son attention, même si c'était sur la recommandation de sa protégée. En même temps, malgré les apparences, je sentais quelque chose de sombre et d'étrange dans son comportement, quelque chose que je n'aurais su nommer mais qui était bien là, derrière sa façade aimable et son incessante logorrhée.

Pire, j'avais déjà commencé à mettre en doute la sincérité de Laura. Au cours de la soirée, j'avais échafaudé toutes sortes de scénarios qui me permettraient de vérifier la véracité de ses dires, mais de toute façon il n'y avait plus de train pour New York à cette heure tardive. De plus, n'était-ce pas complètement ridicule d'aller l'espionner, comme dans un mauvais film de série B ?

Ces pensées en tête, je finis par m'endormir sur le canapé. Je me réveillai en pleine nuit et, tout ensommeillé, montai me coucher dans ma chambre. Cette nuit-là, je rêvai que je me tenais au milieu des roseaux sur la rive d'un lac immense. Alors que je contemplais ses eaux sombres, j'avais soudain conscience d'un danger imminent. J'apercevais alors le corps écailleux et couvert de boue d'un énorme alligator qui m'épiait à travers la végétation. Quand il posait les yeux sur moi, je m'apercevais qu'ils étaient du même bleu limpide que ceux du professeur Wieder.

Laura rentra le lendemain après-midi. J'avais passé la journée à traîner sur le campus avec deux copains qui m'avaient invité chez eux, dans Nassau Street, pour manger une pizza et écouter de la musique. Quand j'entendis sa voiture arriver, j'étais à la maison, en train de préparer du café.

Elle avait les yeux cernés et paraissait épuisée. Elle me gratifia d'un baiser timide, puis se précipita dans sa chambre à l'étage pour prendre une douche et se changer. Pendant ce temps, je remplis deux tasses et m'allongeai sur le canapé. Quand elle redescendit, elle me remercia, saisit la télécommande puis commença à zapper. Comme elle ne semblait pas d'humeur loquace, je ne la pressai pas de questions. Au bout d'un moment, ce fut elle qui suggéra d'aller fumer dehors.

— La pièce était complètement débile, me dit-elle en tirant avec avidité sur sa cigarette. En plus, les parents de Dharma nous ont fait suer toute la soirée. Et, cerise sur le gâteau, je me suis retrouvée coincée dans les bouchons pendant une demi-heure au retour, parce qu'il y avait eu un accident sous le tunnel. Ah, et cette espèce de bagnole pourrie fait un drôle de bruit. Je devrais peut-être aller chez le garagiste...

La bruine déposait sur ses cheveux des gouttelettes qui brillaient comme des diamants.

— C'était quoi, déjà, cette pièce ? lançai-je. Comme ça, si quelqu'un m'en parle, je pourrai lui dire ce qu'il en est et lui faire économiser le prix de la place.

Elle répondit sans hésitation :

— *Starlight Express*. Elle avait de bonnes critiques, mais je crois que je n'étais pas d'humeur.

Sachant que je devais voir Wieder, elle me demanda comment s'était passé l'entretien et si nous avions trouvé un accord au sujet de la bibliothèque. Je lui dis qu'il m'avait remis un chèque dont j'allais me servir pour payer le loyer, et que j'avais déjà travaillé plusieurs heures chez lui.

Quand nous fûmes rentrés et installés sur le canapé, elle déclara soudain :

— Y a un truc qui te contrarie, Richard, je le sens. Tu veux qu'on en discute ?

Je décidai de ne pas lui cacher la vérité.

— Wieder m'a posé des questions sur nous.

— Quel genre de questions ?

— Des questions bizarres… Entre autres, il voulait que je lui dise si quelqu'un m'avait interrogé sur vos travaux de recherches.

— Ah, ah !

J'attendis qu'elle continue, mais elle n'ajouta rien.

— Il a aussi insinué que tu m'avais menti et que t'étais allée à New York pour une autre raison.

Durant quelques instants, elle garda le silence.

— Et tu l'as cru ?

Je haussai les épaules.

— Je ne sais pas quoi penser, Laura. Je ne sais même pas si j'ai le droit de t'interroger sur ce que tu fais. Tu ne m'appartiens pas, après tout. Et je ne crois pas être d'un tempérament jaloux.

Elle tenait sa tasse délicatement, entre ses paumes, comme si c'était un oiseau qu'elle s'apprêtait à libérer.

— Bon, tu veux des explications ?

— Oui.

Après avoir reposé sa tasse sur la table basse, elle éteignit le téléviseur. En principe, nous étions d'accord pour ne pas fumer à l'intérieur, mais elle alluma une cigarette. Considérant qu'il s'agissait d'une circonstance exceptionnelle, je décidai d'oublier temporairement les règles de la maison.

— D'accord, déclara Laura. On va prendre les choses dans l'ordre. Quand je suis venue vivre ici, je n'imaginais pas un seul instant avoir une histoire sérieuse, ni avec toi ni avec quelqu'un d'autre. À la fin de ma première année, j'ai rencontré un garçon en licence d'économie. Nous avons passé l'été chacun de notre côté, recommencé à nous voir à l'automne, et pendant quelque temps j'ai pensé que ça marcherait entre nous. J'étais amoureuse de lui, ou du moins je le croyais, même si je me rendais compte que ce n'était pas réciproque : il était instable et refusait de s'engager. Je le soupçonnais de courir après d'autres filles et je m'en voulais de tolérer une telle situation.

» C'est durant cette période que j'ai commencé à travailler pour Wieder. Au début, j'étais juste volontaire, au même titre que vingt ou trente autres étudiants, mais assez rapidement on s'est mis à discuter de ses recherches et j'ai senti qu'il m'aimait bien. Du coup, j'ai décidé de m'impliquer plus et je suis devenue en quelque sorte son assistante. Le petit ami dont je te parlais a fait une crise de jalousie. Il me suivait partout, n'arrêtait pas de me questionner sur ma relation avec Wieder... Et le doyen a reçu une lettre anonyme nous accusant d'être amants, le professeur et moi.

— Comment s'appelait ton copain ?

— Tu tiens vraiment à le savoir ? T'es sûr ?

— Certain.

— Timothy Sanders. Il est toujours ici, en maîtrise. Tu te rappelles quand on était au Robert's Bar, dans Lincoln, au tout début qu'on se connaissait ?

— Je m'en souviens, oui.

— Il était là aussi, avec une fille.

— Ah bon ? Vas-y, continue.

— Cette histoire de lettre a rendu Wieder fou de rage. Moi, j'avais vraiment envie de continuer à travailler avec lui. Notre collaboration représentait une chance pour moi de pouvoir faire carrière dans ce domaine, tu comprends ? Je ne voulais pas que Timothy gâche tout.

» Alors j'ai avoué à Wieder que je pensais connaître l'expéditeur. Il m'a demandé de mettre un terme à cette relation, ce que j'avais l'intention de faire de toute manière. Mais, de façon ironique, c'est au moment où j'ai rompu avec Timothy qu'il a paru tomber réellement amoureux de moi. Il s'est remis à me suivre partout, il m'écrivait des lettres larmoyantes, disant qu'il songeait sérieusement à se suicider et que je devrais vivre avec mes remords. Il m'envoyait des fleurs chez moi ou à la fac et me suppliait d'accepter de le voir, ne serait-ce que quelques minutes... De mon côté, j'ai tenu bon. Wieder m'a demandé deux ou trois fois s'il était encore dans ma vie et il a paru satisfait quand je lui ai dit que cette histoire était désormais derrière moi, que je ne changerais pas d'avis.

» Là-dessus, Timothy a adopté une tactique différente en recourant aux menaces à peine voilées et aux insinuations salaces. Il semblait complètement obsédé. Un jour, je l'ai aperçu devant chez Wieder, assis dans sa voiture, qu'il avait garée sous le réverbère au coin de la rue. C'est à cause de lui que j'ai quitté mon ancien appart' pour venir habiter ici.

» Après, il a disparu pendant un moment. Je ne l'ai revu, comme je te l'ai dit, que ce soir-là au Robert's Bar. Plus tard, il m'a abordée sur le campus et j'ai fait l'erreur d'aller boire un café avec lui. Comme il ne me harcelait plus, j'étais sûre qu'il avait fini par accepter la rupture.

— Excuse-moi de t'interrompre, mais pourquoi ne pas avoir appelé la police ?

— Je ne voulais pas d'ennuis, tu comprends ? Timothy n'était pas violent, il n'avait jamais levé la main sur moi, et je ne me sentais pas physiquement en danger. Quoi qu'il en soit, je ne pense pas que les flics auraient pris au sérieux cette histoire de type entiché d'une étudiante… Après tout, il n'avait pas enfreint la loi ! Malheureusement, après ce café, Timothy a recommencé. Il était persuadé que je l'aimais toujours mais que je ne l'avais pas encore compris. Il m'a dit qu'il avait été tellement bouleversé par notre séparation qu'il avait entamé une thérapie à New York. J'avais peur qu'il vienne ici faire un scandale, et que tu t'énerves.

» Bref, j'ai accepté de l'accompagner à l'une de ses séances, pour prouver à son psy que j'étais bien un être de chair et de sang et pas une création de son imagination, comme le supposait ce dernier. C'est pour ça que je suis allée à New York – et j'ai eu raison, parce que Timothy avait déjà découvert ma nouvelle adresse. Après, j'ai vraiment rejoint Dharma et passé la nuit chez ses parents. Voilà, c'est tout. Timothy a promis de ne pas chercher à me revoir.

— Pourquoi tu ne m'as dit la vérité tout de suite ? Ça n'aurait pas été plus simple ?

— Parce que j'aurais dû t'expliquer tout ça et que je n'en avais pas envie. Timothy n'est qu'une ombre resurgie de mon passé, où je veux maintenant qu'il reste, avec les autres. Écoute, Richard, on traîne tous des casseroles ; c'est comme ça, on n'y peut rien. Il y a certaines choses qu'il vaut mieux garder pour soi, parce que c'est parfois trop compliqué ou trop douloureux à évoquer.

— Et c'est tout ? T'es allée voir le psy avec ton ex, et après vous êtes partis chacun de votre côté ?

Laura me regarda d'un air déconcerté.

— Oui, c'est tout, répéta-t-elle.

— Et le psy, il a réagi comment ?

— Il était convaincu que Timothy avait tout inventé à propos de nous. Pour lui, cette ex-petite amie était un fantasme, sans rapport avec une personne réelle prénommée Laura, créé sous l'influence de son histoire personnelle : Timothy ne supportait pas l'idée d'être rejeté, parce qu'il avait été élevé par une belle-mère qui ne l'aimait pas. Oh, et puis merde ! On s'en fout, de toutes ces conneries, non ?

La nuit tombait, et pourtant aucun de nous ne se leva pour éclairer la pièce. Nous restions assis dans la pénombre, pareils aux personnages d'un tableau de Rembrandt qui se serait intitulé : *Laura implorant le pardon de Richard*.

J'avais envie d'elle, je n'attendais que le moment de la déshabiller et de sentir son corps près du mien, mais en même temps je ne pouvais me défaire de l'impression d'avoir été abusé et trahi. Résultat, j'étais dans une impasse dont je ne voyais pas comment sortir.

— Wieder est au courant ? demandai-je. Il connaissait la véritable raison de ton expédition à New York ?

Elle me répondit par l'affirmative.

— Mais qu'est-ce qui lui a pris de me faire douter de toi ?

— C'est tout lui, ça ! rétorqua-t-elle d'un ton furieux. Ça ne doit pas lui plaire qu'on soit ensemble. C'est peut-être la jalousie qui l'a poussé à agir ainsi. Après tout, c'est sa spécialité : manipuler les autres, les embrouiller... Je t'avais bien dit que tu n'as aucune idée de ce qu'il est vraiment.

— Non, tu m'as décrit un génie, une sorte de demi-dieu, objectai-je. Et tu m'as raconté que vous étiez amis. Et aujourd'hui...

— Eh bien, il semblerait que même un génie puisse se comporter comme un sale con !

J'avais conscience de prendre un risque énorme en posant la question, mais ce fut plus fort que moi :

— T'as couché avec lui ?

— Non.

Je lui fus reconnaissant de me répondre directement, sans tomber dans l'indignation hypocrite et l'inévitable (ou presque) « Comment peux-tu croire une chose pareille ? ».

Néanmoins, elle ajouta quelques instants plus tard :

— Je suis désolée que tu aies pu le penser, Richard. En même temps, compte tenu des circonstances, je comprends.

— J'ignorais que t'avais ses clés. C'est lui qui me l'a dit.

— Si tu m'avais posé la question, je te l'aurais dit aussi. Ça n'a rien d'un secret ! Il habite seul, il n'y a personne dans sa vie. Une femme vient faire le ménage le vendredi, et un de ses anciens patients, qui habite tout près, se charge des petits travaux d'entretien. Wieder m'a donné un jeu de clés au cas où. Je ne m'en suis pas servi. Je n'ai jamais mis les pieds chez lui en son absence.

Je distinguais à peine son visage dans l'obscurité du salon et j'en vins à me demander qui était Laura Baines, cette fille rencontrée seulement quelques semaines plus tôt et dont, en fin de compte, je ne savais rien. Puis la réponse s'imposa d'elle-même : c'était la fille que j'aimais, et peu importait le reste.

Ce soir-là, après avoir décidé d'un commun accord de ne plus mentionner l'incident — j'étais encore assez jeune pour faire des promesses impossibles à tenir —, nous discutâmes encore un moment. Laura me parla alors des expériences menées par Wieder. Mais même elle n'en connaissait pas tous les détails.

Les autorités avaient pris contact pour la première fois avec le professeur sept ans plus tôt, afin de solliciter son avis d'expert dans une affaire de meurtre. L'avocat de l'accusé invoquait l'irresponsabilité pénale de ce dernier pour cause de trouble mental, dans le but de lui éviter un procès. Dans de tels cas, m'expliqua Laura, une équipe de trois experts est réunie afin d'évaluer l'état mental de l'auteur présumé d'un crime. S'ils confirment que le mis en examen souffre d'une maladie qui altère son discernement et le rend incapable de comprendre la nature des charges qui pèsent à son encontre, il est envoyé dans un établissement psychiatrique sécurisé. Plus tard, à la requête de son avocat, le patient peut être transféré dans un hôpital psychiatrique classique, ou même bénéficier d'un non-lieu.

Wieder, alors enseignant à Cornell, avait affirmé que le dénommé John Tiburon, quarante-huit ans, poursuivi pour le meurtre d'un voisin, feignait l'amnésie – une opinion contraire à celle des deux autres experts, qui pensaient avoir affaire à un psychotique souffrant de schizophrénie paranoïaque, dont la prétendue perte de mémoire était réelle.

La suite des événements avait donné raison à Wieder. Les enquêteurs avaient découvert le journal intime de Tiburon, dans lequel il décrivait ses actes en détail. Le voisin n'avait pas été sa seule victime, avaient-ils appris. De plus, Tiburon avait rassemblé des informations sur les symptômes de différentes psychoses susceptibles de constituer un motif d'acquittement. En d'autres termes, il s'était préparé, au cas où il serait arrêté, à jouer la comédie de façon suffisamment convaincante pour persuader les experts qu'il était atteint d'un vrai trouble psychique.

Après cette première affaire, Wieder avait continué d'intervenir auprès de la justice, en même temps qu'il portait un intérêt grandissant à l'étude de la mémoire et à l'analyse des souvenirs refoulés –, un sujet devenu brûlant après la publication de *Michelle Remembers*, un livre écrit par un psychiatre et une supposée victime de mauvais traitements liés à des rituels satanistes pendant l'enfance. Wieder avait examiné des centaines de cas similaires, allant même jusqu'à pratiquer l'hypnose pour approfondir ses recherches. Il s'était également rendu dans des prisons et des établissements psychiatriques de haute sécurité afin de s'entretenir avec des criminels dangereux.

Ces travaux lui avaient permis d'aboutir à la conclusion que, dans certains cas, surtout quand les sujets ont subi un traumatisme psychologique grave, le processus de refoulement des souvenirs est enclenché par une sorte de système auto-immune : l'inconscient efface les souvenirs traumatisants ou les édulcore pour les rendre supportables, un peu comme les globules blancs attaquent un virus invasif. Cette faculté fait office de poubelle de recyclage pour le cerveau.

À partir de là, était-il possible d'analyser le fonctionnement de ce mécanisme spontané pour donner les moyens à un thérapeute de le déclencher à volonté et de le gérer ? Sachant toutefois que cet automatisme causait souvent des dégâts irréversibles et entraînait la suppression de réminiscences inoffensives en plus des souvenirs traumatisants, la prudence s'imposait : les tentatives d'un patient pour surmonter son traumatisme initial risquaient en effet d'en provoquer un autre plus terrible – comme s'il se coupait le bras pour se débarrasser d'une cicatrice ou d'une brûlure disgracieuse.

Wieder était toujours plongé dans cette étude quand il était venu s'installer à Princeton.

C'est à la même époque qu'il avait été contacté par les « représentants d'une agence » – des termes énigmatiques qu'il avait lui-même employés, me précisa Laura – lui proposant de superviser un programme développé en interne. Laura ne savait rien de plus mais soupçonnait le projet de porter sur l'effacement ou le « nettoyage » des souvenirs traumatisants chez les soldats et les agents secrets. Quoi qu'il en soit, Wieder rechignait à en parler. Apparemment, les choses se passaient mal et les rapports entre le professeur et ses mystérieux interlocuteurs étaient de plus en plus tendus.

Ce qu'elle me disait me faisait froid dans le dos. Ainsi, ce que j'avais toujours pris pour des éléments de réalité objective n'était peut-être que le résultat de ma perception subjective d'une personne ou d'une situation ? En même temps, Laura me l'avait déjà dit : nos souvenirs sont pareils à une bobine de film qu'on a la possibilité de couper au montage, ou à une sorte de gélatine que l'on pourrait modeler à l'envi.

Quand je lui avouai que j'avais du mal à adhérer à cette théorie, elle tenta une autre approche.

— T'as déjà eu le sentiment de revivre une expérience ou de connaître un endroit alors que tu n'y as jamais mis les pieds, simplement parce que t'en as entendu parler un jour, peut-être quand t'étais gosse ? Eh bien, c'est tout bête : ta mémoire a transformé en événement le souvenir de la description donnée par quelqu'un d'autre.

À ces mots, je me rappelai que j'avais cru pendant longtemps avoir vu à la télé les Kansas City Chiefs battre les Vikings du Minnesota et remporter le Super Bowl en 1970. Or, je n'avais que quatre ans à l'époque. Mais, à force d'avoir entendu papa raconter des anecdotes sur le match, j'étais convaincu de l'avoir regardé moi aussi.

— Tu vois ce que je veux dire ? reprit Laura. Tiens, l'exemple typique, c'est la difficulté que rencontre la police avec les témoins oculaires. La plupart du temps, ils donnent des informations qui se contredisent, même quand il s'agit de détails qui devraient être évidents, comme la couleur d'une voiture impliquée dans un accident avec délit de fuite. Certains vont affirmer qu'elle était rouge, d'autres sont prêts à jurer sous serment qu'elle était bleue, alors qu'en fin de compte elle était jaune. Notre mémoire n'est pas une caméra vidéo qui enregistre tout ce qui se trouve devant l'objectif, Richard, elle agit plutôt comme un scénariste et un metteur en scène associés, faisant leur propre film à partir de fragments de réalité.

Je ne sais pas pourquoi je prêtai ce soir-là plus d'attention que d'habitude aux propos de Laura. Au fond, je me fichais complètement des travaux de Wieder, mais je me demandais si elle m'avait dit la vérité à propos de Timothy Sanders.

Laura avait raison quand elle évoquait le pouvoir des noms : trente ans plus tard, je me rappelle encore comment s'appelait son ex. Ce soir-là, je m'interrogeai de nouveau sur la nature de la relation entre elle et le professeur. Le harcèlement sexuel était devenu le sujet à la mode dans les années 1980, et les universités n'étaient pas épargnées par les scandales. Une simple accusation pouvait parfois suffire à anéantir la carrière d'un professeur, ou du moins à semer le doute dans les esprits, aussi avais-je beaucoup de mal à imaginer qu'une personnalité comme Wieder puisse prendre le risque de tout perdre en entretenant une liaison clandestine avec une étudiante, même s'il ressentait de l'attirance pour elle.

Nous passâmes tous les deux la nuit sur le canapé du salon. Laura glissa dans le sommeil avant moi et je restai longtemps éveillé, à admirer son corps nu, ses longues jambes, la courbe de ses cuisses, ses épaules bien dessinées. Elle dormait les poings serrés, comme un bébé. J'avais finalement décidé de lui faire confiance : il y a des moments où on a juste envie de croire qu'un éléphant peut sortir d'un chapeau.

4

Le jeudi suivant, Laura m'aida à tout préparer pour Thanksgiving. Nous avions acheté une dinde rôtie dans un petit restaurant familial d'Irving Street et invité deux copines de Laura, étudiantes elles aussi. Mon frère Eddie était malade — il avait pris froid et ma mère s'était affolée en le découvrant un matin brûlant de fièvre —, et je leur parlai au téléphone pendant plus d'une heure, leur annonçant entre autres que j'avais trouvé un petit boulot. Ni Laura ni moi ne mentionnâmes Timothy Sanders ou Joseph Wieder. Nous fîmes la fête jusqu'au bout de la nuit, puis nous allâmes à New York pour le week-end, dans un modeste B & B à Brooklyn Heights.

La semaine d'après, je me rendis à deux reprises chez le professeur, en me servant des clés qu'il avait confiées à Laura, pendant qu'il était à l'université.

J'admirais beaucoup cette vaste demeure. Ayant toujours vécu dans des réduits sombres et bruyants, je lui trouvais un côté presque magique : le silence dans la maison me semblait quasi irréel, et la vue sur le lac depuis les fenêtres du salon était magnifique. J'aurais pu rester des heures à admirer la silhouette des saules penchés au-dessus de l'eau, comme dans un tableau pointilliste.

Au lieu de quoi, je profitai de ma solitude pour explorer discrètement les lieux.

Le rez-de-chaussée se composait d'un salon, d'une cuisine, d'une salle de bains et d'un cellier. À l'étage, outre la bibliothèque, je vis deux chambres, une seconde salle de bains et un dressing assez grand pour servir de chambre supplémentaire au besoin. Le sous-sol se partageait entre une petite cave à vin et une salle de sport où des haltères étaient éparpillés sur le sol. Je remarquai aussi un sac de frappe rouge Everlast qui pendait du plafond et une paire de gants de boxe accrochée à un clou. La pièce empestait la sueur et le déodorant pour hommes.

J'avais toujours aimé les livres, aussi l'organisation de la bibliothèque s'apparentait-elle plus à un privilège qu'à une corvée. Les rayonnages regorgeaient d'éditions rares et de titres dont je n'avais jamais entendu parler. Environ la moitié des ouvrages traitait de médecine, de psychiatrie et de psychologie, l'autre de littérature, d'art et d'histoire. Je décidai d'aménager mon temps de façon à me libérer des plages de lecture, car je n'étais pas du tout sûr que le professeur accepterait de me prêter ses précieux volumes.

La seconde fois où je me rendis chez Wieder cette semaine-là, je m'accordai une brève pause-déjeuner et, tout en mangeant le sandwich que j'avais apporté, je contemplai le lac par la vitre ouverte. J'avais l'impression que la maison exerçait un étrange effet sur moi, à l'instar de son propriétaire : tous deux m'inspiraient un mélange de fascination et de répulsion.

De fait, c'était exactement le genre de propriété où j'aurais aimé vivre si j'avais été un richissime écrivain à succès. Mais, alors que se profilait la fin de mes études à Princeton, j'étais obligé de réfléchir à ce que j'allais faire ensuite, et je sentais mes inquiétudes grandir à l'idée que mon avenir puisse ne pas suivre la voie escomptée. La poignée de nouvelles que j'avais jusque-là envoyées à des revues littéraires avaient toutes étaient refusées, même si certaines m'avaient valu quelques mots d'encouragement de la part des éditeurs. Et j'avais beau travailler sur un roman, je ne savais pas trop si cela valait la peine de persévérer.

D'un autre côté, quelle était l'alternative ? Une vie morne de professeur d'anglais fauché et misanthrope dans une petite ville, entouré d'ados railleurs ? Je me voyais déjà en veste de tweed avec des pièces de cuir aux coudes, transportant dans ma sacoche, tel un boulet, un projet de livre à jamais inachevé.

La propriété de Joseph Wieder était à mes yeux un symbole universel de réussite, et je me plus à imaginer que je l'habitais avec la femme de ma vie, devenue entre-temps mon épouse. Je venais de terminer la rédaction de mon dernier best-seller et je me détendais en attendant le retour de Laura. Le soir, nous irions dîner à la Tavern on the Green ou au Four Seasons, où nous serions reconnus et dévisagés avec autant de curiosité que d'admiration...

Malheureusement, ma rêverie eut tôt fait de se dissiper, comme au contact d'une substance chimique destructrice, à la pensée que cet endroit appartenait à un homme dont je me méfiais. Même si j'étais enclin à croire que Laura m'avait dit la vérité et que leur relation était strictement professionnelle, je ne pouvais empêcher mon imagination de s'emballer dès que je mettais le pied chez lui. J'avais presque l'impression de les voir s'envoyer en l'air sur le canapé du salon ou encore monter dans la chambre du premier, s'arrachant leurs vêtements avant même d'avoir atteint le lit. Je pensais à toutes sortes de jeux pervers auxquels Laura se soumettait peut-être afin d'exciter son amant plus âgé, me la représentais à quatre pattes sous son bureau, un sourire aguicheur aux lèvres, pendant qu'il déboutonnait sa braguette en faisant des suggestions salaces...

Même absent, Wieder parvenait à marquer son territoire, comme si chaque objet de la maison conservait son empreinte.

Ce matin-là, avant de partir chez Wieder, j'avais donné rendez-vous à Laura près du Battle Monument dans le parc à 15 heures, afin que nous puissions prendre le train pour New York. À 14 heures, je fermai la porte de la bibliothèque et descendis chercher mes affaires. Je reçus un drôle de choc en découvrant un homme assis au milieu du salon. Il tenait un marteau à la main.

Le quartier n'avait pas la réputation d'être dangereux, mais il suffisait d'ouvrir le journal pour tomber sur des histoires de cambriolages et même de meurtres.

L'inconnu, vêtu d'une parka sur un sweat-shirt en coton et un jean, tourna la tête vers moi. J'avais la gorge sèche et, quand je pris la parole, je reconnus à peine ma voix.

— Que… qui êtes-vous ?

Il demeura figé quelques instants. Il avait un visage rond d'une pâleur extrême, des cheveux en bataille et les joues envahies par une barbe de plusieurs jours.

— Derek, répondit-il enfin, comme si c'était une évidence. Joe… je veux dire, le professeur Wieder, m'a demandé de réparer la cantonnière.

Il pointa le marteau vers l'une des fenêtres. À ce moment-là seulement, je remarquai la boîte à outils sur le sol.

— Comment êtes-vous entré ? demandai-je.

— J'ai les clés, expliqua-t-il en indiquant le trousseau sur la table basse près du canapé. C'est vous qui vous occupez de la bibliothèque, c'est ça ?

Ce devait être l'ancien patient de Wieder employé aux travaux d'entretien, pensai-je alors.

J'étais pressé, aussi n'avais-je pas le temps de l'interroger plus avant ni d'appeler Wieder pour vérifier ses dires. Quand je rejoignis Laura, une heure plus tard, je lui relatai cette rencontre inattendue qui m'avait causé une belle frayeur.

— Il s'appelle Derek Simmons, me précisa-t-elle. Il bosse pour le professeur depuis quelques années. En fait, c'est plutôt Wieder qui le prend en charge.

Sur le trajet jusqu'à Princeton Junction, Laura me raconta son histoire.

Cinq ans plus tôt, Derek Simmons avait été accusé d'avoir assassiné sa femme. Tous deux vivaient alors à Princeton, étaient mariés depuis cinq ans et n'avaient pas d'enfants. Derek était agent de maintenance, et sa femme, Anne, serveuse dans un café de Nassau Street. À en croire le témoignage de leurs voisins et amis après le drame, les Simmons ne s'étaient jamais disputés et semblaient heureux en ménage.

Un matin, de bonne heure, Derek avait appelé les secours en disant que sa femme était dans un état grave. À leur arrivée, les urgentistes l'avaient trouvée près de la porte d'entrée, gisant inanimée dans une mare de sang. Elle avait été frappée de plusieurs coups de couteau à la gorge et à la poitrine. L'un des secouristes avait constaté le décès et prévenu la police, qui avait fait venir la Scientifique.

D'après Derek, les événements s'étaient déroulés de la manière suivante :

Il était rentré chez lui à 19 heures après avoir fait des courses dans un magasin du quartier. Il avait dîné et regardé la télé, puis s'était couché sans attendre sa femme, dont le service se terminait tard.

À son réveil, vers 6 heures, il s'était aperçu de l'absence d'Anne à ses côtés. En sortant de la chambre, il l'avait découverte en sang dans le vestibule. Incapable de déterminer si elle était vivante ou morte, il avait alerté les secours.

Au départ, les enquêteurs avaient pensé qu'il disait peut-être la vérité. La porte de l'appartement était déverrouillée et il n'y avait aucun signe d'effraction ; il était donc possible que quelqu'un ait suivi Anne puis l'ait attaquée au moment où elle rentrait, avant de s'apercevoir qu'elle n'habitait pas seule et de s'enfuir sans rien voler. (Le sac à main de la victime, contenant toujours environ quarante dollars en liquide, avait été récupéré près du corps.) Le légiste situait la mort aux alentours de 3 heures du matin. Derek Simmons paraissait dévasté et n'avait *a priori* aucun mobile : il n'avait pas de dettes, n'entretenait pas de liaison et ne se mêlait pas des affaires des autres. De l'avis général, c'était un homme travailleur et discret.

Laura connaissait tous les détails par Wieder, l'un des trois experts sollicités pour évaluer l'état mental de Derek Simmons après qu'il eut finalement été arrêté. Son avocat avait décidé de plaider l'irresponsabilité pénale. Pour une raison inexplicable, le professeur avait accordé la plus grande importance à cette affaire.

Au même moment, les enquêteurs avaient mis au jour plusieurs éléments troublants qui avaient jeté le discrédit sur le suspect.

En premier lieu, Anne Simmons avait entamé une liaison quelques mois avant d'être poignardée. L'identité de son amant ne fut jamais établie – ou, du moins, jamais rendue publique –, mais apparemment leur engagement était sérieux : ils projetaient de se marier quand Anne aurait obtenu le divorce. Le soir du meurtre, une fois son service terminé, elle avait fermé le bar vers 22 heures. Les tourtereaux s'étaient ensuite rendus dans le modeste studio loué par Anne deux mois plus tôt dans la même rue que le café. Ils y étaient restés jusqu'à environ minuit, heure à laquelle elle avait appelé un taxi. D'après le chauffeur et les informations enregistrées sur le taximètre, Anne Simmons avait été déposée devant chez elle à 1 h 12.

Derek prétendait ne pas savoir que sa femme le trompait – une affirmation que les policiers avaient jugée hautement improbable. Ils avaient désormais un mobile, la jalousie, et en venaient à soupçonner un crime passionnel.

Ensuite, la victime présentait des blessures défensives sur les bras. Autrement dit, elle avait tenté de repousser son agresseur, qui était vraisemblablement armé d'un couteau. Derek avait beau dormir, il était presque impossible qu'il n'ait rien entendu alors que sa femme se battait pour sauver sa vie. Elle avait certainement dû appeler à l'aide. (De fait, deux voisins déclarèrent plus tard avoir été tirés du sommeil par des hurlements. Ils n'avaient cependant pas alerté la police, car le silence était revenu avant même qu'ils soient complètement réveillés.)

Il y avait aussi les déclarations d'une amie d'Anne, selon lesquelles un couteau manquait dans la cuisine des Simmons. Elle le savait pour avoir aidé la victime à organiser une fête d'anniversaire, quelques semaines plus tôt. Interrogé sur l'ustensile en question, dont la description laissait supposer qu'il s'agissait de l'arme du crime, Derek s'était borné à hausser les épaules. Oui, il se souvenait de ce couteau, mais il n'avait aucune idée de ce qu'il était devenu, parce que ce n'était pas lui qui s'occupait de la cuisine.

Enfin, les enquêteurs avaient appris que, durant son adolescence, Derek Simmons avait fait une grave dépression. Il avait été admis à l'hôpital psychiatrique de Marlboro, où il était resté deux mois, si bien qu'il n'avait pas pu finir sa terminale. Les médecins lui avaient diagnostiqué une schizophrénie, et il était sous traitement depuis sa sortie. Malgré ses bons résultats scolaires jusque-là, il avait abandonné l'idée d'aller à l'université et suivi une formation d'électricien, avant de décrocher un poste modeste chez Siemens.

Une fois réunies toutes ces informations incriminantes, les enquêteurs avaient établi une nouvelle chronologie :

Quand Anne était rentrée, à 1 h 12, une dispute avait éclaté entre les époux. Derek l'avait accusée de le tromper et elle l'avait probablement informé de son intention de demander le divorce. Deux heures plus tard, Derek avait pris un couteau dans la cuisine, avec lequel il l'avait tuée. Il s'était débarrassé de l'arme avant d'appeler les secours au petit matin, comme s'il venait seulement de découvrir le corps de sa femme. Peut-être avait-il agi sous le coup d'un épisode dépressif ou schizophrénique, mais seuls les médecins pourraient se prononcer sur ce point.

Après l'arrestation de Derek, poursuivi pour meurtre, son avocat avait défendu la thèse de la dépression ayant conduit à une altération de ses facultés mentales et demandé que son client soit déclaré pénalement irresponsable. De son côté, l'accusé clamait toujours son innocence et refusait toute possibilité d'arrangement avec le bureau du procureur.

Joseph Wieder, qui l'avait examiné à plusieurs reprises, était parvenu à la conclusion qu'il souffrait d'une forme rare de trouble dissociatif et que le diagnostic de schizophrénie établi dans sa jeunesse était erroné. Sa psychose impliquait l'apparition récurrente d'« états de fugue », pendant lesquels il perdait conscience de son identité et tout souvenir de son passé. Dans les cas extrêmes, des personnes atteintes de cette pathologie peuvent quitter soudain leur domicile et être retrouvées plus tard dans une autre ville ou un autre État, vivant sous une identité complètement différente, sans rien se rappeler de leur ancienne vie. Certaines finissent par redevenir elles-mêmes et oublient les personnalités qu'elles se sont forgées dans l'intervalle ; d'autres demeurent captives de leur nouvelle existence.

Si Wieder avait vu juste, il était tout à fait possible que Derek Simmons ne se souvienne pas de ce qu'il avait fait cette nuit-là. Sous l'effet conjugué du stress et d'une conscience modifiée par la transition brutale du sommeil à la veille, il avait réagi comme s'il était quelqu'un d'autre.

Le rapport du professeur avait convaincu les représentants de l'instruction, et le juge avait envoyé Derek à l'hôpital psychiatrique de Trenton, où étaient internés d'autres patients potentiellement dangereux. Avec l'accord de son avocat et de l'établissement, Wieder avait continué de suivre le malade, utilisant l'hypnose et un traitement révolutionnaire impliquant un mélange de médicaments anticonvulsifs.

Mais, au bout de quelques mois, Derek Simmons avait été attaqué par un autre patient, qui lui avait infligé une grave blessure à la tête entraînant une sérieuse dégradation de son état. Il avait complètement perdu la mémoire ; son cerveau ne pouvait plus accéder à ses anciens souvenirs, même s'il était capable d'en former de nouveaux et de les conserver. Laura m'expliqua qu'on parlait d'amnésie rétrograde pour désigner ce genre de traumatisme.

Un an plus tard, sur l'insistance de Wieder, Derek avait été transféré à l'hôpital psychiatrique de Marlboro, où les procédures étaient moins strictes. Là, le professeur l'avait aidé à se reconstruire – du moins, en partie, précisa Laura : le patient n'était redevenu Derek Simmons que dans la mesure où il portait le même nom et présentait la même apparence physique. Il savait écrire mais n'aurait pu dire où il avait appris, car il ne se rappelait pas être allé à l'école. De même, s'il possédait toujours des connaissances en électricité, il n'avait aucune idée de la façon dont il les avait acquises. Tous ses souvenirs jusqu'à son agression étaient prisonniers des synapses de son cerveau.

Au printemps 1985, à la demande de son avocat, un juge avait accepté de le laisser sortir de l'hôpital psychiatrique au regard de la complexité de son cas et de l'absence totale de tendances violentes chez lui. Mais, ajouta Laura, il était évident que Derek Simmons était incapable de se prendre en charge. Il n'avait aucune perspective d'emploi, et, tôt ou tard, il aurait fini dans un autre établissement psychiatrique. Fils unique, il avait perdu sa mère, morte d'un cancer, alors qu'il était à peine en âge de marcher. Quant à son père, dont Derek n'avait jamais été très proche, il avait quitté la ville sans laisser d'adresse juste après le drame, apparemment indifférent au sort de son fils.

Alors Wieder lui avait loué un petit deux pièces près de chez lui et le payait au mois pour venir entretenir sa maison. Derek Simmons vivait seul et ses voisins le considéraient comme une bête curieuse. Il lui arrivait de s'enfermer chez lui pendant plusieurs jours, voire plusieurs semaines. Dans ces moments-là, c'était Wieder qui lui apportait à manger et s'assurait qu'il prenait bien ses médicaments.

L'histoire de Derek Simmons me toucha, de même que l'attitude du professeur envers lui. C'était grâce à Wieder que cet homme, meurtrier ou pas, pouvait mener une vie décente et qu'il était libre aujourd'hui, même si la maladie constituait toujours une entrave à sa liberté. Sans son protecteur, il aurait fini dans un asile, réduit à l'état de loque, entouré de surveillants brutaux et de patients dangereux. D'après Laura, qui avait eu l'occasion d'accompagner Wieder à Trenton pour faire du travail de terrain, un hôpital psychiatrique était sans doute l'endroit le plus sinistre du monde.

La semaine suivante, quand survinrent les premières chutes de neige, j'étais déjà allé à trois reprises chez le professeur et, chaque fois, j'avais trouvé Derek Simmons occupé à bricoler. Nous avions bavardé et fumé ensemble en contemplant le lac, qui semblait écrasé par le ciel pesant. Si je n'avais pas été informé de son état, je l'aurais jugé plutôt normal, quoique timide, renfermé et pas du genre à avoir inventé l'eau tiède. Mais il semblait doux et incapable de faire du mal à une mouche. Il parlait de Wieder avec vénération et avait manifestement conscience de tout ce qu'il lui devait. Il me raconta qu'il venait d'adopter un chiot dans un refuge ; il l'avait appelé Jack et l'emmenait promener tous les soirs dans un parc proche.

Si je mentionne cette histoire à ce stade de mon récit, c'est parce que Derek Simmons devait jouer un rôle important dans la tragédie imminente.

5

Ce fut au début du mois de décembre que je reçus l'une des nouvelles les plus importantes de ma vie jusque-là.

Lisa Wheeler, l'une des bibliothécaires de la Firestone, qui était aussi une amie, m'annonça que le rédacteur en chef de *Signature*, une revue littéraire new-yorkaise, allait donner une conférence au Nassau Hall. La revue, aujourd'hui disparue, jouissait d'une bonne réputation à l'époque, même si elle n'avait qu'un tirage limité. Sachant que je rêvais d'être publié, Lisa m'obtint une invitation et me conseilla d'aller trouver ledit rédacteur en chef après la conférence pour lui demander de lire mes écrits. Je n'étais pas timide, mais je n'étais pas non plus du genre à me mettre en avant, aussi passai-je les trois jours suivants à m'interroger sur la conduite à tenir. Pour finir, sur les conseils de Laura, je choisis trois de mes textes, les accompagnai d'un CV et glissai le tout dans une enveloppe que j'emportai au Nassau Hall le jour dit.

Arrivé sur place en avance, je fumai une cigarette devant l'auditorium pour tuer le temps. Sous un ciel couleur de plomb résonnaient les cris des corneilles nichant dans les arbres proches.

Il avait de nouveau neigé, et les deux tigres en bronze qui gardaient l'entrée du bâtiment ressemblaient à des confiseries en pâte d'amandes, saupoudrées de sucre, ornant un énorme gâteau. Bientôt, un homme mince, portant une de ces vestes en velours côtelé aux coudes garnis de pièces en cuir et une cravate d'une teinte assortie, s'approcha de moi et me demanda du feu. Il roulait lui-même ses cigarettes et se servait d'un long fume-cigarette en ivoire ou en os, qu'il tenait délicatement entre le pouce et l'index tel un dandy édouardien.

Pour engager la conversation, il me demanda ce que je pensais du sujet de la conférence à venir. Je lui avouai que je ne m'étais pas trop renseigné sur la question ; j'espérais surtout remettre mes nouvelles à l'intervenant, rédacteur en chef de la revue *Signature*.

— Ah oui ? Excellente idée ! s'exclama-t-il en soufflant un nuage de fumée bleutée.

Il arborait une fine moustache à la manière d'un musicien de ragtime.

— Et sur quoi portent-elles, ces nouvelles ?

Je haussai les épaules.

— Difficile à dire. En fait, je ne suis pas le mieux placé pour en parler ; je préfère qu'on les lise.

— Vous savez que William Faulkner partageait ce point de vue ? Il disait qu'un bon livre est fait pour être lu, pas pour être commenté. Très bien, donnez-les-moi. Je parie qu'elles sont dans cette enveloppe.

J'en restai un instant bouche bée.

— John H. Hartley, se présenta-t-il en faisant passer son fume-cigarette dans sa main gauche pour me tendre la droite.

Je la serrai avec le sentiment d'avoir tout gâché. Il dut remarquer mon embarras, car il me gratifia d'un sourire bienveillant, révélant deux rangées de dents jaunies par le tabac. Je me délestai de ma précieuse enveloppe et il la fourra dans la mallette en cuir fatiguée qu'il avait appuyée contre le pied métallique du cendrier entre nous. Après avoir écrasé nos cigarettes, nous entrâmes dans l'auditorium sans rien ajouter.

À la fin de la conférence, quand il eut répondu à toutes les questions du public, Hartley me fit discrètement signe de le rejoindre. Il me remit alors une carte de visite en me disant de l'appeler une semaine plus tard.

De retour à la maison, je m'empressai de tout raconter à Laura.

— C'est un signe, affirma-t-elle, triomphante et catégorique.

Assise en tenue d'Ève sur l'ersatz de bureau que j'avais bricolé dans un coin du salon, elle balançait ses jambes dans le vide afin de faire sécher le vernis qu'elle venait d'appliquer sur ses ongles de pied, en même temps qu'elle essuyait les verres de ses lunettes avec un chiffon.

— Voilà ce qu'il se passe quand quelque chose est écrit, reprit-elle. Tout se met en place de manière naturelle, comme dans un bon texte. Bienvenue dans le monde merveilleux des écrivains, monsieur Richard Flynn !

— Attends, ne t'emballe pas, répliquai-je, sceptique. Je ne sais pas si j'ai bien choisi mes histoires, ni même s'il prendra le temps de les regarder. Peut-être qu'elles sont déjà à la poubelle.

Comme Laura était myope, elle devait plisser les yeux pour mieux voir lorsqu'elle ne portait pas ses lunettes, ce qui lui donnait l'air furieux. Elle me considéra un instant, les sourcils froncés, et me tira la langue.

— Ce que t'es pessimiste, bon sang ! Je ne comprends pas qu'on puisse toujours envisager le pire, surtout quand on est jeune. Ça me rappelle mon père : chaque fois que j'essayais de faire quelque chose de nouveau quand j'étais petite, il se croyait obligé d'énumérer sans arrêt les innombrables difficultés insurmontables qui ne manqueraient pas de se dresser devant moi. C'est sûrement ce qui m'a poussé à abandonner la peinture à quinze ans, alors que ma prof disait que j'étais très douée. Lorsque j'ai passé mon premier concours de maths, en France, il m'a bien recommandé de ne pas trop espérer, parce que le jury favoriserait forcément les candidats français.

— Et… ? Il avait raison ?

— Pas du tout ! J'ai gagné, et c'est un gamin du Maryland qui est arrivé deuxième.

Elle posa le chiffon sur le bureau, chaussa ses lunettes, ramena ses genoux contre sa poitrine et les entoura de ses bras comme si elle était soudain transie.

— Je suis sûre que tout ira bien, Richard, je le sens. T'es né pour être écrivain, je le sais et tu le sais aussi. Sauf que, dans la vie, rien ne te tombe jamais tout cuit dans le bec. Tiens, après la mort de mon père, quand j'avais seize ans, j'ai voulu jeter un coup d'œil à ce qu'il gardait sous clé dans les tiroirs de son bureau – ce bureau que j'avais toujours eu envie de fouiller. Parmi ses papiers, j'ai trouvé une petite photo en noir en blanc d'une fille de mon âge, avec un bandeau dans les cheveux. Elle n'était pas très jolie – assez quelconque, même –, mais elle avait de beaux yeux. J'ai montré la photo à maman, qui m'a raconté que c'était la petite amie de papa au lycée. Tu peux m'expliquer pour quelle raison il avait gardé cette photo durant toutes ces années ? À croire qu'il n'avait pas eu le courage de rester avec cette fille, Dieu sait pourquoi, et qu'il avait accumulé tellement de tristesse qu'il ne pouvait s'empêcher de la répandre autour de lui. Bon, maintenant, passons aux choses sérieuses ! Tu ne vois pas qu'une dame toute nue t'attend ?

Laura ne s'était pas trompée.

Une semaine plus tard, nous étions attablés devant une pizza dans un restaurant italien de Nassau Street quand je me mis en tête d'appeler *Signature*. Je me dirigeai donc vers la cabine téléphonique proche des toilettes, insérai des pièces dans la fente et composai le numéro indiqué sur la carte de visite dont je ne me séparais plus depuis la conférence. Une jeune femme me répondit, à qui je me présentai en demandant à parler à M. Hartley. Je ne patientai que quelques secondes avant que la voix du rédacteur en chef s'élève à l'autre bout de la ligne.

À peine lui avais-je remis en mémoire notre rencontre qu'il alla droit au but.

— Félicitations, Richard : je vous publie dans le prochain numéro, qui sortira en janvier. Ce sera une parution stratégique ; après les vacances, on constate toujours une augmentation du nombre de lecteurs. Je n'ai même pas touché à une virgule.

J'en restai un instant abasourdi.

— Et, euh… quelle nouvelle avez-vous choisie ?

— Comme elles sont brèves, j'ai décidé de les intégrer toutes les trois. Je vous donne cinq pages. Au fait, nous aurons besoin d'une photo de vous, en noir et blanc, format portrait, ainsi que d'une brève biographie.

— J'ai du mal à le croire… dis-je, avant de bredouiller des remerciements.

— Vous avez écrit de très bons textes, qui méritent d'être lus. J'aimerais que nous nous rencontrions après les vacances, afin de mieux nous connaître. Si vous continuez sur votre lancée, je vous prédis un bel avenir, Richard. En attendant, bonnes vacances. Je suis vraiment heureux d'avoir pu vous donner une réponse favorable.

Je lui souhaitai à mon tour de bonnes vacances, puis raccrochai.

— T'es radieux ! me lança Laura quand je revins m'asseoir à notre table. Ça s'est bien passé, alors ?

— Il va publier les trois nouvelles en janvier. Les trois, tu te rends compte ? Dans *Signature* !

Ce soir-là, nous ne débouchâmes pas le champagne pour fêter mon succès. Il ne fut pas question non plus d'aller dans un restaurant chic. Nous restâmes à la maison, rien que tous les deux, à faire des projets d'avenir. J'avais l'impression que le monde entier était à portée de ma main. Des mots tels que « revue *Signature* », « trois nouvelles », « photo en noir et blanc » et « écrivain publié » tournaient dans ma tête comme un manège, tissant autour de moi une sorte de halo de gloire et d'immortalité.

Aujourd'hui, je sais que ma réaction à cet événement inespéré était excessive et que j'en exagérais l'importance à tous les égards : *Signature* n'était pas le *New Yorker* et rémunérait ses auteurs en exemplaires gratuits plutôt qu'en espèces sonnantes et trébuchantes. N'empêche, toutes mes pensées se concentraient sur cette publication, m'empêchant de voir qu'un changement s'était opéré chez Laura. Avec le recul, je me rends compte qu'elle paraissait distante depuis quelques jours, comme si elle était toujours préoccupée, et qu'elle ne me disait presque plus rien. À deux ou trois reprises, je l'avais entendue parler à voix basse au téléphone, et chaque fois elle avait raccroché en remarquant ma présence.

Durant cette période, j'allais chez Wieder presque quotidiennement. Je m'enfermais trois ou quatre heures d'affilée dans la bibliothèque, qui commençait désormais à ressembler à quelque chose, et passais ensuite mes soirées avec Laura, à qui j'avais sacrifié toutes mes autres activités. Mais, de son côté, elle rapportait souvent du travail à la maison et restait assise par terre à étudier, entourée de livres, de papiers et de stylos, tel un chaman pratiquant un rituel secret. Si je me souviens bien, nous ne faisions plus l'amour. Et j'avais beau me lever tôt le matin, je m'apercevais presque toujours à mon réveil qu'elle était partie avant moi.

Puis vint le jour où je fis une découverte dans la bibliothèque du professeur.

Au bas des rayonnages, en face de l'entrée de la pièce, se trouvait un petit placard que je n'avais pas encore eu la curiosité d'ouvrir. Cet après-midi-là, j'avais besoin de papier pour faire un schéma représentant l'organisation des ouvrages sur les étagères près de la porte, et je décidai de regarder dans ce meuble plutôt que de descendre en chercher dans le bureau de Wieder. À l'intérieur, je vis une ramette, deux ou trois vieux magazines et une poignée de crayons, de stylos à bille et de feutres.

Je venais de saisir la ramette quand elle m'échappa des mains. Les feuilles s'éparpillèrent sur le sol et, alors que je les rassemblais, à quatre pattes devant le placard ouvert, je remarquai que la pointe d'un des crayons semblait coincée à la jonction de deux panneaux. Je me penchai pour mieux voir, écartai les autres objets et découvris que la cloison gauche du placard coulissait, révélant une niche de la taille d'un annuaire téléphonique. Celle-ci abritait une chemise en carton contenant une épaisse liasse de papiers.

Il n'y avait aucune inscription sur la couverture, constatai-je en sortant le dossier. Puis je parcourus le texte – un ouvrage de psychiatrie ou de psychologie, manifestement, sans titre ni nom d'auteur.

Les pages semblaient avoir été écrites par au moins deux personnes différentes. Certaines étaient dactylographiées, d'autres couvertes d'une petite écriture serrée, à l'encre noire, quelques-unes encore étaient rédigées au stylo à bille bleu, en grosses lettres rondes qui penchaient vers la gauche. Toutes comportaient des corrections et, par endroits, des paragraphes ajoutés avaient été scotchés sur les feuilles.

S'agissait-il du premier jet (ou d'un des premiers jets) de ce fameux livre en préparation dont Laura m'avait parlé, ou du manuscrit d'un ouvrage plus ancien déjà publié ?

Je lus rapidement les deux ou trois premières pages, qui fourmillaient de termes scientifiques inconnus, puis rangeai le manuscrit en prenant soin de replacer tous les objets à l'endroit où je les avais trouvés. Je ne voulais pas que Wieder me soupçonne d'avoir fouillé dans ses affaires.

Un après-midi, je perdis la notion du temps et, lorsque je descendis enfin au rez-de-chaussée, je manquai de percuter le professeur qui discutait avec Derek Simmons. Après le départ de ce dernier, Wieder me proposa de rester dîner avec lui. Il avait l'air fatigué, morose et soucieux. Malgré tout, il me félicita pour mes nouvelles, dont Laura avait dû lui apprendre la publication imminente, sans toutefois me demander de détails, alors que je mourais d'envie de lui en parler. La neige tombait désormais dru et la prudence m'incitait à partir sur-le-champ, car les routes risquaient d'être bloquées, mais je n'osai pas refuser son invitation.

— Pourquoi ne pas dire à Laura de nous rejoindre ? suggéra-t-il. Allez, j'insiste. Si j'avais su que vous étiez encore là, je l'aurais invitée moi-même. Nous avons travaillé ensemble aujourd'hui.

Pendant qu'il cherchait des steaks dans le frigo, j'allai dans le vestibule téléphoner chez nous. Laura répondit presque tout de suite et je lui transmis l'invitation du professeur.

— C'est lui qui t'a demandé de m'appeler, c'est ça ? lança-t-elle d'un ton belliqueux. Où est-il ?

— Dans la cuisine, pourquoi ?

— Je ne me sens pas bien, Richard. Et franchement, vu le temps, je te conseille de rentrer maintenant.

Je ne discutai pas. Au lieu de quoi, je lui assurai que je ferais au plus vite, puis raccrochai.

Wieder me considéra d'un air songeur quand je revins dans le salon. Il avait ôté sa veste et enfilé un tablier blanc, sur lequel se détachaient quelques mots brodés en rouge : « La cuisine, c'est pas mon truc. » Sous la lumière crue de la rampe fluorescente, ses cernes étaient plus sombres que jamais, et il me parut amaigri. Étrangement, il semblait avoir vieilli de dix ans depuis notre première rencontre, et sa belle assurance s'était envolée, au point que je lui trouvais presque des airs de bête traquée.

— Alors ? Qu'est-ce qu'elle a dit ?

— Elle n'a pas envie de ressortir par ce temps. Et...

Il m'interrompit d'un geste.

— Elle aurait pu chercher une meilleure excuse !

Il saisit l'un des steaks et le flanqua dans le frigo, dont il claqua la porte.

— Les femmes peuvent toujours prétendre être indisposées, pas vrai ? C'est un de leurs plus gros avantages dans la vie. Bon, vous voulez bien descendre à la cave chercher une bouteille de rouge ? On va s'offrir un bon petit dîner de célibataires.

Je crois savoir que vous n'êtes pas plus fan de foot que moi, mais on pourra toujours regarder un match après, boire une bière – bref, se faire une vraie soirée entre hommes.

Lorsque je remontai de la cave avec le vin, les steaks grésillaient déjà dans une grande poêle, et Wieder préparait une purée instantanée. Le vent s'engouffrait par l'une des fenêtres, grande ouverte, charriant de gros flocons qui fondaient instantanément dans l'air chaud. Je débouchai la bouteille et, sur les instructions de mon hôte, j'en versai le contenu dans une carafe.

— Ne le prenez pas mal, Richard, mais si j'avais invité Laura il y a un an, elle serait venue sans hésiter, même sous des trombes d'eau, dit-il après avoir avalé une bonne gorgée de whisky. Suivez les conseils d'un vieux, mon garçon : ne montrez pas à une femme que vous éprouvez des sentiments pour elle, sinon elle ne pensera plus qu'à affirmer son pouvoir sur vous et à vous dominer.

— Comment ça, « des sentiments » ?

En guise de réponse, il me gratifia d'un long regard énigmatique.

Nous mangeâmes en silence. Wieder n'avait rien d'un cordon-bleu : les steaks étaient presque crus, et la purée, pleine de grumeaux. Il vida la bouteille pratiquement à lui tout seul et, au café, versa une généreuse dose de bourbon dans sa tasse, qu'il but à longs traits. Dehors, la tempête s'était muée en blizzard qui se déchaînait contre les vitres.

Après le dîner, le professeur mit les assiettes dans le lave-vaisselle puis sortit un cigare d'un coffret en bois. Il m'en offrit un, mais je déclinai la proposition et j'allumai une Marlboro. Pendant un moment, il fuma d'un air absent, comme s'il avait oublié ma présence. J'allais le remercier pour le repas et lui dire que je partais quand il reprit la parole :

— Quel est votre premier souvenir, Richard ? Le plus ancien, je veux dire. En général, on ne se rappelle rien avant l'âge de deux ans et demi ou trois ans.

Si la rampe fluorescente dans la cuisine était toujours allumée, le salon restait plongé dans une semi-obscurité. Tout en parlant, Wieder gesticulait beaucoup, et l'extrémité incandescente de son cigare dessinait des motifs compliqués dans la pénombre. Sa longue barbe lui donnait l'air d'un prophète biblique à court de visions, espérant de nouveau entendre la voix venue des cieux. Chaque fois qu'il portait son cigare à ses lèvres, la gemme rouge à l'annulaire de sa main droite luisait mystérieusement. La table entre nous, couverte d'une nappe blanche, ressemblait à la surface d'un lac gelé d'une profondeur insondable et constituait une barrière plus infranchissable qu'un mur.

Je n'avais jamais cherché à savoir jusque-là quel était mon souvenir « le plus ancien ». Néanmoins, après quelques instants de réflexion, il commença à prendre forme dans mon esprit, et je le partageai avec le professeur.

— C'était à Philadelphie, chez ma tante Cornelia, dis-je. Vous avez raison, je devais avoir trois ans, ou alors c'était quelques jours avant mon troisième anniversaire, au début de l'été 1969. Je me revois sur un balcon qui me paraissait immense, en train d'essayer d'arracher une planche à un placard vert. J'étais en short et en nu-pieds blancs. Puis ma mère est arrivée et m'a emmené. Je ne me souviens pas d'avoir pris le train ou la voiture pour aller chez Cornelia, je ne me souviens pas non plus de son intérieur ni même de la tête de ma tante et de son mari à l'époque ; je me rappelle juste cette planche, le placard et le balcon recouvert d'un carrelage ocre. Ah oui, et aussi des odeurs appétissantes qui devaient venir de la cuisine.

— Donc, vous aviez trois ans quand Armstrong a marché sur la Lune ? Votre famille avait déjà la télé ?

— Bien sûr ! Un petit téléviseur couleur installé sur un pied à roulettes dans le salon, près de la fenêtre. Plus tard, mes parents en ont acheté un plus grand. Un Sony.

— J'imagine que, cet été-là, ils ont regardé les premiers pas de l'homme sur la Lune, l'un des moments les plus importants de l'histoire depuis le début du monde… Vous vous en souvenez ?

— Je suis sûr qu'ils ont regardé, parce qu'ils en ont parlé ensuite pendant des années. Ce même jour, papa était allé chez le dentiste et maman lui avait préparé une tisane. Il s'est ébouillanté, et du coup, ça m'est resté. On m'a raconté cette histoire des dizaines de fois, mais je ne me souviens pas d'avoir entendu Neil Armstrong prononcer ses fameuses paroles, ni de l'avoir vu rebondir comme une grosse poupée blanche à la surface de la Lune. J'ai découvert cette scène plus tard, évidemment.

— Ah ! J'en étais sûr. À l'âge que vous aviez, l'alunissage ne signifiait rien du tout. Pour une raison ou pour une autre, ce petit morceau de bois était beaucoup plus important à vos yeux. Et si vous appreniez aujourd'hui que vous n'êtes jamais allé à Philadelphie, qu'il s'agit en fait d'une image créée par votre esprit et non d'un véritable souvenir ?

— J'ai déjà eu une conversation de ce genre avec Laura. Oui, peut-être que certains souvenirs sont relatifs, que notre mémoire les embellit ou les altère, mais je crois néanmoins qu'ils sont relatifs seulement jusqu'à un certain point.

— Faux, décréta-t-il. Tenez, je vais vous donner un exemple : quand vous étiez petit, vous est-il arrivé un jour de vous perdre dans un centre commercial pendant que vos parents faisaient leurs courses ?

— Non, je ne crois pas.

— Eh bien, dans les années 1950 et 1960, quand les centres commerciaux ont commencé à pousser partout comme des champignons et à remplacer les magasins de quartier, l'une des principales peurs des mères de famille était de perdre leur rejeton dans la foule. Les gamins de l'époque, surtout à la périphérie des grandes villes, ont été élevés dans l'ombre du croque-mitaine, ils ont entendu encore et encore qu'ils ne devaient jamais s'éloigner de leur maman. Résultat, la peur de se perdre ou d'être enlevé est indissociable de leurs premiers souvenirs, même s'ils n'en sont pas conscients.

Wieder se leva, alla nous servir deux verres de bourbon, en posa un devant moi et se rassit. Il tira sur son cigare, avala une gorgée d'alcool en m'invitant du regard à l'imiter, puis poursuivit.

— Il y a quelques années, j'ai mené une expérience. J'ai sélectionné un échantillon d'étudiants nés à cette période, dont aucun ne se rappelait avoir été perdu par ses parents dans un centre commercial quand il était petit, et je leur ai suggéré sous hypnose qu'ils avaient réellement été égarés dans une galerie marchande. À votre avis, que s'est-il passé ? Eh bien, les trois quarts d'entre eux ont ensuite déclaré qu'ils avaient encore en tête ce moment terrible. Ils sont même allés jusqu'à me donner des détails à propos de leur terreur, des employés qui les ont ramenés à leur mère, des messages diffusés par haut-parleur disant que le jeune Tommy ou Harry attendait ses parents près du café… La plupart refusaient de croire qu'il s'agissait seulement d'une suggestion hypnotique greffée sur leurs peurs d'enfant. Ils se

« souvenaient » trop précisément de l'événement pour envisager la possibilité qu'il n'ait jamais eu lieu. Mais si, par exemple, j'avais suggéré à un natif de New York qu'il avait été attaqué autrefois par un alligator, l'expérience n'aurait rien donné de concluant, parce que cette situation n'aurait pas été associée à une peur d'enfant correspondante.

— Où voulez-vous en venir, Joe ?

Je n'avais plus du tout envie de boire et la seule odeur de l'alcool suffisait à me donner la nausée après le dîner que je m'étais forcé à avaler. La fatigue me rattrapait et je n'arrêtais pas de me demander si les bus roulaient encore.

— Où je veux en venir ? répéta le professeur. Eh bien, quand je vous ai demandé de me raconter un souvenir d'enfance, Richard, vous avez évoqué un événement banal : un enfant en train de jouer avec un bout de bois sur un balcon. Mais voilà, notre cerveau ne fonctionne jamais de façon aussi simple. En d'autres termes, si vous gardez en mémoire cet épisode et pas un autre, et si nous partons du principe qu'il n'est pas fictif, c'est forcément pour une bonne raison : peut-être qu'il y avait un clou sur cette planche et que vous vous êtes écorché, même si vous avez oublié l'incident ; ou alors, peut-être que ce balcon se situait à un étage élevé et que votre mère s'est affolée en vous y découvrant. Lorsque j'ai commencé à m'intéresser à...

Il s'interrompit brusquement, comme s'il hésitait à continuer. Il dut s'y résoudre, car il enchaîna presque aussitôt :

— Voyez-vous, certaines personnes subissent des traumatismes terribles qui provoquent chez elles des blocages graves. C'est ce qu'on appelle le « syndrome du boxeur » : pour un homme qui a failli mourir sur le ring, il est quasiment impossible de retrouver la motivation de devenir un champion. L'instinct de survie devient un inhibiteur puissant. Alors, si on peut convaincre une poignée d'étudiants qu'ils se sont un jour perdus dans un centre commercial, pourquoi l'inverse ne serait-il pas vrai ? Ne pourrait-on pas persuader quelqu'un qui a réellement vécu cette expérience traumatisante qu'elle n'a jamais eu lieu, que sa mère l'avait juste emmené acheter un nouveau jouet ce jour-là ? Il ne s'agirait pas d'annuler les effets du traumatisme, mais le traumatisme lui-même.

— Autrement dit, vous voudriez semer le bordel dans la tête des autres...

À peine les mots avaient-ils jailli que je regrettai leur brutalité.

— Réfléchissez, Richard : si tant de gens sont prêts à passer sur le billard pour rectifier des seins, un nez ou des fesses, quel mal pourrait-il y avoir à pratiquer une chirurgie esthétique de la mémoire ? Surtout sur des êtres qui sont pareils à des jouets cassés, incapables de travailler et de vivre normalement.

— Vous me parlez d'un lavage de cerveau, là, non ? Et qu'est-ce qu'il se passerait si les souvenirs traumatisants resurgissaient au mauvais moment ? Je ne sais pas, moi, si un alpiniste devait soudain affronter son blocage alors qu'il est suspendu dans le vide, à mille mètres d'altitude ?

Wieder me considéra d'un air étonné et vaguement inquiet. Jusque-là, il s'était exprimé d'un ton quelque peu condescendant mais, quand il me répondit, je décelai une note de crainte dans sa voix.

— Bravo, Richard ! Excellente question. Sans vouloir vous vexer, vous êtes plus intelligent que je ne le croyais… Alors, que se passerait-il dans une telle situation, me demandez-vous ? Eh bien, ils seraient certainement nombreux à rendre responsable la personne qui a « semé le bordel » dans la tête de l'alpiniste, pour reprendre votre expression…

Le téléphone sonna au même instant, mais le professeur ignora l'appel. Était-ce Laura ? me demandai-je. Puis Wieder changea soudain de sujet, usant d'une tactique qui m'était désormais familière. Il estimait sans doute m'en avoir déjà trop révélé sur ses recherches.

— Je regrette que Laura n'ait pas pu venir, déclara-t-il. Nous aurions sans doute pu avoir une conversation plus agréable ! À propos, je suis au courant pour vous deux, alors ce n'est plus la peine de mentir. Laura et moi ne nous cachons rien. Elle vous a parlé de Timothy, j'imagine ?

De toute évidence, il ne bluffait pas, aussi acquiesçai-je d'un signe de tête. Je me sentais gêné d'avoir été démasqué, et j'en arrivais à me dire que Laura et lui étaient plus intimes que je ne l'avais pensé, qu'ils partageaient un jardin secret où je n'avais pas encore été admis, même en simple invité, malgré toutes mes illusions.

— Quand je vous ai interrogé sur la nature de votre relation, reprit-il, je savais déjà ce qu'il en était. En fait, c'était un test.

— Et je me suis planté, c'est ça ?

— Disons plutôt que vous avez opté pour la discrétion et que ma question était déplacée, me rassura-t-il. Jusqu'à quel point êtes-vous attaché à Laura ? Ou, du moins, jusqu'à quel point croyez-vous l'être ?

— Beaucoup.

— Vous avez répondu sans hésiter. Espérons que tout se passera bien entre vous… Est-ce qu'on vous a posé des questions sur vos visites chez moi ?

— Non.

— Si jamais c'était le cas, dites-le-moi tout de suite, d'accord ? Quelle que soit l'identité de votre interlocuteur.

— D'accord.

— Parfait. Merci.

Je décidai à ce moment-là de jouer le même jeu que lui : cette fois, c'est moi qui changeai abruptement de sujet.

— Vous avez déjà été marié ?

— Ma biographie n'a rien d'un secret, Richard !
Je suis surpris que vous ne l'ayez pas encore lue…
Non, je ne me suis jamais marié. Pourquoi ? Quand
j'étais jeune, je ne m'intéressais qu'à mes études et
à mes projets de carrière, lesquels se sont d'ailleurs
concrétisés assez tard. Lorsque deux personnes se
rencontrent tôt et vieillissent ensemble, c'est plus
facile pour elles d'accepter les manies et habitudes
de l'autre ; avec l'âge, hélas, ça devient presque
impossible. Ou alors, peut-être que je n'ai jamais
rencontré la femme de ma vie… Une fois seulement, je suis tombé fou amoureux d'une fille
charmante, mais ça s'est mal fini.

— Pourquoi ?

— Eh ! Vous ne voulez pas que je vous donne
aussi la combinaison de mon coffre, tant que j'y
suis ? Non, j'en ai assez dit pour ce soir. Quoique…
Vous voulez savoir quel est mon plus ancien souvenir ?

— J'ai le sentiment que je vais bientôt l'apprendre…

— Très juste, mon vieux ! Voyez-vous, pour
ma part, je n'étais pas assis sur un balcon, en train
de batailler avec une planche. Non, j'étais dans un
grand jardin par une belle matinée d'été, sous un
soleil éclatant. Je me tenais près de rosiers qui donnaient de grosses fleurs rouges, avec un chat tigré
à mes pieds. Un bel homme, très grand – tous les
adultes paraissent immenses quand on est en âge
de faire ses premiers pas – se penchait vers moi

et me disait quelque chose. Il portait un uniforme sombre et il avait des tas de médailles épinglées à la poitrine. L'une d'elles attirait particulièrement mon regard, sans doute parce qu'elle brillait plus que les autres. Il me semble qu'elle était en argent et en forme de croix… Bref, ce jeune homme aux cheveux blonds coupés en brosse s'intéressait à moi et j'en concevais une immense fierté.

» C'est en tout cas le souvenir que j'en garde, l'image qui me revient à l'esprit aujourd'hui dans toute sa netteté. Vous l'ignorez peut-être, mais je suis né en Allemagne et je suis juif. Je suis arrivé en Amérique à quatre ans, avec ma mère et ma sœur Inge, qui était tout bébé. Ma mère m'a raconté plus tard que, ce jour-là, nous avions "reçu la visite" de membres d'une section d'assaut qui avaient sauvagement frappé mon père. Il est mort à l'hôpital quelques jours plus tard. Pourtant, c'est le souvenir du jeune homme décoré qui m'est resté, même s'il masquait un événement particulièrement douloureux. Je préfère conserver tous mes souvenirs, voyez-vous, y compris les plus éprouvants. Je les utilise parfois comme certains catholiques se servent d'une ceinture de crin abrasive qu'ils attachent autour de leur taille ou de leur cuisse par pénitence. Cela m'aide à ne pas oublier de quoi sont capables des êtres humains ayant l'air tout à fait normal – que derrière les apparences se cachent parfois des monstres.

Il se leva pour éclairer la pièce. Ébloui, je tressaillis. Il s'approcha des fenêtres et tira les rideaux.

— C'est la tempête, dehors, observa-t-il. Et il est presque minuit. Vous êtes sûr que vous ne voulez pas dormir ici ?

— Laura va s'inquiéter.

— Téléphonez-lui, dit-il en m'indiquant le vestibule. Je suis sûr qu'elle comprendra.

— Non, merci, je vais me débrouiller.

— Alors je vous appelle un taxi, d'accord ? Et c'est moi qui paie la course. Après tout, c'est ma faute si vous êtes resté aussi tard...

— C'était une conversation intéressante.

— Inutile de mentir, je vous l'ai déjà dit, déclara-t-il, avant d'aller téléphoner.

De fait, je n'avais pas menti : Wieder était probablement l'homme le plus fascinant que j'avais jamais rencontré, en raison de sa réputation et de son aura, mais aussi de son indéniable charisme. Il me donnait néanmoins l'impression d'être enfermé dans une sorte de cube de verre, prisonnier de sa propre incapacité à accepter que ses semblables ne soient pas de simples marionnettes avec lesquelles jouer en se livrant à des manipulations psychologiques retorses.

Je m'approchai de la fenêtre à mon tour. Les tourbillons de flocons éclairés par la lumière en provenance de la pièce ressemblaient à des spectres dans la nuit. Tout à coup, je crus apercevoir une silhouette à environ trois mètres de la maison, qui fila vers la gauche, derrière les hauts magnolias aux branches couvertes de neige. La visibilité avait beau être mauvaise, j'étais presque sûr de ne pas m'être trompé, pourtant je décidai de ne pas en parler à Wieder. Il me paraissait déjà assez stressé comme ça.

Il réussit à me trouver un taxi après un certain nombre de tentatives infructueuses, et il me fallut plus d'une heure pour arriver chez moi. Le chauffeur m'éjecta à proximité du Battle Monument et je continuai à pied, m'enfonçant dans la neige jusqu'aux genoux, le visage cinglé par les rafales glacées.

Vingt minutes plus tard, j'étais assis sur le canapé avec Laura, enveloppé dans une couverture, un mug de thé chaud à la main.

— Timothy est passé ici il y a trois heures, déclara-t-elle soudain.

Elle n'utilisait pas non plus pour lui de diminutif comme Tim ou Timmy.

— J'ai l'impression qu'il va recommencer à me harceler, ajouta-t-elle. Je ne sais pas quoi faire.

— Bon, j'aurai une petite discussion avec lui. Ou alors, on appelle les flics, comme je te l'ai déjà dit.

— Ça ne servira à rien, répliqua-t-elle, sans préciser à quelle option elle faisait allusion. Dommage que tu n'aies pas été là. On aurait pu régler le problème une bonne fois pour toutes.

— Wieder a insisté pour me garder à dîner.

— Et tu t'es senti obligé d'accepter, c'est ça ? Vous avez parlé de quoi ?

— De la mémoire, des souvenirs, des trucs comme ça. Dis, tu peux m'expliquer pourquoi tu lui en veux, depuis quelque temps ? Sans toi, je ne l'aurais jamais rencontré. Il m'a proposé du travail, c'est un professeur respectable, et je ne tenais pas à me montrer impoli, c'est tout. Sans compter que je sais à quel point tu attaches de l'importance à votre relation. C'est toi qui as insisté pour me le présenter, tu te rappelles ?

Elle était maintenant assise en tailleur sur le petit tapis devant le canapé, comme si elle se préparait pour une séance de méditation. Elle portait un de mes T-shirts, celui des Giants, et pour la première fois je me rendis compte qu'elle avait perdu du poids.

Après s'être excusée de son accès d'humeur, elle m'avoua que sa mère avait découvert une boule suspecte dans son sein gauche. Elle était allée chez le médecin et attendait les résultats de la mammographie. Alors que je lui avais tout dit sur ma famille, Laura ne m'avait pas raconté grand-chose sur la sienne — seulement des anecdotes et des bribes de souvenirs, pareilles aux pièces d'un puzzle que je n'avais pas encore réussi à assembler pour former une image cohérente. Je pensais passer les vacances avec ma mère et mon frère ; ce serait notre premier Noël sans mon père. J'avais invité Laura, mais elle préférait aller à Evanston. Il ne restait que quelques jours, et je sentais déjà l'avant-goût amer de cette séparation, qui serait la plus longue depuis notre rencontre.

Le lendemain, j'allai me faire photographier pour *Signature* dans un petit studio du centre-ville. Quelques heures plus tard, j'allai chercher les tirages et en envoyai deux à la revue. Les deux autres, je les gardai pour Laura et pour ma mère. Mais j'oubliai de les sortir de mon sac avant de partir en vacances, si bien que je n'eus pas l'occasion de donner la sienne à Laura. Je n'y repensai que longtemps après, une fois installé à Ithaca, et m'aperçus alors qu'elles avaient disparu.

Quand le magazine parut, fin janvier, j'étais tellement harcelé par les journalistes et les policiers que je fus obligé de déménager. Résultat, je ne reçus jamais les exemplaires de la revue envoyés par courrier. Ce fut seulement quinze ans plus tard que je vis ce numéro de *Signature*, lorsqu'un de mes amis me l'offrit ; il était tombé dessus par hasard chez un bouquiniste de Myrtle Avenue, à Brooklyn. Je ne devais jamais non plus reparler au rédacteur en chef. Au début des années 2000, j'appris qu'il était mort dans un accident de voiture sur la côte Ouest au cours de l'été 1990.

Ainsi qu'aurait pu le dire Laura, peut-être la façon dont la revue et ma carrière littéraire m'échappèrent à ce moment-là était-elle un signe. Par la suite, je ne publiai plus rien, même si je continuai d'écrire encore un certain temps.

Le professeur Joseph Wieder fut assassiné chez lui deux jours après notre dîner, dans la nuit du 21 au 22 décembre 1987. Les policiers ne retrouvèrent jamais le meurtrier, en dépit d'une enquête approfondie, mais pour diverses raisons que je vais exposer, je fus considéré comme l'un des suspects du meurtre.

6

Quelqu'un a dit un jour qu'une histoire n'a en réalité ni début ni fin ; ce ne sont que des moments choisis subjectivement par le narrateur pour aider le lecteur à situer un événement dans le temps

Vingt-six ans plus tard, ma perspective a changé quand j'ai découvert la vérité sur ce qu'il s'était passé à l'époque. À aucun moment je ne l'avais cherchée ; elle m'est tombée dessus d'un coup, sans que je m'y attende. Pendant longtemps, je me suis demandé à quel moment au juste ma liaison avec Laura — et peut-être aussi toute ma vie, ou du moins celle que je rêvais de mener jusque-là — s'était désagrégée. Je pourrais dire que c'est le matin où elle a disparu sans un mot, le lendemain du meurtre de Wieder. Par la suite, je ne devais plus jamais la revoir.

Mais, en réalité, nos relations avaient commencé à se détériorer tout de suite après la soirée où j'avais dîné chez le professeur.

Comme un simple son ou la chute d'une pierre peut déclencher sur un sommet enneigé une terrible avalanche qui balaie tout sur son passage, un incident en apparence banal allait remettre en question tout ce que je pensais savoir sur Laura et, au bout du compte, sur moi-même.

Ce week-end-là, je devais aller à New York avec un copain, Benny Thorn, qui m'avait demandé de lui donner un coup de main pour transporter quelques affaires et de rester dormir chez lui le samedi soir. Il emménageait dans un deux pièces meublé et devait se débarrasser de certains objets encombrants qu'il n'avait pas réussi à vendre. Laura ne voulait pas dormir seule et m'annonça qu'elle irait chez Sarah Harper, une copine de Rocky Hill, pour travailler sur son mémoire. Dans la mesure où l'organisation de la bibliothèque de Wieder avançait plus vite que je ne l'avais prévu, je pensais pouvoir me dispenser d'aller chez lui à quelques jours de Noël.

Or, une heure avant de venir me chercher, alors qu'il chargeait ses effets personnels dans une camionnette de location, Benny dérapa sur une plaque de verglas et se cassa la jambe. Ne le voyant pas arriver, je tentai en vain de le joindre par téléphone. Je lui laissai un message et rentrai chez moi. Une heure plus tard, après que les médecins l'eurent plâtré, il m'appela de l'hôpital pour me dire qu'il devrait différer son départ et appliquer la solution de secours, à savoir recourir à un garde-meubles situé près de l'aéroport.

Un coup de fil à cette société m'apprit qu'on pouvait louer un box de stockage pour vingt dollars par mois. Je m'occupai de charger les cartons de Benny dans la camionnette, de les transporter jusqu'au garde-meubles et de rapporter le véhicule à l'agence de location. Entre-temps, Benny était revenu en taxi, et je le rassurai : tout était en ordre. Je lui promis également de lui déposer des provisions dans la soirée.

Comme Laura ne m'avait pas laissé le numéro de son amie, je ne pouvais pas la prévenir de cette modification de programme. Je la cherchai à l'université, mais elle était déjà partie. Il ne me restait donc plus qu'à rentrer. Arrivé à la maison, je décidai de me rendre chez Wieder et de rédiger un mot pour Laura au cas où elle reviendrait avant d'aller chez Sarah Harper. Les clés du professeur se trouvaient dans le bocal posé sur le buffet où nous gardions de la petite monnaie. Je les récupérai et me préparais à partir quand on sonna.

J'ouvris la porte, pour découvrir sur le seuil un homme de mon âge, grand, maigre et l'air défait. Malgré le froid et la neige, il ne portait qu'une veste en tweed et une longue écharpe rouge qui lui donnait des allures de peintre français. Il parut surpris de me voir et, pendant quelques instants, se borna à me dévisager en silence, les mains dans les poches de son pantalon en velours côtelé.

— Je peux vous aider ? demandai-je, pensant qu'il avait dû se tromper d'adresse.

Il poussa un profond soupir en me gratifiant d'un regard triste.

— Je ne crois pas…

— Dites toujours, c'est le seul moyen de le savoir !

— Je m'appelle Timothy Sanders, déclara-t-il enfin. Je voulais parler à Laura.

Cette fois, ce fut mon tour de rester interdit. Plusieurs possibilités me traversèrent l'esprit : lui claquer la porte au nez ; l'injurier copieusement avant de lui claquer la porte au nez ; ou l'inviter à la maison, faire diversion, appeler discrètement les flics puis l'accuser de harcèlement en présence de la patrouille.

Or, à ma grande surprise, je m'entendis répliquer :

— Elle n'est pas là, mais tu peux entrer, si tu veux. Je m'appelle Richard, je suis son petit ami.

— Eh bien, je pense que…

Il soupira de nouveau, balaya du regard les alentours – la nuit tombait déjà –, puis, après avoir tapé ses pieds sur le paillasson pour faire tomber la neige de ses bottes, pénétra dans le vestibule.

— C'est chouette, chez vous, dit-il en s'arrêtant au milieu du salon.

— Un café ?

— Non, merci. Ça te dérange si je fume ?

— Viens plutôt dans le jardin, on évite de fumer à l'intérieur. Je m'en grillerais bien une aussi.

Je fis coulisser la baie vitrée et il me suivit dehors en même temps qu'il fouillait ses poches à la recherche de ses cigarettes. Il finit par extirper un paquet de Lucky Strike à moitié écrasé, en sortit une et se pencha pour l'allumer.

— Laura m'a parlé de toi, vieux, lui révélai-je.

Je lus la résignation dans son regard.

— Je m'en doute.

— Elle m'a raconté ce qui s'était passé entre vous, en me disant que tu continuais à la harceler. Je sais que tu lui as déjà rendu visite il y a quelques jours, quand je n'étais pas là.

— Ce n'est pas vrai, déclara-t-il d'un ton prudent.

Sanders tirait si fort sur sa cigarette qu'il la termina en cinq ou six bouffées. Il avait des mains d'une blancheur étrange rappelant la cire et de longs doigts fuselés.

— Je sais aussi que vous êtes allés à New York ensemble, ajoutai-je.

Il secoua la tête en signe de dénégation.

— Non, non, tu fais erreur. Pour tout te dire, je n'ai pas remis les pieds à New York depuis l'été dernier. Je me suis fâché avec mes parents, alors je me débrouille tout seul. Ces deux derniers mois, j'ai voyagé en Europe.

À aucun moment il ne m'avait quitté des yeux. Il s'exprimait toujours d'un ton neutre, comme s'il énonçait une évidence du genre « la Terre est ronde ».

J'eus soudain la certitude absolue qu'il disait la vérité et que Laura m'avait menti. En proie à une brusque sensation de nausée, j'écrasai ma cigarette.

— Bon, je ferais mieux d'y aller, reprit-il en tournant la tête vers la cuisine.

— Oui, c'est préférable.

Je ne tenais pas à m'humilier en essayant de lui soutirer des informations, même si ce n'était pas l'envie qui m'en manquait.

Alors que je le raccompagnais à la porte, il s'arrêta un instant dans le vestibule.

— Je suis vraiment désolé, Richard. Je crois que j'ai mis les pieds dans le plat. Mais bon, je suis sûr que c'est juste un malentendu qui sera très vite éclairci.

Je prétendis en être persuadé moi aussi. Puis nous prîmes congé et je fermai la porte derrière lui.

Une fois seul, je retournai aussitôt dans le jardin où, indifférent au froid, je fumai deux cigarettes coup sur coup. Je ne pouvais penser qu'à l'expression de Laura quand elle m'avait servi tous ces mensonges. Et aussi, inexplicablement, à cette soirée au début de notre liaison où elle était blottie contre moi sur le canapé tandis que je lui caressais les cheveux, émerveillé par leur douceur. La colère grondait en moi, à présent, et je n'avais plus qu'une idée en tête : dénicher l'adresse de cette Sarah Harper.

Mais bientôt, le doute s'insinua dans mon esprit. Cette mystérieuse amie avait-elle jamais existé ? Et si Laura était allée chez Wieder, plutôt ?

Elle n'avait cependant pas pris les clés de chez lui, puisque je les avais mises dans ma poche avant l'arrivée de Timothy Sanders. Sans pouvoir me l'expliquer, j'étais désormais certain qu'elle était avec le professeur et que tout ce qu'il y avait eu entre nous, absolument tout, n'avait été qu'un énorme mensonge. Elle m'avait manipulé dans un but qui m'échappait, faisant peut-être de moi le sujet d'une expérience tordue concoctée avec Wieder...

M'observaient-ils tous les deux depuis le début comme un cobaye, en se moquant de moi ? Cette histoire de bibliothèque à organiser n'était-elle qu'un prétexte pour m'avoir à l'œil ? La situation m'apparaissait maintenant sous un jour bien différent. Comment avais-je pu être assez aveugle pour me laisser abuser, alors que Laura ne s'était même pas donné beaucoup de mal pour rendre ses mensonges convaincants ?

Sitôt rentré, j'appelai un taxi. Puis je partis chez le professeur Wieder en pleine tempête de neige.

C'est ici que s'arrêtait le manuscrit partiel. J'ai rassemblé toutes les pages et je les ai posées sur la table basse. Il était 1 h 46 du matin. J'avais lu pendant plus de deux heures sans interruption.

Mais qu'avais-je exactement entre les mains ?

S'agissait-il d'une confession tardive ? Allais-je découvrir que Richard Flynn était l'assassin de Wieder et qu'il avait réussi jusque-là à échapper à la justice ? Il m'avait indiqué dans le mail accompagnant sa lettre que le manuscrit entier totalisait soixante-dix-huit mille mots. J'en ai déduit qu'il avait dû se produire quelque chose d'important après le meurtre : la mort du professeur n'était pas la fin du livre, elle servait plutôt de chapitre d'ouverture.

Je m'y perdais un peu dans la chronologie des événements, mais il me semblait que l'extrait, délibérément ou pas, se terminait au moment où Flynn partait chez Wieder, convaincu que Laura lui avait menti sur tout, y compris sur la nature de sa relation avec le professeur. Or, c'était ce même soir que ce dernier avait été assassiné. Flynn les avait-il surpris ensemble ? Était-ce un crime passionnel ?

Ou alors, Flynn n'y était pour rien. Il avait découvert la clé du mystère des années plus tard, comme il le laissait supposer, et ce manuscrit était censé démasquer le véritable coupable, quel qu'il soit. Laura Baines, peut-être ?

Pour finir, je me suis dit qu'il était inutile de s'emballer ; j'aurais bientôt la réponse à toutes ces questions, donnée par l'auteur en personne. J'ai donc terminé mon café, puis je suis allé me coucher, bien décidé à demander à Flynn de m'envoyer le texte dans son intégralité. Les récits de faits divers avaient beaucoup de succès, surtout quand ils étaient bien écrits et concernaient des affaires mystérieuses, qui sortaient de l'ordinaire. Joseph Wieder avait été une célébrité à l'époque, il restait une figure importante de l'histoire de la psychologie américaine, comme Google me l'avait confirmé, et le style fluide de Flynn rendait le récit prenant. Je pensais tenir un bon roman pour lequel un éditeur serait prêt à signer un gros chèque.

Malheureusement, rien ne devait se passer comme je l'espérais.

Avant d'arriver au bureau le lendemain matin, j'ai envoyé un mail à Richard Flynn en utilisant mon adresse personnelle. Il ne m'a pas répondu ce jour-là, aussi ai-je supposé qu'il avait profité du week-end prolongé pour partir en vacances et ne consultait pas son courrier électronique.

N'ayant toujours pas de réponse au bout de deux ou trois jours, j'ai appelé le numéro de portable indiqué dans la lettre. Je suis tombé sur sa boîte vocale mais, comme elle était déjà pleine, je n'ai pu lui laisser de message.

Deux jours encore se sont écoulés sans que j'aie de nouvelles, et après plusieurs autres tentatives pour le joindre sur son téléphone, désormais éteint, j'ai décidé de me rendre à l'adresse mentionnée dans sa lettre, près de Penn Station. Il n'était pas dans mes habitudes de traquer les auteurs, mais parfois, il faut savoir forcer le destin.

L'auteur en question habitait un appartement au deuxième étage d'un immeuble dans la 33ᵉ Rue Est. J'ai sonné à l'interphone et, au bout d'un moment, une femme m'a répondu. Je lui ai dit que je m'appelais Peter Katz et que je cherchais Richard Flynn. Elle m'a informé sèchement que M. Flynn n'était pas disponible. J'ai précisé que j'étais agent littéraire, avant de lui expliquer brièvement l'objet de ma visite.

Après quelques instants d'hésitation, elle a fini par m'ouvrir. J'ai pris l'ascenseur jusqu'au deuxième. Mon interlocutrice m'attendait sur le seuil de l'appartement. Elle s'est présentée : Danna Olsen.

Âgée d'une quarantaine d'années, elle avait des traits réguliers mais quelconques – le genre de visage qu'on oublie sitôt après l'avoir vu. Elle portait une blouse bleue, et un serre-tête en plastique retenait ses cheveux d'un noir d'ébène, probablement teints.

J'ai accroché mon manteau à une patère dans l'entrée, puis j'ai suivi Mme Olsen dans un petit salon parfaitement ordonné. Elle m'a invité à prendre place sur le canapé en cuir. La couleur des tapis, la présence de rideaux et l'abondance de bibelots me faisaient penser à un appartement occupé par une femme seule plutôt que par un couple.

Je lui ai raconté mon histoire une fois de plus, et elle a pris une profonde inspiration avant de débiter d'une traite :

— Richard a été admis à l'hôpital All Saints il y a cinq jours. On lui a diagnostiqué un cancer du poumon l'année dernière. Il n'était pas question d'opérer, parce qu'il en était déjà à la troisième phase de la maladie, et il a fallu commencer la chimio il y a quelques mois. Il a bien répondu au traitement pendant un temps mais, il y a deux semaines, il a contracté une pneumonie et son état s'est brutalement dégradé. Les médecins n'ont plus beaucoup d'espoir.

Je lui ai servi les platitudes qu'on se sent obligé d'énoncer en de telles circonstances. Elle m'a raconté qu'elle n'avait pas de famille en ville. Originaire de l'Alabama, elle avait rencontré Richard quelques années plus tôt, lors d'un séminaire de marketing. Ils avaient entretenu une longue correspondance avant de partir ensemble voir le Grand Canyon, puis Richard avait insisté pour qu'elle vienne vivre avec lui, et elle l'avait rejoint à New York. Elle m'a avoué qu'elle ne s'y plaisait pas, d'autant qu'elle était surqualifiée pour le poste qu'elle avait trouvé dans une agence de publicité. Elle l'avait accepté uniquement pour faire plaisir à Richard. S'il mourait, elle rentrerait chez elle.

À ces mots, elle s'est mise à pleurer doucement, sans sangloter, en s'essuyant les yeux et le nez avec des mouchoirs en papier pris dans la boîte sur la table basse. Une fois calmée, elle a insisté pour me servir un thé et m'a demandé de lui parler du manuscrit ; apparemment, elle ignorait que son compagnon avait écrit un livre sur son passé. Elle a disparu quelques instants dans la cuisine, avant de reparaître avec un plateau contenant des tasses et un sucrier.

Je lui ai résumé l'extrait du texte que j'avais reçu par mail. J'avais également apporté une copie de la lettre de Richard, que je lui ai montrée. Elle l'a lue avec attention, sans chercher à masquer sa surprise.

— Richard ne m'en a jamais parlé, m'a-t-elle dit avec amertume. Il préférait sans doute attendre d'avoir votre opinion d'abord…

— Je ne suis peut-être pas le seul à qui il ait écrit. Avez-vous été contactée par un autre agent ou par un éditeur ?

— Non. Le lendemain de son hospitalisation, j'ai fait transférer tous ses appels sur mon portable, mais après j'ai renoncé. Ses collègues à l'agence et Eddie, son frère qui habite en Pennsylvanie, sont au courant de son état et ils ont mon numéro. Je ne connais pas le mot de passe de sa boîte mail, alors je n'ai pas pu accéder à ses messages.

— Vous ne voyez pas où pourrait être le reste du texte ?

Elle n'en avait aucune idée.

Néanmoins, elle m'a proposé de jeter un coup d'œil à l'ordinateur portable de Richard. Sans plus tarder, elle a sorti d'un tiroir un petit Lenovo qu'elle a branché et allumé.

— Il devait attacher beaucoup d'importance à son manuscrit s'il vous a envoyé cette lettre, a-t-elle observé en attendant que les icônes s'affichent sur le bureau. En admettant que je mette la main dessus, vous comprenez bien qu'il me faudra d'abord lui demander son accord avant de vous le confier ?

— Naturellement.

— Qu'est-ce que ça pourrait représenter en termes financiers ?

Je lui ai expliqué qu'un agent n'était qu'un intermédiaire et que ce serait à un éditeur de prendre la décision concernant le montant de l'à-valoir et des droits d'auteur.

Après avoir chaussé ses lunettes, elle a entrepris de fouiller dans l'ordinateur. À ce moment-là seulement, je me suis rendu compte que j'allais rater mon rendez-vous suivant. J'ai appelé la personne, je me suis excusé et nous avons fixé une autre date.

Mme Olsen m'a informé qu'il n'y avait pas trace du texte, ni sur le bureau ni dans les documents. Elle avait vérifié tous les fichiers, quel que soit le nom sous lequel ils avaient été enregistrés. Aucun n'était protégé par un mot de passe. Il était possible, a-t-elle ajouté, que Richard ait conservé le document à l'agence ou sur une clé USB. Elle en avait remarqué plusieurs dans ce même tiroir où était rangé l'ordinateur. Comme elle devait rendre visite à Richard, elle m'a promis de l'interroger à ce sujet. Elle a enregistré mon numéro dans son téléphone en disant qu'elle m'appellerait dès qu'elle aurait la réponse.

J'ai bu mon thé et l'ai remerciée une nouvelle fois. J'allais partir lorsqu'elle a déclaré :

— Vous savez, j'ignorais tout de cette histoire – à propos de Laura Baines, je veux dire – jusqu'à ces trois derniers mois. Et puis, un soir, quelqu'un a appelé Richard sur son portable, et je l'ai entendu s'emporter. Il s'était isolé dans la cuisine, alors je n'ai pas compris ce qu'il disait, mais j'ai été surprise par son intonation, parce qu'il n'est pas du genre à perdre son calme. Là, il était furieux, croyez-moi !

Je ne l'avais jamais vu dans un tel état. Ses mains tremblaient quand il est revenu au salon. Je lui ai demandé qui c'était, et il m'a répondu que c'était quelqu'un qu'il avait connu autrefois à Princeton – une certaine Laura qui, d'après lui, avait foutu sa vie en l'air et allait le payer cher.

Cinq jours après notre rencontre, Danna Olsen m'a téléphoné pour m'annoncer que Richard était mort. Elle m'a donné l'adresse du funérarium, au cas où je souhaiterais lui rendre un dernier hommage. Lorsqu'elle était arrivée à l'hôpital, le jour de ma visite, les sédatifs avaient déjà plongé son compagnon dans l'inconscience, et il était tombé dans le coma peu après, si bien qu'elle n'avait pas pu l'interroger sur le manuscrit. Elle avait vérifié le contenu de toutes les clés USB et de tous les CD qu'ils avaient chez eux, en vain. Elle m'a promis de regarder dans les effets personnels restés à l'agence où travaillait Richard, qu'elle recevrait bientôt.

Je suis allé à l'enterrement un vendredi après-midi. La ville était recouverte d'un épais manteau de neige, comme en cette journée de fin décembre où le sort du professeur Joseph Wieder avait été scellé.

Une poignée de personnes en tenue de deuil avaient pris place sur une rangée de chaises devant le cercueil où reposait feu Richard Flynn. Une photo encadrée, ornée d'un ruban noir, avait été placée à côté. Elle montrait un homme d'une quarantaine d'années au sourire triste. Il avait un visage étroit, un nez proéminent et un regard empreint de douceur. Ses cheveux légèrement ondulés se raréfiaient au-dessus de son front.

Mme Olsen m'a remercié d'être venu. D'après elle, cette photo était la préférée de Richard, mais elle ne savait pas qui l'avait prise ni quand. Il la gardait dans son tiroir, qu'il appelait pour rire « la tanière du loup ». Elle se disait aussi terriblement désolée de ne pas avoir réussi à mettre la main sur le reste du texte, qui devait être très important pour lui, puisqu'il y avait travaillé durant les derniers mois de sa vie. Puis elle a fait signe à un homme à la mine lugubre, en me précisant qu'il s'agissait d'Eddie Flynn, le frère cadet de Richard. Celui-ci était accompagné par une petite femme à l'air dynamique, arborant un chapeau ridicule sur sa chevelure flamboyante. Celle-ci m'a serré la main en se présentant : Susanna Flynn, la femme d'Eddie. Nous avons bavardé un moment, à quelques pas seulement du cercueil, et j'ai eu l'impression étrange de les connaître depuis longtemps, de les revoir après une longue séparation.

Au moment de partir, je me suis dit que je ne découvrirais jamais le fin mot de cette histoire : quoi que Richard ait eu l'intention de révéler, tout portait à croire que son secret avait disparu avec lui.

Deuxième partie

JOHN KELLER

> Quand on est jeune,
> on s'invente différents avenirs ;
> quand on est vieux,
> on invente aux autres différents passés.

Julian Barnes, *Une fille, qui danse*

1

Je suis entré en communication avec les morts grâce à une chaise cassée.

Comme aurait pu le dire Kurt Vonnegut Junior, on était en 2007 et John Keller avait enfin les poches vides[1]. Au fait, John Keller, c'est moi – enchanté. J'avais participé à un atelier d'écriture à l'université de New York et, pour tout dire, je tournais autour de mes illusions comme un papillon de nuit attiré par l'éclat dangereux d'une ampoule électrique. Je partageais un logement sous les combles dans le Lower East Side avec un aspirant photographe, Neil Bowman, et passais mes journées à envoyer des lettres de motivation à des revues littéraires dans l'espoir qu'un rédacteur en chef finirait par me proposer une place. Malheureusement, aucun ne paraissait disposé à reconnaître mon génie.

Mon oncle Frank, le frère aîné de ma mère, avait fait fortune au milieu des années 1980 en investissant

---

1. Allusion à la première phrase de la nouvelle « Harrison Bergeron », de Kurt Vonnegut Jr : « *The year was 2081, and everybody was finally equal.* » Soit, littéralement : « On était en 2081 et tous les hommes étaient enfin égaux. »

dans l'industrie des nouvelles technologies, en plein essor à l'époque. Âgé d'une cinquantaine d'années, il possédait un magnifique appartement dans l'Upper East Side. En ce temps-là, il ne semblait pas avoir d'autres activités que de collectionner les antiquités et de s'afficher avec de jolies filles. Il était lui-même séduisant, toujours élégant et bronzé aux UV. Il m'invitait parfois à dîner chez lui ou au restaurant et m'offrait des cadeaux coûteux que je revendais aussitôt à un dénommé Max, qui était en cheville avec les propriétaires d'une boutique louche dans la 14e Rue Ouest.

Le mobilier ancien dans son salon avait été acheté en Italie des années auparavant. Les chaises en bois sculpté étaient garnies d'une assise en cuir brun à laquelle le temps avait conféré l'aspect d'une joue ridée. Je crois que l'une d'elles avait perdu son dossier, ou quelque chose comme ça – je n'ai plus les détails en tête.

Bref, mon oncle avait décidé de faire appel à un célèbre restaurateur de meubles installé dans le Bronx, qui avait une liste d'attente de plusieurs mois. Mais ce dernier, apprenant que Frank était prêt à payer le double du tarif habituel s'il passait devant tout le monde, n'a pas hésité un instant : il a attrapé sa caisse à outils et foncé chez lui. Par chance, j'étais présent ce jour-là.

Le restaurateur – la cinquantaine, le crâne rasé, les épaules larges et le regard inquisiteur, habillé tout en noir comme un tueur à gages –, a examiné la chaise cassée, marmonné quelque chose d'incompréhensible puis établi son atelier sur la terrasse. C'était une journée magnifique, le soleil brillait et les immeubles scintillaient dans la brume matinale tels des blocs de quartz géants. Alors que l'artisan déployait ses talents sous nos yeux, mon oncle et moi avons pris un café en parlant de la gent féminine.

À un certain moment, Frank a remarqué une revue que le restaurateur avait apportée et posée sur une table. Baptisée *Ampersand*, elle comptait quarante-huit pages sur papier glacé. La troisième, qui donnait la liste des membres de l'équipe éditoriale, lui a appris que cette publication appartenait à une entreprise dirigée par un certain John L. Friedman.

Mon oncle m'a alors expliqué qu'il avait connu Friedman à l'université Rutgers. Ils avaient longtemps été proches et s'étaient perdus de vue deux ou trois ans plus tôt. Et s'il l'appelait pour lui demander de me recevoir ? J'avais bien compris que les relations font tourner le monde autant que l'argent, mais j'étais encore assez jeune pour croire que je pouvais me débrouiller par moi-même, alors j'ai décliné sa proposition. De plus, ai-je dit tout en feuilletant le magazine, il s'agissait d'un périodique traitant de l'occulte, du paranormal et du mouvement New Age – autant de domaines auxquels je ne connaissais rien et qui ne m'intéressaient pas le moins du monde.

Frank m'a reproché mon entêtement. Il m'a vanté les compétences financières de son vieil ami qui, à l'époque de la fac déjà, était capable de transformer en or tout ce qu'il touchait. Quoi qu'il en soit, a-t-il ajouté, un bon journaliste doit pouvoir traiter n'importe quel sujet. Et puis, n'était-il pas plus intéressant d'écrire sur la Grande Pyramide que sur un match de foot ou un fait divers sordide ? De toute façon, quelle importance, puisque tous les lecteurs étaient des crétins…

Quand nous lui avons proposé de prendre un café avec nous, le restaurateur s'est joint à la conversation. À voix basse, il s'est dit convaincu que les objets anciens conservaient en eux les ondes positives ou négatives de leurs différents possesseurs au fil des ans. D'ailleurs, il lui suffisait parfois de les toucher pour ressentir d'inexplicables fourmillements dans les doigts… Lorsque je suis parti, Frank était allé chercher une bouteille de bourbon dans son bar et le restaurateur lui parlait d'un buffet qui avait porté malheur à ses propriétaires.

Deux jours plus tard, Frank m'a appelé sur mon portable pour me dire que Friedman m'attendait dans ses locaux le lendemain. Son ami cherchait quelqu'un qui, avant tout, maîtrisait les règles élémentaires de la grammaire et de l'orthographe, car le rédacteur en chef, lui-même un peu fêlé, ne s'était entouré que de collaborateurs plus ou moins bizarres et incapables d'écrire correctement. Résultat, le magazine lancé deux mois plus tôt peinait à décoller.

Comme je ne voulais pas me fâcher avec mon oncle, je suis allé au rendez-vous fixé par Friedman. De fait, je l'ai tout de suite trouvé sympathique – un sentiment réciproque, apparemment. Il se fichait du paranormal et ne croyait pas aux fantômes, mais d'après lui il existait sur le marché une niche pour ce genre de publication, surtout chez les baby-boomers.

Il m'a proposé un salaire bien plus élevé que je n'osais l'espérer, si bien que j'ai signé le contrat d'embauche sur-le-champ. Mon premier article publié concernait le restaurateur de meubles ; après tout, je lui devais mon entrée dans le monde de l'occulte. J'ai travaillé pour *Ampersand* pendant environ deux ans, durant lesquels j'ai rencontré la moitié des cinglés de la ville. J'ai assisté à des séances de vaudou à Inwood, visité des maisons hantées dans East Harlem. J'ai reçu des lettres de lecteurs qui semblaient encore plus tordus qu'Hannibal Lecter et de prêtres qui me promettaient les feux de l'enfer.

Puis Friedman a décidé d'arrêter cette activité et m'a aidé à décrocher un poste de reporter pour le *Post*, où je suis resté quatre ans, jusqu'à ce qu'un ami me persuade de collaborer à une nouvelle publication financée par des investisseurs en Europe. Deux ans plus tard, alors que les journaux en ligne décimaient allègrement les rangs clairsemés de leurs concurrents plus modestes de la presse écrite, et que les titres disparaissaient les uns après les autres, je me suis retrouvé au chômage. J'ai d'abord créé un blog, ensuite un site d'informations qui ne m'a pratiquement rien rapporté, et je me suis débrouillé pour vivoter en acceptant divers boulots en free lance, tout en portant un regard nostalgique sur le bon vieux temps. Je n'en revenais pas : à trente ans et des poussières, j'avais déjà l'impression d'être un dinosaure.

C'est à cette période qu'un de mes amis, Peter Katz, agent littéraire pour Bronson & Matters, m'a parlé du manuscrit de Richard Flynn.

Notre amitié remontait à l'époque où j'étais étudiant à l'université de New York. D'un naturel timide et renfermé – c'était le genre de personne qu'on a tendance à confondre avec une plante verte dans une soirée –, il possédait néanmoins une grande culture qui rendait sa fréquentation enrichissante. Il avait aussi habilement déjoué tous les pièges sophistiqués que sa mère lui avait tendus avec la complicité de parents de filles à marier, préférant rester célibataire. Issu d'une longue lignée d'avocats, il avait choisi en outre de devenir agent littéraire, ce qui faisait plus ou moins de lui le mouton noir de sa famille.

Peter m'a invité à déjeuner au Candice, un restaurant de la 32ᵉ Rue Est. Il neigeait abondamment depuis plusieurs jours, alors que nous étions déjà début mars, et la circulation était infernale. Le ciel couleur de plomb pesait sur la ville. Peter était vêtu d'un pardessus trop long dans lequel il n'arrêtait pas de se prendre les pieds, comme l'un des sept nains de Blanche-Neige. Un vieil attaché-case en cuir se balançait au bout de son bras tandis qu'il sautillait pour éviter les flaques sur le trottoir.

Devant nos salades, il m'a raconté l'histoire du manuscrit. Richard Flynn était mort le mois précédent, et sa compagne, une dénommée Danna Olsen, affirmait n'avoir trouvé aucune trace des chapitres suivants.

Quand on nous a apporté nos steaks, Peter m'avait exposé le défi à relever. Il savait que, grâce à mon expérience de journaliste, j'étais capable de réunir des informations disparates en un tout cohérent. Il en avait parlé à ses chefs qui, compte tenu du marché, estimaient que le sujet avait un gros potentiel. En attendant, ces quelques pages d'un manuscrit susceptible de rapporter gros ne valaient absolument rien.

— Je suis prêt à faire une proposition à Mme Olsen, a-t-il déclaré en me dévisageant de ses yeux de myope. Pour autant que je puisse en juger, elle a les pieds sur terre ; même si la négociation s'annonce difficile, je ne l'imagine pas refuser une offre intéressante. Elle a hérité de presque tous les biens de Flynn, à l'exception de ceux qu'il a légués à son frère Eddie. D'un point de vue strictement légal, un accord avec Mme Olsen nous couvrirait, tu comprends ?

— Ah oui ? Et d'après toi, je fais comment pour remonter la piste de ce manuscrit ? Je cherche une carte au trésor secrète dessinée au dos d'une serviette en papier ? Je m'envole pour une île du Pacifique à la recherche de palmiers jumeaux orientés au nord-ouest ?

— Arrête, s'il te plaît. Flynn a donné pas mal d'indices dans ces premiers chapitres : il a planté le décor, situé l'époque, nommé les personnes impliquées… Si tu ne mets pas la main sur le manuscrit, il te restera toujours la possibilité de compléter toi-même le puzzle et d'intégrer l'extrait dans un nouveau livre, rédigé par tes soins ou confié à un nègre. Après tout, les lecteurs s'intéresseront certainement plus au meurtre de Joseph Wieder qu'à l'histoire d'un illustre inconnu appelé Richard Flynn… Par conséquent, tout l'enjeu consiste à reconstituer ce qui s'est passé durant les derniers jours de Wieder, tu comprends ?

Sa manie de répéter tout le temps « Tu comprends ? » me donnait le sentiment désagréable qu'il doutait de mon intelligence.

— Oui, oui, je comprends, lui ai-je assuré. N'empêche, rien ne dit que ce ne sera pas une perte de temps. D'accord, Flynn savait ce qu'il voulait révéler au grand public quand il a commencé à écrire, mais nous, on n'a pas la moindre idée de ce qu'on cherche. Franchement, comment veux-tu élucider un meurtre commis il y a plus de vingt ans ?

— Laura Baines, l'une des protagonistes, est sans doute toujours en vie. Pourquoi n'essaierais-tu pas de la retrouver ? Et même si c'est aujourd'hui une affaire classée, comme disent les flics, je suis sûr qu'ils ont conservé le dossier dans leurs archives.

Il m'a adressé un clin d'œil mystérieux avant de baisser d'un ton.

— De plus, il semblerait que Wieder ait mené des expériences psychologiques secrètes… Imagine un peu ce que tu pourrais découvrir !

J'avais l'impression d'entendre une mère promettre à un enfant têtu de l'emmener à Disneyland s'il faisait ses exercices de maths.

En attendant, j'étais encore indécis, même s'il avait réussi à piquer ma curiosité.

— Sérieux, Pete, et si ce Flynn avait tout inventé ? Je ne voudrais pas dire du mal des morts, mais il a peut-être brodé une histoire autour du meurtre d'une célébrité dans l'espoir de vendre plus facilement son projet avant de mourir… Sauf qu'il n'a pas eu le temps de l'achever.

— J'ai envisagé cette possibilité, figure-toi. Et le problème, c'est qu'on ne peut pas le savoir sans enquêter. D'après ce que j'ai pu apprendre jusque-là, Richard Flynn n'avait rien d'un menteur patholo-gique : il a vraiment connu Wieder et travaillé pour lui, il avait les clés de sa maison et il a réellement été considéré comme suspect. Tout ça, j'ai pu le vérifier sur Internet. À partir de là, j'ai besoin de tes talents de fin limier.

J'avais beau être presque convaincu, je l'ai laissé mariner encore un peu. Au moment du dessert, j'ai opté pour un espresso alors qu'il prenait un tiramisu.

Une fois mon café terminé, j'ai mis un terme à son supplice : j'ai dit que j'acceptais la mission et signé dans la foulée le contrat qu'il avait apporté, comportant une clause de confidentialité. Il a ensuite sorti de son attaché-case une liasse de papiers qu'il m'a tendue. C'était une copie de l'extrait envoyé par Richard Flynn, m'a-t-il expliqué, plus les notes qu'il avait lui-même prises dans l'intervalle, susceptibles de me servir de point de départ dans mes investigations. J'ai fourré le tout dans le sac dont je ne me séparais plus depuis que j'étais journaliste.

Après l'avoir raccompagné jusqu'au métro, je suis rentré chez moi et j'ai passé la soirée à lire le manuscrit.

2

Le lendemain soir, j'ai rejoint ma petite amie Sam pour le dîner. De cinq ans mon aînée, elle avait obtenu une maîtrise d'anglais à l'université de Los Angeles et était venue vivre à New York après avoir travaillé dans différentes chaînes de télévision sur la côte Ouest. Devenue productrice du journal matinal de NY1, elle commençait sa journée à 5 heures du matin et la terminait en général vers 20 heures – heure à laquelle, que je sois là ou pas, elle s'effondrait. Nous pouvions rarement nous parler plus de cinq minutes sans qu'elle s'interrompe pour mettre en place son oreillette afin de répondre à un appel important.

Elle était restée mariée trois ans à un certain Jim Salvo, présentateur du JT pour une petite chaîne de télé en Californie – le style coureur de jupons qui, la quarantaine venue, n'a plus que de mauvaises habitudes et un début de cirrhose. C'est pour cette raison qu'elle s'était montrée claire avec moi dès le début : elle n'avait pas l'intention de s'engager dans une relation sérieuse avant ses quarante ans.

Entre deux coups de fil, et après avoir reproché à la serveuse de ne pas avoir pris notre commande assez vite puis m'avoir raconté son dernier conflit en date avec ses rédacteurs, Sam m'a écouté lui parler du manuscrit de Richard Flynn. À la fin de mon récit, elle avait l'air enthousiaste.

— Ça pourrait faire un carton, John ! On dirait une histoire sortie tout droit d'un roman de Truman Capote... Les lecteurs raffolent des récits de ce genre.

C'était le meilleur verdict qu'on puisse attendre de sa part sur n'importe quel sujet : pour elle, tout ce qui n'avait pas la moindre chance de « faire un carton » ne valait rien, que ce soit une émission de télé, un projet de livre ou une partie de jambes en l'air.

— Possible, ai-je admis. À condition que je mette la main sur le reste du manuscrit ou que j'élucide cette affaire de meurtre d'une manière ou d'une autre.

— Sinon, il te suffira d'inventer la suite à partir des premiers chapitres. C'est bien ce qui est convenu avec Peter, non ?

— Facile à dire ! Je n'ai jamais écrit de bouquin, je te signale.

— Et alors ? Les temps changent et tout le monde doit s'adapter, a-t-elle déclaré d'un ton sentencieux. Tu crois que la télévision d'aujourd'hui ressemble à celle d'il y a quinze ans, quand je suis entrée pour la première fois dans le studio d'une chaîne d'infos ? On est tous amenés un jour ou l'autre à faire des trucs nouveaux. Tu veux que je te dise ? Je préférerais encore que tu ne le trouves pas, ce fichu manuscrit ! Comme ça, d'ici un an, je verrai ton nom sur la couverture d'un livre dans la vitrine des librairies.

En sortant du restaurant, je suis rentré directement dans ma tanière, où je me suis mis au travail. Mes parents s'étaient installés en Floride deux ans plus tôt, et ma sœur aînée, Kathy, avait épousé un natif de Springfield, dans l'Illinois, où elle s'était établie après son diplôme. Moi, j'habitais Hell's Kitchen – un quartier renommé aujourd'hui « Clinton » par les agents immobiliers –, dans l'appartement où j'avais été élevé. L'immeuble était vieux, les pièces petites et sombres, mais je m'y sentais chez moi et au moins je n'avais pas à m'inquiéter du loyer.

J'ai commencé par relire les premiers chapitres du manuscrit, en surlignant de différentes couleurs les passages qui me semblaient importants : bleu pour Richard Flynn, vert pour Joseph Wieder et jaune pour Laura Baines. J'ai également surligné le nom de Derek Simmons en bleu, compte tenu du rôle important qu'il était censé avoir joué dans le drame. J'ai ensuite dressé la liste de tous les autres noms mentionnés dans le texte, en espérant qu'ils deviendraient des sources d'information. Mon expérience de journaliste m'avait appris que la plupart des gens adorent parler de leur passé, qu'ils ont tendance à embellir.

J'ai ainsi identifié trois approches possibles.

La première, et aussi la plus simple : plonger dans les eaux profondes d'Internet à la recherche d'éléments sur les protagonistes de l'affaire et sur le meurtre lui-même.

La deuxième : chercher les personnes citées dans l'extrait, en particulier Laura Baines, et les persuader de me dire tout ce qu'elles savaient sur ces événements. Peter avait rapporté dans ses notes son entretien avec Danna Olsen, durant lequel elle avait mentionné une conversation téléphonique tendue entre Richard Flynn et une certaine Laura qui, d'après lui, « avait foutu sa vie en l'air » et « allait le payer cher ». Était-ce la Laura du manuscrit ?

La troisième : accéder aux archives de la police de West Windsor, dans le comté de Mercer, et demander à consulter les témoignages, notes d'interrogatoire et divers rapports rassemblés par les inspecteurs à l'époque. Wieder était une personnalité connue et l'enquête avait certainement été menée dans les règles, même si elle n'avait débouché sur rien. Mon statut de journaliste free lance ne m'aiderait pas, mais le cas échéant je pourrais toujours demander à Sam d'appeler la cavalerie en renfort et de brandir l'étendard de NY1.

J'ai commencé par Richard Flynn.

Tous les renseignements que j'avais déjà réunis sur lui correspondaient à ce que j'ai trouvé sur Internet. Il avait travaillé pour Wolfson & Associates, une petite agence de publicité dont le site comportait une brève biographie de ses employés. Celle-ci m'a confirmé les détails du manuscrit : Flynn avait obtenu une licence d'anglais à Princeton en 1988 et terminé ses études à Cornell deux ans plus tard ; après avoir occupé deux postes d'assistant, il avait été promu cadre. D'autres sites m'ont livré des informations complémentaires : il avait versé de l'argent à trois reprises au comité central du parti démocrate, fait partie d'un club de tir et, en 2007, il avait rédigé un avis défavorable sur un hôtel de Chicago, dont il avait critiqué le service.

J'ai ensuite orienté mes recherches sur Laura Baines. À ma grande surprise, mes tentatives n'ont pas donné grand-chose. Si plusieurs personnes portaient bien ce nom, aucune n'avait le bon profil. J'ai néanmoins fini par la localiser sur la liste des étudiants de l'université de Chicago ayant obtenu leur diplôme de maths en 1985, et sur celle des étudiants en maîtrise de psychologie à Princeton en 1988. Mais après, plus aucune indication de ce qu'elle faisait ni de l'endroit où elle vivait. Elle semblait s'être évanouie dans la nature. J'en ai conclu qu'elle avait dû se marier et changer de nom. En supposant qu'elle soit toujours en vie, j'allais devoir réfléchir à un autre moyen de remonter cette piste.

Comme je m'y attendais, c'est le nom de Joseph Wieder qui a donné le plus de résultats. Wikipédia lui consacrait une page entière, et sa biographie figurait en bonne place parmi celles des personnalités qui avaient enseigné à Princeton. J'ai aussi découvert sur Google Scholar plus de vingt mille références à ses différents ouvrages et articles. Certains étaient toujours disponibles en ligne.

Tout ce que j'ai lu m'a permis de reconstituer son histoire. Joseph Wieder était né à Berlin en 1931 dans une famille juive allemande de la classe moyenne. Dans plusieurs interviews, il expliquait que son père médecin avait été violemment frappé par des soldats au printemps 1934 devant sa femme enceinte, et qu'il était mort des suites de ses blessures.

En 1935, après la naissance du bébé – une fille –, leur mère les avait emmenés vivre aux États-Unis, où ils avaient de la famille. Ils s'étaient d'abord établis à Boston, puis avaient déménagé à New York. La mère, Miriam, s'était remariée avec un architecte nommé Harry Schoenberg, de quatorze ans son aîné. Il avait adopté les enfants, qui avaient cependant gardé le nom de leur père biologique par respect pour sa mémoire.

Mais Joseph Wieder et sa sœur Inge étaient devenus orphelins dix ans plus tard, après la Seconde Guerre mondiale, quand les époux Schoenberg avaient péri en mer pendant un voyage à Cuba. Harry était un passionné de navigation, et le yacht sur lequel sa femme et lui avaient embarqué avec un autre couple de New-Yorkais avait été pris dans une tempête. Les corps n'avaient jamais été retrouvés.

Héritiers d'une grosse fortune, les deux enfants avaient été accueillis chez leur oncle dans le nord de l'État et, en grandissant, avaient choisi des voies différentes : Joseph, doué pour les études, avait fréquenté Cornell, Cambridge et la Sorbonne ; Inge, devenue mannequin, avait connu son heure de gloire à la fin des années 1950 avant d'épouser un riche homme d'affaires italien et de s'installer à Rome, où elle était restée.

Au cours de sa carrière, Joseph Wieder avait publié onze ouvrages, dont l'un en particulier contenait de nombreux éléments autobiographiques. Intitulé *Mémoire de l'avenir : Dix essais sur mon voyage intérieur,* il était paru aux Presses universitaires de Princeton en 1984.

Internet m'a également fourni une foule d'articles sur le meurtre.

Le corps de Wieder avait été découvert par Derek Simmons, présenté comme l'employé de la victime et un suspect potentiel. À 6 h 44 du matin le 22 décembre 1987, il avait appelé le 911 de la maison du professeur en disant à l'opératrice qu'il avait trouvé ce dernier baignant dans une mare de sang au milieu du salon. Les urgentistes arrivés peu après n'avaient pu que constater le décès.

L'autopsie avait révélé que Wieder était mort vers 2 heures du matin d'une hémorragie interne et externe causée par des coups portés à l'aide d'un objet contondant, probablement une batte de base-ball, aux environs de minuit. La victime avait d'abord été attaquée par-derrière, alors qu'elle était assise sur le canapé du salon, supposait le légiste. Son agresseur – il n'y en avait qu'un, selon toute vraisemblance – avait dû s'introduire dans la maison par la porte d'entrée sans faire de bruit. Le professeur, qui était en bonne condition physique, avait réussi à se lever et à reculer vers la fenêtre donnant sur le lac, en même temps qu'il essayait de parer les attaques de son assaillant, qui lui avait fracturé les deux avant-bras. Durant la lutte, le téléviseur était tombé par terre. C'était au milieu du salon que Wieder avait reçu un coup fatal à la tempe gauche (les enquêteurs en avaient déduit que le meurtrier était probablement droitier). Il était décédé deux heures plus tard d'un arrêt cardiaque et d'une grave lésion cérébrale.

Derek Simmons avait déclaré que la porte d'entrée était verrouillée à son arrivée et que toutes les fenêtres étaient fermées. Il n'avait pas remarqué de signes d'effraction. Les policiers en avaient conclu que le meurtrier possédait les clés de la maison, dont il s'était servi pour ouvrir discrètement, puis qu'il avait refermé la porte derrière lui après l'agression. Avant de partir, néanmoins, il avait pris le temps de fouiller le salon. Pourtant, le mobile ne semblait pas être le vol : le professeur portait toujours une Rolex au poignet gauche et une pierre précieuse à l'annulaire de la main droite. De plus, les policiers avaient pu constater qu'il y avait cent dollars en liquide dans un tiroir et qu'aucune des coûteuses antiquités n'avait disparu.

Dans le salon, ils avaient également mis la main sur deux verres où subsistait du vin, laissant supposer que la victime avait reçu un invité la veille au soir. D'après le légiste, le professeur avait consommé de l'alcool avant le meurtre – son taux d'alcoolémie était de 0,11 –, mais il n'y avait aucune trace de narcotiques ni de médicaments dans son organisme. Wieder n'avait ni compagne ni maîtresse attitrée, et aucun de ses amis et collègues ne lui connaissait de liaison récente. L'hypothèse d'un crime passionnel avait par conséquent été jugée hautement improbable.

Grâce aux articles parus dans la presse, j'ai reconstitué en gros ce qui s'était passé après le meurtre.

Le nom de Laura Baines n'apparaissait nulle part dans les journaux, alors que celui de Richard Flynn revenait souvent ; ainsi qu'il l'avouait lui-même dans les premiers chapitres de son manuscrit, il avait été considéré comme suspect pendant un temps, après que Derek Simmons eut été écarté de l'enquête, au motif qu'il avait un « alibi solide ». Je n'avais rien trouvé non plus sur les prétendues expériences clandestines menées par Wieder. Il était en revanche beaucoup question de sa collaboration avec les forces de police du New Jersey et de New York, puisqu'il avait été chargé à de nombreuses reprises d'évaluer l'état mental d'individus accusés de crimes divers.

C'était justement son statut d'expert psychiatre qui avait fourni aux enquêteurs leur première piste potentielle. Ils s'étaient renseignés sur toutes les affaires dans lesquelles Wieder avait témoigné, s'intéressant en particulier à celles dont le dénouement avait été défavorable à l'accusé. Mais leurs recherches les avaient rapidement conduits dans une impasse : aucun des hommes envoyés derrière les barreaux à cause du rapport de Wieder n'avait été libéré durant cette période, à l'exception d'un certain Gerard Panko, sorti de la prison d'État de Bayside trois mois avant le meurtre. Ce dernier avait cependant fait un infarctus presque aussitôt et n'avait quitté l'hôpital que huit jours avant l'assassinat du professeur. Les médecins ayant affirmé qu'il n'aurait pas eu la force physique nécessaire à l'agression, l'hypothèse de son implication avait été rapidement abandonnée.

Si Richard Flynn avait été interrogé à plusieurs reprises, il n'avait cependant jamais été déclaré officiellement suspect. Il avait pris un avocat, George Hawkins, qui avait accusé les policiers de harcèlement et laissé entendre qu'ils se servaient de Flynn comme d'un bouc émissaire afin de masquer leur incompétence.

Quelle était la version de Flynn ? Qu'avait-il raconté exactement aux enquêteurs et aux journalistes ? D'après ce que j'avais pu lire jusque-là, ses déclarations de l'époque ne correspondaient pas à ce qu'il avait écrit dans son manuscrit.

Entre autres, il n'avait jamais dit à la police que Laura Baines l'avait présenté au professeur : il s'était contenté d'évoquer une rencontre par l'intermédiaire d'une « connaissance commune », qui était au courant que Wieder cherchait quelqu'un pour organiser le classement informatique de ses ouvrages. Or, lui-même avait déjà acquis une expérience dans ce domaine à l'occasion d'un stage à la bibliothèque Firestone, sur le campus. Le professeur lui avait confié un jeu de clés au cas où il voudrait s'avancer en son absence, car il était souvent amené à voyager. Flynn s'en était servi deux fois seulement. À plusieurs reprises, le professeur l'avait invité à dîner, toujours seul. Un vendredi soir, Flynn avait joué au poker avec Wieder et deux de ses collègues. (Un épisode absent du manuscrit.) Et il avait rencontré Derek Simmons, dont le professeur lui avait rapporté l'histoire.

À l'en croire, Wieder et lui s'entendaient bien ; il avait qualifié leurs rapports de « chaleureux et cordiaux ». Le professeur n'avait jamais fait allusion en sa présence à une menace quelconque. En règle générale, ce dernier se montrait accommodant et aimait plaisanter. Il parlait aussi volontiers de son prochain livre, qui devait être publié l'année suivante, et qu'il pensait promis à un énorme succès, tant sur le plan commercial que dans la communauté scientifique.

En attendant, Flynn n'avait pas d'alibi pour la nuit du meurtre. À la fin du manuscrit partiel, il écrivait que, vingt minutes environ après le départ de Timothy Sanders, soit vers 18 heures, il avait appelé un taxi pour se rendre chez le professeur. J'ai regardé les distances sur une carte : il fallait compter vingt bonnes minutes pour faire le trajet, peut-être même un peu plus à cause du mauvais temps, et autant pour revenir. Or, Flynn avait déclaré aux enquêteurs qu'il était allé chez Wieder vers 21 heures, parce qu'il voulait lui parler de la bibliothèque avant que celui-ci ne parte en congés. Il avait ajouté qu'il était rentré tout de suite après leur conversation et s'était couché vers 22 heures. Alors, avait-il menti pendant l'enquête ou quand il avait rédigé le manuscrit ? À moins que sa mémoire ne lui ait joué des tours ?

Durant cette période, comme Flynn lui-même le mentionnait dans son texte, le taux de criminalité était relativement élevé dans les banlieues du New Jersey en raison du soudain afflux de meth et de crack. Quelques jours après le meurtre de Wieder, entre Noël et le nouvel an, un double homicide avait été perpétré à deux rues seulement de chez lui. Un couple âgé, les Easton, soixante-dix-huit et soixante-douze ans, avaient été assassinés à leur domicile. Les inspecteurs avaient découvert que le meurtrier s'était introduit chez eux vers 3 heures du matin et les avait tués à coups de couteau et de marteau avant de piller la maison. Dans ce cas, il semblait évident que le mobile était le vol. Le meurtrier avait en effet emporté l'argent et les bijoux de ses victimes. Et l'affaire elle-même ne présentait guère de similitudes avec celle de Wieder.

Les policiers n'en avaient cependant pas tenu compte lorsque, une semaine plus tard, ils avaient arrêté un homme au moment où il tentait de vendre les bijoux du couple à un prêteur sur gages de Princeton. C'est ainsi que Martin Luther Kennet, vingt-trois ans, un drogué notoire afro-américain ayant déjà un casier, était devenu le principal suspect dans l'enquête sur la mort de Joseph Wieder.

À partir de là, soit au début du mois de janvier 1988, le nom de Richard Flynn n'apparaissait presque plus dans les articles relatifs au meurtre du professeur. La sœur de celui-ci, Inge Rossi, avait hérité tous les biens du défunt, à l'exception d'une petite somme léguée à Derek Simmons. « Maison hantée à vendre », avait titré la *Princeton Gazette* le 20 avril 1988 à propos de la propriété de feu Joseph Wieder. Le journaliste affirmait qu'elle avait acquis une réputation sinistre depuis le drame et que des voisins étaient prêts à jurer avoir vu des lumières et des ombres étranges à l'intérieur, ce qui avait dû singulièrement compliquer la tâche des agents immobiliers.

Martin Luther Kennet avait refusé l'arrangement proposé par le bureau du procureur du comté de Mercer, qui lui aurait pourtant évité une condamnation à mort s'il avait été reconnu coupable, et avait continué à clamer son innocence.

Il avait néanmoins avoué qu'il lui arrivait de vendre de la drogue autour du campus et dans Nassau Street, et qu'un de ses clients occasionnels, dont il ignorait le nom, lui avait remis ces bijoux comme garantie contre un peu d'herbe. Il n'avait pas d'alibi pour la nuit du meurtre des Easton, parce qu'il était seul chez lui, en train de regarder des vidéos louées la veille. Ensuite, comme le client en question n'avait plus donné de nouvelles, Kennet avait décidé de mettre les bijoux au clou, sans se douter de leur provenance. S'il l'avait su, aurait-il essayé de les refourguer au grand jour au propriétaire d'une boutique dont tout le monde savait qu'il renseignait les flics ? Il n'était tout de même pas bête à ce point, avait-il affirmé. Pour ce qui était de Wieder, il n'en avait jamais entendu parler. Le 21 décembre au soir, il se trouvait dans une salle de jeux vidéo, dont il n'était ressorti que le lendemain matin de bonne heure.

Malheureusement pour lui, il avait un avocat commis d'office au nom un peu ridicule pour un vaillant pourfendeur d'injustice, Hank Pelican, qui, comme tout le monde, voulait en finir au plus vite avec cette affaire afin d'économiser l'argent des contribuables. Résultat, deux semaines plus tard, le jury avait déclaré Kennet « coupable » et le juge avait ajouté : « condamné à perpétuité ». Si la peine de mort existait encore dans le New Jersey à l'époque – elle ne serait abolie qu'en 2007 –, les journalistes étaient d'avis que le magistrat avait dû tenir compte de la jeunesse de l'accusé quand il avait décidé de ne pas suivre le réquisitoire de l'avocat général. De mon côté, je me suis dit que les preuves présentées par l'accusation au juge Ralph M. Jackson, un vieux magistrat expérimenté, ne l'avaient sans doute pas convaincu, même si les jurés les avaient estimées suffisantes.

Quoi qu'il en soit, Kennet n'avait pas été inculpé du meurtre de Wieder. Les enquêteurs n'avaient pas d'autres pistes, de nouveaux faits divers avaient occupé les médias, et l'intérêt pour l'affaire était peu à peu retombé. Le mystère de West Windsor était demeuré irrésolu.

J'ai regardé les informations de 23 heures sur NY1, une habitude prise à l'époque où j'étais journaliste, puis je me suis préparé un café que j'ai bu près de la fenêtre en essayant de relier les informations du manuscrit à ce que j'avais découvert sur Internet.

La relation entre Wieder et Laura Baines, qui avait peut-être été plus que professionnelle, devait être un secret de polichinelle parmi les professeurs du département de psychologie. Alors, pourquoi l'étudiante n'avait-elle pas été interrogée par la police ? Elle avait peut-être fait faire un autre jeu de clés, en plus de celui que Richard Flynn avait sur lui ce soir-là... En tout cas, personne ne semblait avoir attiré l'attention des enquêteurs ou de la presse sur elle – ni Flynn, ni les collègues du professeur, ni les camarades de Laura ou Derek Simmons, qui avait pourtant été questionné deux ou trois fois –, comme s'il fallait à tout prix passer sous silence les rapports qu'elle entretenait avec Joseph Wieder.

Celui-ci était un costaud qui soulevait régulièrement de la fonte et avait pratiqué la boxe dans sa jeunesse. Lors de l'agression, il avait survécu au premier coup et même tenté de repousser son assaillant alors qu'il avait les avant-bras fracturés. Une femme aurait dû posséder une force physique exceptionnelle pour l'emporter sur un tel adversaire, déterminé qui plus est à sauver sa peau. En outre, la brutalité même du meurtre semblait désigner un homme. Dans ces conditions, il me paraissait peu probable que Laura Baines, décrite par Flynn comme plutôt fragile et en mauvaise santé à l'époque, puisse être coupable. Et surtout, quel aurait été son mobile ? Pourquoi aurait-elle voulu tuer une personne qui lui avait donné sa chance et pouvait encore faire beaucoup pour sa carrière ?

Il n'en restait pas moins que, d'après Danna Olsen, Flynn avait accusé Laura d'avoir « foutu sa vie en l'air » et menacé de le lui faire payer. Qu'entendait-il par ces mots ? La soupçonnait-il de meurtre ou lui reprochait-il seulement de l'avoir plaqué et laissé se sortir seul de cette mauvaise passe ? Auquel cas, je ne m'expliquais pas son attitude : s'il lui en voulait autant de l'avoir abandonné, pourquoi n'avait-il pas cherché à se venger d'elle pendant l'enquête, alors qu'il était suspect et n'avait même pas d'alibi ? Pourquoi n'avait-il pas livré son nom aux journalistes ou essayé de les orienter vers elle ? Pourquoi l'avait-il protégée sur le moment, pour changer d'avis deux décennies plus tard ? Et pourquoi affirmer qu'elle avait détruit sa vie ? Après tout, il avait échappé aux griffes de la justice… Alors, s'était-il produit autre chose par la suite ?

Je me suis endormi avec toutes ces questions en tête, persuadé que, sous la surface, cette affaire recelait des aspects plus sombres et mystérieux que ne le laissaient supposer le manuscrit de Flynn et les maigres éléments réunis par la police à l'époque. Au fond, j'étais reconnaissant à Peter de m'avoir confié ce travail.

Un autre détail me troublait – une date, peut-être, ou un nom, en tout cas quelque chose qui ne collait

156

pas. Impossible cependant de préciser mon impression alors que, rattrapé par la fatigue, je glissais vers le sommeil. Il me semblait avoir aperçu quelque chose du coin de l'œil. Mais quoi ? Cela demeurait un mystère.

3

Le lendemain matin, j'ai dressé la liste des protagonistes de l'affaire que je devais essayer de retrouver et, si possible, convaincre de me parler. Laura
Baines figurait parmi les premiers noms, mais je ne
voyais cependant pas comment remonter jusqu'à elle.
Je me suis ensuite plongé dans mes vieux carnets
d'adresses à la recherche d'un contact au poste de
police de West Windsor, qui n'avait pas déménagé
depuis l'affaire Wieder.

Quelques années plus tôt, au cours d'une enquête
que je menais pour le compte du *Post*, j'avais fait la
connaissance d'Harry Miller, un détective privé de
Brooklyn spécialisé dans la recherche de personnes
disparues. Petit et obèse, arborant invariablement un
costume fripé, une cravate si fine qu'on la voyait
à peine et une cigarette coincée derrière l'oreille, il
ressemblait à un personnage typique des films noirs
des années 1940. Domicilié à Flatbush, il était toujours à l'affût de clients solvables, dans la mesure où
il était lui-même toujours fauché. C'était un joueur
invétéré, qui pariait sur les chevaux et perdait la plupart du temps. Je l'ai appelé sur son portable et il

m'a répondu d'un bar bruyant où les clients étaient obligés de crier pour se faire entendre par-delà la musique en arrière-fond.

— Salut, Harry, comment va ? ai-je demandé.

— Keller ? Ben, dis donc, y avait longtemps ! Bah, j'ai l'impression de vivre sur la planète des singes, a-t-il bougonné. Je fais semblant de pas être humain, histoire de pas finir dans une cage… Tu serais bien avisé de suivre mon exemple, tiens ! Bon, qu'est-ce qui me vaut l'honneur, fiston ?

Je lui ai résumé l'affaire dans les grandes lignes en lui demandant de noter deux noms, Derek Simmons et Sarah Harper, et ce que je savais à leur sujet. Alors qu'il griffonnait, je l'ai entendu remercier une certaine Grace qui, à en juger par le bruit, venait de poser une assiette devant lui.

— Tu bosses pour qui, aujourd'hui ? a-t-il lancé d'un ton soupçonneux.

— Une agence littéraire.

— Et depuis quand les agences littéraires se mêlent de ce genre d'enquête ? Doit y avoir un beau paquet de fric à la clé, hein ?

— Oui, rassure-toi. Je peux te virer une avance dès maintenant, si tu veux. J'ai d'autres noms en réserve, mais j'aimerais que tu commences par ces deux-là.

Il a paru soulagé.

— OK, je vais voir ce que je peux faire. Pour le premier, Derek Simmons, ça m'a l'air assez facile. L'autre risque d'être plus coton… Tu m'as juste dit que cette Sarah Harper avait décroché une maîtrise de psychologie à Princeton en 1988. C'est pas grand-chose, mon gars ! Je te passe un coup de fil dans deux ou trois jours, d'accord ?

Il a raccroché après m'avoir dicté ses coordonnées bancaires.

J'ai allumé mon ordinateur portable pour effectuer un virement, puis j'ai de nouveau réfléchi à toute l'histoire.

Qu'avait-il pu se passer six ou sept mois auparavant pour inciter Flynn à rédiger son manuscrit ? Quelle était cette découverte, mentionnée dans la lettre reçue par Peter, qui l'avait amené à changer sa vision des événements survenus en 1987 ? Quand elle avait rencontré Peter, Danna Olsen était perturbée par la maladie de son compagnon ; peut-être avait-elle omis certains détails qui pourraient se révéler importants pour mon enquête… J'ai décidé de commencer par elle et, dans la foulée, j'ai composé le numéro que m'avait donné mon ami. Comme personne ne répondait, j'ai laissé un message sur sa boîte vocale disant que je la rappellerais. Je n'en ai pas eu l'occasion, parce que c'est elle qui m'a rappelé deux minutes plus tard.

Une fois les présentations faites, elle m'a révélé que Peter lui avait déjà expliqué que je rassemblais des informations sur la mort de Joseph Wieder afin d'écrire un livre.

Elle n'était plus à New York pour longtemps, a-t-elle ajouté. Elle avait décidé de ne pas vendre l'appartement mais de le louer par l'intermédiaire d'une agence immobilière, en demandant toutefois qu'il n'y ait pas de visites avant son départ ; elle n'aurait pas supporté que des inconnus fourrent leur nez partout pendant qu'elle était là. Elle avait déjà donné certaines affaires à des bonnes œuvres et entrepris de mettre en caisses celles qu'elle comptait emporter.

Un cousin d'Alabama, qui possédait un pick-up, l'aiderait à déménager. Elle m'a confié tous ces détails spontanément, comme si j'étais un ami, pourtant elle s'exprimait d'un ton monocorde, presque mécanique, en laissant de longs blancs entre les mots.

Je lui ai proposé un déjeuner, mais elle préférait me rencontrer chez elle, alors je suis parti à Penn Station à pied. Vingt minutes plus tard, je sonnais à l'interphone.

Son appartement était sens dessus dessous, ce qui n'avait rien d'étonnant à la veille d'un déménagement. Dans le vestibule s'entassaient des cartons scellés par du ruban adhésif, dont le contenu était indiqué au feutre noir. La plupart étaient remplis de livres, ai-je remarqué.

Après m'avoir invité à entrer dans le salon, Danna Olsen est allée préparer du thé. Nous l'avons bu en bavardant de tout et de rien. Elle m'a raconté, entre autres choses, à quel point elle avait été choquée quand, au moment de l'ouragan Sandy, une jeune femme l'avait agressée alors qu'elle faisait la queue dans une station-service. Chez elle, en Alabama, elle avait toujours entendu parler d'inondations et de tempêtes, sous la forme de récits épiques louant le courage de voisins qui avaient risqué leur vie pour sauver leurs semblables, ou de policiers et de pompiers héroïques qui avaient bravé le cataclysme pour porter secours à des malheureux en fauteuil roulant. Dans une grande ville, a-t-elle ajouté, on en arrive à se demander ce qui est le plus dangereux en de telles circonstances : la fureur des éléments ou la réaction de ses semblables.

En même temps que je l'écoutais, je l'examinais discrètement : elle était bien coiffée et son teint délicat était mis en valeur par sa robe noire toute simple. Quel âge pouvait-elle avoir ? Elle semblait plus jeune que son compagnon, mort à quarante-huit ans, et n'avait pas l'air d'une citadine : ses propos et ses gestes suggéraient une éducation d'un autre temps, à une époque où chacun prenait des nouvelles de son voisin le matin parce qu'il se sentait réellement concerné.

Dès le début, elle m'a prié de l'appeler Danna, ce que j'ai fait.

— Contrairement à vous, je ne connais M. Flynn qu'à travers l'extrait de son manuscrit, ai-je commencé. Vous avait-il parlé du professeur Wieder, de Laura Baines ou de ces années où il était étudiant à Princeton ?

— Vous savez, Richard n'a jamais été très expansif. Il était plutôt renfermé, taciturne et distant avec les autres, si bien qu'il n'avait pas d'amis proches, seulement quelques relations. Quant à son frère, il le voyait rarement. Il avait perdu son père quand il était à la fac, et sa mère a été emportée par un cancer à la fin des années 1990. Durant nos cinq ans de vie commune, personne ne lui a jamais rendu visite et nous n'avons jamais été invités à dîner chez personne. Il ne fréquentait pas ses collègues en dehors du travail et il n'avait plus de contacts avec ses copains de l'université.

Elle s'est interrompue le temps de nous resservir du thé.

— Un jour, il a reçu une invitation pour une soirée au Princeton Club, dans la 43ᵉ Rue Est, a-t-elle repris. Il s'agissait apparemment d'une réunion d'anciens étudiants, et les organisateurs avaient obtenu son adresse. J'ai essayé en vain de le convaincre que ce serait une excellente idée d'y assister ensemble. Il m'a juste dit qu'il ne gardait pas de bons souvenirs de la fac. C'est vrai, j'en suis sûre ; j'ai moi aussi lu l'extrait du manuscrit, Peter m'en a donné une copie. Ou alors, peut-être que ce qui s'est passé entre Richard et cette fille, Laura Baines, a jeté une ombre sur cette période et l'a amené à tout voir en noir... Quoi qu'il en soit, il n'avait rien gardé, ni photos ni objets susceptibles de lui rappeler ces années-là. Rien du tout, à part l'exemplaire de *Signature*, ce magazine où il avait publié des nouvelles, qu'un vieil ami lui avait offert. Je l'ai déjà rangé dans un carton mais je peux aller vous le chercher, si vous voulez... Ses textes m'ont paru remarquables, même si je n'y connais pas grand-chose en littérature.

» En attendant, je comprends pourquoi les gens ne recherchaient pas sa compagnie : la plupart devaient le considérer comme un misanthrope – ce qu'il était sûrement, dans une certaine mesure. Mais quand on le connaissait vraiment, on se rendait compte que, derrière sa façade de froideur, c'était quelqu'un de bien. Il était cultivé – on pouvait aborder presque tous les sujets avec lui –, honnête et prêt à se mettre en quatre pour quiconque aurait sollicité son aide. C'est ce qui m'a plu en lui et, si j'ai accepté de le rejoindre à New York, c'est pour ses qualités, pas parce que j'étais seule ou que je voulais fuir une petite ville de l'Alabama... Non, j'ai décidé de vivre avec lui parce que je l'aimais sincèrement.

» Désolée de ne pas pouvoir vous être plus utile, a-t-elle conclu. Je vous ai beaucoup parlé de Richard, mais c'est ce professeur Wieder qui vous intéresse, n'est-ce pas ?

— Vous avez dit tout à l'heure que vous aviez lu l'extrait...

— Exact. J'étais curieuse d'en savoir plus, alors j'ai cherché le reste du manuscrit, sans succès, hélas... Je ne vois qu'une explication : Richard a dû changer d'avis et l'effacer de son ordinateur.

— Vous croyez que la femme qui l'a appelé ce soir-là était Laura Baines ? Celle qu'il a accusée d'avoir « foutu sa vie en l'air » ?

Pendant quelques instants, elle a gardé le silence. Elle paraissait perdue dans ses pensées, comme si elle avait oublié ma présence. Puis elle a parcouru la pièce du regard, l'air de chercher quelque chose, avant de se lever et de sortir en laissant la porte ouverte. Elle est revenue deux minutes plus tard et s'est rassise dans le fauteuil qu'elle venait de quitter.

— Je peux peut-être vous aider, a-t-elle déclaré d'un ton solennel. Mais d'abord, je voudrais que vous me fassiez une promesse. Dans le livre que vous écrirez, je vous demande de ne pas salir la mémoire de Richard, quels que soient les résultats de vos recherches. De toute façon, c'est sur Wieder que vous vous concentrez, si j'ai bien compris ; le personnage de Richard n'est que secondaire pour vous. Vous pouvez donc vous permettre d'omettre certains détails à son sujet. D'accord ? J'ai votre parole ?

Je n'ai rien d'un saint, et mon métier m'avait parfois amené à raconter toutes sortes de salades dans l'espoir d'obtenir une information nécessaire à un article. Il me semblait pourtant que Danna Olsen méritait que je me montre honnête envers elle.

— Écoutez, Danna, en tant que journaliste, il m'est presque impossible de vous le promettre.

Si je découvre quelque chose d'important à propos de la vie de Wieder ou de sa carrière qui soit en lien direct avec Richard, il ne sera pas question pour moi de faire l'impasse. De plus, je vous rappelle qu'il avait lui-même l'intention de publier un récit sur ces événements ! D'après vous, il se serait finalement ravisé et aurait effacé le manuscrit, mais j'en doute ; je pense plutôt qu'il l'a caché quelque part. Je ne l'imagine pas trimer pendant des semaines, durant lesquelles il a dû réfléchir à toutes les implications de sa décision, pour ensuite supprimer son travail sur un coup de tête. Ce texte existe toujours, j'en mettrais ma main à couper.

— Possible. N'empêche, je me demande pourquoi il ne m'en a jamais parlé... Acceptez-vous au moins de me tenir au courant de ce que vous trouverez ? Rassurez-vous, je ne vous harcèlerai pas, d'autant que je vais bientôt quitter la ville, mais nous pourrons toujours nous téléphoner.

Je me suis engagé à rester en contact avec elle. À ce moment-là seulement, elle a sorti d'un cahier un bout de papier froissé qu'elle a lissé puis posé sur la table entre nos tasses de café.

Un nom et un numéro de téléphone y étaient griffonnés.

— Le soir où Richard a reçu ce coup de fil, j'ai attendu qu'il soit endormi pour aller consulter le journal des appels sur son portable, m'a-t-elle expliqué. Et j'ai noté le numéro de correspondant. Je me sentais honteuse d'agir comme une femme jalouse, mais je m'inquiétais après l'avoir vu dans tous ses états.

» Le lendemain, j'ai composé ce numéro et c'est une femme qui m'a répondu. Je lui ai dit que j'étais la compagne de Richard et que j'avais un message important à lui transmettre de sa part, impossible à communiquer par téléphone. Elle a hésité avant de finalement accepter ma proposition, et nous nous sommes donné rendez-vous près d'ici, dans un restaurant où nous avons déjeuné. Elle s'est présentée sous le nom de Laura Westlake. Je me suis excusée de l'avoir dérangée et je lui ai ensuite confié mes craintes au sujet de Richard, dont le comportement m'avait stupéfiée après leur conversation ce soir-là.

» Elle a aussitôt répliqué que je ne devais pas m'en faire ; Richard et elle étaient de vieilles connaissances et ils avaient eu un différend mineur à propos d'un événement passé. D'après elle, ils avaient été colocataires quelques mois, rien de plus. Je n'ai pas eu le courage de lui répéter les propos de Richard, mais j'ai prétendu qu'il m'avait affirmé avoir eu une liaison avec elle. Elle s'est contentée de dire qu'il avait une imagination débordante ou que sa mémoire lui jouait des tours, et elle a bien souligné encore une fois que leur relation était restée purement platonique.

— Vous a-t-elle indiqué où elle travaillait ?

— Elle enseigne la psychologie à Columbia. Nous nous sommes quittées à la sortie du restaurant et nous sommes parties chacune de notre côté. Si Richard a eu d'autres contacts avec elle, je ne l'ai jamais su. Mais le numéro de téléphone est peut-être toujours valable.

Je l'ai remerciée et j'ai pris congé en lui promettant de nouveau de la tenir au courant du rôle que son compagnon avait pu avoir dans toute cette affaire.

J'ai déjeuné dans un café de Tribeca, où je me suis connecté au réseau Wi-Fi. Cette fois, Google s'est montré beaucoup plus généreux.

Laura Westlake était professeur au centre médical de l'université de Columbia et dirigeait un programme de recherche en liaison avec l'université de Cornell. Elle avait obtenu une maîtrise de psychologie à Princeton en 1988 et un doctorat à Columbia quatre ans plus tard. Au milieu des années 1990, elle était partie enseigner à Zurich, avant de revenir à Columbia un peu plus tard. Sa biographie contenait une foule de détails techniques sur les formations spécialisées et les programmes de recherche qu'elle avait supervisés dans sa vie, et accordait également une grande place au prix qui lui avait été décerné en 2006. En d'autres termes, elle était devenue une référence incontournable dans le domaine de la psychologie.

J'ai tenté ma chance et appelé son bureau en sortant du café. Une assistante nommée Brandi m'a répondu que Mme Westlake n'était pas joignable pour le moment. Je lui ai laissé mon nom et mon numéro de téléphone, en précisant que je voulais joindre Mme Westlake au sujet de M. Richard Flynn.

J'ai passé la soirée dans mon antre avec Sam, à faire l'amour et à lui parler de mes investigations. D'humeur mélancolique, pour une fois, elle réclamait plus d'attention que d'ordinaire et a écouté patiemment tout ce que j'avais à dire. Elle est même allée jusqu'à couper la sonnerie de son portable – fait exceptionnel – avant de le glisser dans son sac posé par terre près du lit.

— Et si tout ça n'était qu'une fiction ? a-t-elle lancé quand je me suis tu. Ton Richard a très bien pu s'inspirer d'une affaire réelle et inventer le reste, à la manière de Tarantino dans *Inglourious Basterds*... Tu te souviens ?

— Possible, mais un journalise s'attache aux faits. Alors, pour le moment, je pars du principe que tout ce qu'il a écrit est vrai.

— Eh ! Reviens un peu sur Terre, d'accord ? Les « faits », c'est ce que les rédacteurs et les producteurs décident de rapporter dans les journaux, à la radio ou à la télé. Sans nous, tout le monde se ficherait qu'il y ait des massacres en Syrie, qu'un sénateur ait une maîtresse ou qu'un meurtre ait été commis dans l'Arkansas. Les gens ne seraient même pas au courant. De toute façon, ce n'est pas la réalité qui les intéresse, mais les histoires qu'on brode autour. Peut-être que Flynn voulait en écrire une, et rien de plus.

— Il n'y a qu'un moyen de le savoir, non ?

— Tout juste.

Elle s'est allongée sur moi et a posé la tête sur ma poitrine.

— Une de mes collègues m'a annoncé aujourd'hui qu'elle était enceinte. Elle était tellement heureuse ! J'ai foncé dans les toilettes et j'y suis restée enfermée bien dix minutes, à pleurer comme une madeleine. Je ne pouvais plus m'arrêter. Je me suis vue vieille et seule, regrettant d'avoir négligé l'essentiel et gâché ma vie avec des trucs qui n'auront plus aucune importance dans vingt ans...

Alors que je lui caressais les cheveux, je me suis rendu compte qu'elle pleurait doucement. Son changement d'attitude m'avait pris au dépourvu, et j'ignorais comment réagir.

— Bon, je crois que c'est le moment pour toi de me dire que je ne suis pas seule et que tu m'aimes

168

au moins un peu… a-t-elle ajouté. C'est ce que ferait le héros dans un roman à l'eau de rose.

— Pas de problème : tu n'es pas seule et je t'aime un peu, chérie.

Elle a levé la tête et m'a regardé droit dans les yeux. Je sentais son souffle tiède sur mon menton.

— Vous n'êtes qu'un épouvantable menteur, John Keller. Dans le temps, on vous aurait pendu pour moins que ça !

— Une chance que je ne sois pas né à cette époque…

— OK, ça va mieux, désolée d'avoir craqué. N'empêche, j'ai l'impression que tu prends ce boulot vraiment trop à cœur.

— Ce n'est pas toi qui disais que c'était une bonne histoire ?

— Si, je l'ai dit, mais j'ai l'impression que dans deux ou trois mois tu en seras toujours au même point, à essayer de donner un sens à ce qui n'en a pas. Tu y as pensé ?

— Ça m'étonnerait, c'est seulement un job temporaire que j'ai accepté pour rendre service à un vieux copain. Je ne découvrirai peut-être rien d'extraordinaire – rien qui puisse « faire un carton », pour reprendre ton expression. Jusque-là, tout ce que je sais, c'est qu'il est question de deux hommes : le premier, Flynn, est tombé amoureux d'une femme, ça s'est mal terminé entre eux et il a probablement eu le cœur brisé jusqu'à la fin de ses jours ; le second, Wieder, a été assassiné. Est-ce qu'il y a un rapport entre eux ? Aucune idée. Mais en tant que journaliste, j'ai appris à suivre mon instinct ; chaque fois que j'ai voulu faire autrement, je me suis planté. Après tout, peut-être que cette histoire fonctionne sur le modèle des poupées russes, et qu'elle m'en révélera d'autres ? Non, remarque, c'est un peu absurde...

— Toutes les bonnes histoires ont un côté un peu absurde, John. Ne me dis pas qu'à ton âge tu l'ignores encore !

Nous sommes restés enlacés un bon moment, sans faire l'amour, sans même parler, perdus l'un et l'autre dans nos pensées, jusqu'à ce que l'appartement soit plongé dans l'obscurité et que la rumeur de la circulation nous semble provenir de très loin.

Laura Westlake m'a appelé le lendemain matin, alors que j'étais dans ma voiture. Elle avait une voix agréable, légèrement éraillée – le genre de voix dont on pourrait tomber amoureux avant même d'avoir vu la femme à qui elle appartient. D'après mes calculs, elle avait cinquante ans passés, mais elle faisait plus jeune au téléphone. Elle avait eu mon message et voulait savoir qui j'étais et quel était mon lien avec Richard Flynn, dont elle avait appris le décès.

Je me suis présenté en disant que je souhaitais l'entretenir d'un sujet d'ordre privé et que nous ferions mieux de nous rencontrer.

— Désolée, monsieur Keller, je n'ai pas pour habitude d'accepter des rendez-vous avec des inconnus. J'ignore qui vous êtes et ce que vous voulez. Si vous tenez à me rencontrer, il va falloir me donner plus d'éléments.

J'ai décidé de jouer franc jeu.

— Entendu, madame Westlake. Vous l'ignorez peut-être mais, avant sa mort, M. Flynn a écrit un livre sur ses années d'études à Princeton, et plus particulièrement sur les événements de l'automne et de l'hiver 1987. Je pense que vous voyez de quoi je parle. Le professeur Wieder et vous êtes les principaux personnages de son récit. À la demande de son éditeur, j'enquête sur l'authenticité de ce qu'il rapporte dans son manuscrit.

— Dois-je comprendre qu'un éditeur l'a acheté, ce manuscrit ?

— Pas encore. Un agent littéraire l'a reçu et…

— Vous êtes détective privé, quelque chose comme ça ?

— Non, je suis journaliste.

— Pour quel journal ?

— Je suis en free lance depuis deux ans, mais avant je travaillais pour le *Post*.

— Et vous croyez que ce torchon est une bonne recommandation ?

Elle s'exprimait d'un ton parfaitement calme et posé, presque dénué d'inflexions. L'accent du Midwest évoqué par Flynn avait complètement disparu. Je l'ai imaginée dans un amphithéâtre, s'adressant à une foule d'étudiants, pédante et sûre d'elle, portant les mêmes lunettes à monture épaisse qu'autrefois et ayant rassemblé ses cheveux blonds en un chignon strict. L'un dans l'autre, c'était une vision plutôt attirante.

Comme je laissais le silence se prolonger, ne sachant pas trop comment poursuivre, elle a repris la parole :

— Nos noms figurent-ils dans son livre ou avez-vous simplement déduit qu'il s'agissait de Joseph Wieder et de moi ?

— M. Flynn cite vos vrais noms. Dans votre cas, celui de Laura Baines.

— Ça me fait drôle d'entendre ce nom, monsieur Keller. On ne l'avait pas prononcé devant moi depuis des années. Cet agent littéraire qui vous a engagé est-il bien conscient qu'un recours en justice pourrait me permettre d'interdire la publication de ce livre si son contenu me causait du tort ?

— Qu'est-ce qui vous fait penser que ça pourrait être le cas, madame Westlake ?

— N'essayez pas de jouer au plus fin avec moi, monsieur Keller ! Si j'accepte de vous parler, c'est pour une seule raison : je suis curieuse de savoir ce que Richard raconte. Je me rappelle qu'il rêvait de devenir écrivain, à l'époque. Bon, écoutez, voilà ce que je vous propose : vous me remettez une copie du manuscrit et je vous accorde un entretien de quelques minutes.

Si j'acceptais, j'enfreindrais la clause de confidentialité du contrat que j'avais signé avec l'agence ; si je refusais, Laura Westlake me raccrocherait au nez. J'ai choisi l'option qui me paraissait la moins dommageable.

— D'accord, ai-je dit. Une petite précision : l'agence ne m'a fourni que les premiers chapitres du texte, soit environ soixante-dix pages. L'histoire commence au moment où vous rencontrez Richard Flynn.

Elle a réfléchi quelques instants.

— Très bien, monsieur Keller. Je suis au centre médical de Columbia. Retrouvez-moi là-bas dans une heure, à 14 h 30. Vous pouvez apporter une copie de ces pages ?

— Bien sûr.

— Rendez-vous au pavillon McKeen et demandez-moi à l'accueil. Au revoir, monsieur Keller.

— Au revoir, et...

Elle a raccroché avant que je puisse la remercier.

Je me suis dépêché de rentrer chez moi en maudissant Peter, qui ne m'avait pas donné le manuscrit sous forme de fichier informatique. J'ai récupéré l'extrait et me suis mis en quête d'une boutique de reprographie. J'en ai trouvé une trois rues plus loin.

Alors qu'un employé à l'air endormi, arborant un anneau en argent dans la narine gauche et quantité de tatouages sur les avant-bras, photocopiait sur une vieille Xerox le début du texte, je me suis demandé comment j'allais aborder cette femme si froide et terre à terre. Une petite voix me soufflait que j'avais intérêt à rester prudent, dans la mesure où son travail consistait à fouiller dans l'esprit de ses semblables – un avertissement comparable à celui que Laura Baines elle-même avait autrefois adressé à Richard Flynn à propos du professeur Wieder.

Pour me rendre au centre médical de l'université de Columbia, à Washington Heights, j'ai contourné le parc jusqu'à la 12ᵉ Avenue, bifurqué dans la NY-9A puis suivi la 168ᵉ Rue. Une demi-heure plus tard, je suis arrivé devant deux hauts bâtiments reliés par des passerelles de verre.

Le pavillon McKeen était situé au neuvième étage de l'hôpital Milstein. J'ai donné mon nom à l'accueil en disant que Mme Westlake m'attendait, et la standardiste l'a appelée sur une ligne intérieure.

Laura Westlake est apparue quelques minutes plus tard. C'était une grande et belle femme, qui, loin du portrait que j'avais imaginé, n'avait pas ses cheveux relevés en chignon, mais laissait ses boucles retomber librement jusqu'aux épaules. Si elle possédait un physique agréable, elle n'était cependant pas du genre à faire tourner les têtes sur son passage.

Comme j'étais seul à l'accueil, elle s'est dirigée droit vers moi, la main tendue.

— Laura Westlake. Monsieur Keller, je présume ?

— Enchanté, madame Westlake. Merci encore d'avoir accepté cet entretien.

— Si nous allions boire quelque chose ? Il y a une cafétéria au deuxième. Vous venez ?

Nous avons emprunté l'ascenseur pour descendre sept étages, puis longé deux couloirs avant d'atteindre la cafétéria, dont les parois vitrées offraient une vue magnifique sur l'Hudson River. Laura Westlake avançait d'un pas déterminé, le dos bien droit, et semblait perdue dans ses pensées. Nous n'avons pas échangé un mot en chemin et je l'ai observée à la dérobée. Elle n'était pas maquillée mais portait un parfum discret. Son visage légèrement hâlé était lisse, presque dénué de rides, et ses traits bien dessinés. Une fois sur place, j'ai commandé un cappuccino, et elle un thé. Autour de nous, la salle presque vide, décorée dans le style Art nouveau, faisait un peu oublier qu'on était dans un hôpital.

C'est elle qui a repris la parole la première, tout en versant un peu de lait dans sa tasse.

— Le manuscrit, monsieur Keller. Comme promis.

Je lui ai docilement remis les photocopies tirées de mon sac. Elle les a feuilletées quelques secondes, puis les a rangées dans leur chemise cartonnée avant de les poser délicatement sur la table, à sa droite. J'ai sorti un petit dictaphone et l'ai allumé, mais elle a fait non de la tête.

— Éteignez-le, monsieur Keller. Je ne suis pas là pour donner une interview, j'ai seulement accepté de vous parler quelques minutes.

— En toute confidentialité ?

— C'est ça.

J'ai coupé le dictaphone et l'ai rangé dans mon sac.

— Madame Westlake, puis-je vous demander quand et comment vous avez rencontré Richard Flynn ?

— Oh, ça remonte à tellement loin… Pour autant que je m'en souvienne, c'était à l'automne 1987. Nous étions tous les deux étudiants à Princeton et nous avons partagé pendant quelque temps une petite maison près de Battle Monument. Cette cohabitation n'a duré que trois mois, à vrai dire, puisque j'ai déménagé avant Noël.

— Est-ce vous qui l'avez présenté au professeur Wieder ?

— Oui. J'avais dit à Richard que je le connaissais bien, et il a insisté pour le rencontrer, parce que c'était une personnalité de premier plan à l'époque. Lorsqu'ils se sont vus, le professeur a mentionné sa bibliothèque dans la conversation ; il voulait mettre en place un système d'archivage électronique. Comme Richard avait besoin d'argent, il a proposé de s'en charger, et Wieder a accepté. J'ai appris par la suite qu'il avait eu pas mal de démêlés avec la police et avait même été considéré comme suspect dans l'enquête sur la mort du professeur. Vous savez que Joseph Wieder a été assassiné, n'est-ce pas ?

— Je le sais, oui. C'est d'ailleurs ce qui intéresse tout particulièrement l'agence pour laquelle je travaille. Pour en revenir à Richard, il n'y a jamais rien eu entre vous ? Je ne voudrais pas paraître indiscret, mais il affirme dans son livre que vous aviez une liaison et que vous étiez amoureux l'un de l'autre.

Une ride s'est creusée entre ses sourcils quand elle les a froncés.

— Franchement, cette conversation prend une tournure ridicule, monsieur Keller ! Enfin… Oui, je me rappelle que Richard était amoureux de moi. Ou, plutôt, qu'il faisait une fixation sur moi. En attendant, il ne s'est rien passé. J'avais un petit ami à l'époque…

— Timothy Sanders ?

Cette fois, elle a paru surprise.

— Exact. Vous avez lu son nom dans le manuscrit, c'est ça ? Eh bien, soit Richard avait une mémoire d'éléphant, soit il prenait des notes ou tenait un journal ! Je n'aurais jamais pensé qu'il s'en souviendrait au bout de tant d'années. Remarquez, à la réflexion, je ne suis pas si étonnée que ça… Bref, Timothy et moi vivions ensemble quand il a dû partir deux mois en Europe dans le cadre d'un programme de recherche. Le loyer de notre appartement étant trop élevé pour moi, j'ai été obligée d'aller habiter ailleurs pendant son absence. Voilà pourquoi j'ai partagé cette maison avec Richard. Lorsque Timothy est revenu, un peu avant Noël, nous avons réemménagé ensemble.

— Vous n'utilisez jamais de diminutifs, même quand vous parlez de personnes qui vous sont proches, ai-je observé en me remémorant une remarque de Flynn à ce sujet.

— Non, je trouve ça puéril.

— Richard a écrit qu'il était jaloux de Wieder et qu'il vous soupçonnait de le tromper.

Elle a tressailli et les coins de sa bouche se sont légèrement affaissés. Durant un instant, j'ai eu l'impression de voir son masque se fissurer, mais elle s'est ressaisie très vite.

— C'était l'une des obsessions de Richard, monsieur Keller, a-t-elle répliqué. Le professeur n'était pas marié et, comme il semblait n'avoir personne dans sa vie, certains le soupçonnaient d'entretenir une liaison secrète. Il avait énormément de charisme, même s'il

177

n'était pas très beau, et il se montrait protecteur envers moi. À vrai dire, je pense qu'il n'avait aucune envie de s'investir dans une relation sentimentale, parce qu'il se consacrait entièrement à son travail. Pour être honnête, je sais que Richard avait des doutes, mais je peux vous assurer que les rapports entre Wieder et moi ne sont jamais sortis du cadre professeur-étudiant. Il m'aimait bien, c'est tout. Je l'ai également beaucoup aidé dans un projet sur lequel il travaillait à ce moment-là.

Je me suis demandé un instant jusqu'où je pouvais aller sans risquer de la braquer, puis je me suis lancé :

— Richard a aussi écrit que Wieder vous avait donné les clés de sa maison et que vous vous rendiez souvent chez lui.

Elle a secoué la tête.

— Je ne me rappelle pas les avoir eues un jour, contrairement à Richard, qui allait travailler dans la bibliothèque quand le professeur n'était pas là. C'est d'ailleurs pour ça qu'il a eu des problèmes avec la police.

— À votre avis, il aurait pu assassiner Wieder ?

— Vous savez, monsieur Keller, dans le domaine d'activité que j'ai choisi, on apprend très vite, entre autres choses, à quel point les apparences peuvent être trompeuses. Richard a continué de me harceler long-temps après mon départ de cette maison. Il m'attendait à la sortie de mes cours, m'écrivait des lettres, me téléphonait plusieurs fois par jour… Après le décès du professeur, Timothy lui a parlé à deux ou trois reprises pour lui demander de nous laisser tranquilles, sans résultat, hélas. Je n'ai pas porté plainte, parce qu'il avait déjà assez d'ennuis comme ça et qu'il m'inspirait plus de pitié que de crainte. Malheureusement, ça a empiré avec le temps… Mais bon, on ne devrait pas dire du mal des morts. Et de toute façon, non, je ne crois pas qu'il ait pu commettre un meurtre.

— Vous venez de dire que les choses avaient « empiré ». Qu'entendez-vous par là au juste ? Il avoue lui-même dans son récit qu'il était jaloux, or la jalousie est un mobile fréquent dans ce genre d'affaires…

— Monsieur Keller, je vous répète qu'il n'avait aucune raison de l'être. Nous avons seulement cohabité un moment, point final. Le problème, c'est que sa fixation sur moi a viré à l'obsession. L'année suivante, je suis venue étudier à l'université de Columbia, mais il a réussi à me retrouver et il a recommencé à m'écrire et à me téléphoner. Un jour, il a même débarqué ici, en ville. Là-dessus, je suis partie en Europe, ce qui m'a permis de lui échapper.

J'étais déconcerté par ce qu'elle me racontait.

— Richard présente une version différente dans son manuscrit, ai-je fait remarquer. Il affirme que c'est Timothy Sanders qui était obsédé par vous et ne cessait de vous harceler.

— J'ai bien l'intention de le lire, monsieur Keller. C'est pour ça que je vous l'ai réclamé. En attendant, je peux vous dire que, pour quelqu'un comme Richard Flynn, la frontière entre la réalité et la fiction n'existait pas, ou était des plus ténue. Durant cette période, il y a eu des moments où j'ai réellement souffert à cause de lui.

— Le soir où le professeur a été tué, étiez-vous allée le voir ?

— Je lui ai rendu visite peut-être trois ou quatre fois dans l'année. Princeton est une petite ville, et nous ne tenions ni l'un ni l'autre à donner prise aux ragots. Quoi qu'il en soit, non, je ne suis pas allée le voir ce soir-là.

— Avez-vous été interrogée par la police après le meurtre ? Je n'ai relevé votre nom nulle part dans les journaux, alors que celui de Flynn est partout.

— Oui, j'ai été questionnée une fois. J'ai déclaré que j'avais passé la soirée chez une amie.

Elle a jeté un coup d'œil à sa montre.

— Je vais devoir vous laisser, monsieur Keller. Ç'a été un plaisir de vous rencontrer. Nous pourrions peut-être nous revoir quand j'aurai lu le manuscrit et rafraîchi ma mémoire ?

— Pourquoi avez-vous changé de nom ? Vous vous êtes mariée ? me suis-je enquis quand nous nous sommes levés.

— Non. Si j'ai changé de nom, c'était pour pouvoir échapper à Richard Flynn et à tous ces souvenirs pénibles. J'étais très attachée au professeur Wieder, vous comprenez, et sa mort m'a dévastée. Richard n'avait jamais été violent, je le reconnais, mais je ne supportais plus son harcèlement. J'avais l'impression que ça ne s'arrêterait jamais. Alors, en 1990, avant de partir pour l'Europe, je suis devenue Laura Westlake. C'est le nom de jeune fille de ma mère, en fait.

Je l'ai remerciée, elle a rangé la photocopie du manuscrit dans son sac et nous sommes sortis de la cafétéria au moment où celle-ci commençait à se remplir.

Dans l'ascenseur qui nous ramenait au neuvième étage, j'ai repris la parole :

— Mme Olsen, la compagne de Flynn, m'a raconté qu'un soir elle l'avait entendu vous parler au téléphone. Elle vous a contactée le lendemain au sujet de cet appel et vous a donné rendez-vous. Puis-je savoir ce que vous vous êtes dit, lui et vous ? Est-ce qu'il avait encore une fois réussi à vous retrouver ?

— Eh bien, à l'automne dernier, alors que je n'avais plus de nouvelles de Richard depuis vingt ans, il s'est présenté à ma porte. Je ne suis pas du genre à perdre facilement mon sang-froid, vous pouvez me croire, pourtant j'ai eu un choc quand il s'est mis à me débiter toutes sortes d'absurdités. Il était si agité que je me suis demandé s'il ne souffrait pas de troubles mentaux. Il m'a menacée de faire des révélations dont la nature n'était pas claire ; apparemment, il était question du professeur Wieder. Pour être franche, j'avais presque oublié que j'avais autrefois connu un garçon du nom de Richard Flynn… Bref, je lui ai ordonné de partir. Il m'a encore téléphoné à deux ou trois reprises, mais j'ai refusé de le revoir et j'ai fini par ne plus prendre ses appels. J'ignorais qu'il était gravement malade, il n'y a fait aucune allusion. Quelque temps plus tard, j'ai appris sa mort. Peut-être était-il déjà trop perturbé par sa maladie pour pouvoir raisonner clairement lorsqu'il est venu chez moi… Le cancer des poumons entraîne souvent des complications, dont des métastases au cerveau. Si ça se trouve, c'était le cas pour Richard.

Les portes de la cabine se sont ouvertes, et nous nous sommes engagés dans le couloir.

— Il a aussi écrit dans son manuscrit que le professeur menait des recherches secrètes, ai-je ajouté. Vous savez sur quoi elles portaient ?

— Si elles étaient secrètes, je ne vois pas comment j'aurais pu le savoir ! Décidément, plus vous me parlez de ce manuscrit, plus je suis convaincue qu'il s'agit d'une œuvre de pure fiction… Bon nombre de départements dans les grandes universités coordonnent des projets de recherche, certains pour le compte d'agences fédérales et d'autres pour celui de sociétés privées. La plupart de ces projets sont confidentiels, car ceux qui les financent espèrent un retour sur investissement. Le professeur Wieder devait collaborer à des travaux de ce genre, j'imagine. Moi, je me contentais de l'aider pour le livre qu'il écrivait à l'époque, et je n'ai jamais été au fait de ses autres activités. Sur ce, au revoir, monsieur Keller. Bonne journée.

Je l'ai remerciée une fois de plus et nous nous sommes séparés.

Alors que je retournais vers le parking, je me suis demandé quelle était la part de vérité et de mensonge dans ce qu'elle m'avait raconté, et s'il était vrai que Flynn avait fantasmé leur relation supposée. Derrière son calme apparent, Laura Westlake m'avait donné l'impression qu'elle avait peur de ce que Flynn risquait de dévoiler sur son passé. Ce n'était cependant qu'une intuition, un sentiment vague, sans rapport avec ses expressions ou son langage corporel.

Mais elle m'avait donné des réponses précises, peut-être trop précises, alors même qu'à l'en croire elle ne se souvenait pas des détails. Et comment aurait-elle pu « presque oublier », même au bout de tant d'années, un homme avec qui elle avait cohabité, qui l'avait harcelée pendant des mois et avait été soupçonné du meurtre de son ami et mentor ?

5

Quand Harry Miller m'a appelé, deux heures plus tard, je venais d'avoir un entretien avec l'une de mes anciennes sources, un inspecteur de la criminelle à la retraite qui m'avait promis d'essayer de joindre quelqu'un au poste de police de West Windsor, dans le New Jersey. Je l'avais invité à déjeuner chez Orso, dans la 46ᵉ Rue Ouest, et je retournais vers ma voiture, garée à quelques centaines de mètres. Il pleuvait et le ciel avait une couleur indéfinissable. À peine avais-je décroché qu'Harry m'a annoncé qu'il avait du nouveau. Je me suis abrité sous l'auvent d'un bar.

— Bingo ! a-t-il lancé. Sarah Harper a décroché sa maîtrise en 1989 et n'a pas eu beaucoup de chance depuis. Son diplôme en poche, elle a été embauchée par une école pour gamins à problèmes dans le Queens et elle a mené une vie sans histoire pendant une dizaine d'années. Ensuite, elle a eu la mauvaise idée d'épouser Gerry Lowndes, un musicien de jazz qui a fait de sa vie un véritable enfer. Elle est tombée dans la drogue et a écopé d'un an de taule. Elle a divorcé en 2008 et habite maintenant dans le Bronx, à Castle

Hill. Elle m'a paru tout à fait prête à évoquer le bon vieux temps.

— Super ! Tu peux m'envoyer par texto son adresse et son numéro de téléphone ? Et qu'est-ce que t'as appris sur Simmons ?

— Derek Simmons vit toujours dans le New Jersey, avec une certaine Leonora Phillis. C'est elle qui m'a répondu quand j'ai appelé, parce qu'il était absent. Si j'ai bien compris, ils vivent principalement des allocations. Je lui ai expliqué que t'étais journaliste et que tu voulais parler à son compagnon à propos du professeur Wieder. Elle a pas l'air au courant de l'affaire, mais elle attend ton coup de fil. Un conseil : pense à apporter du liquide lorsque t'iras la voir. Autre chose ?

— T'as des sources à Princeton ?

— J'en ai partout, fiston, je suis un pro ! s'est-il vanté. Comment tu crois que j'ai réussi à retrouver la trace de Sarah Harper ? En appelant les Renseignements ?

— Bon, alors tâche de me dégotter le nom de personnes qui bossaient au département de psychologie dans les années 1980 et étaient proches de Joseph Wieder. Je ne parle pas seulement de ses collègues, mais de tous ceux qui le fréquentaient et le connaissaient bien.

Il m'a assuré qu'il ferait de son mieux, puis nous avons discuté de base-ball pendant quelques minutes avant de raccrocher.

Rentré chez moi, j'ai téléphoné à Sam, dont la voix m'a semblé étrangement éraillée et assourdie. Elle m'a dit qu'elle avait attrapé un mauvais rhume, qu'elle s'était quand même traînée jusqu'au bureau ce matin-là et que son patron l'avait renvoyée illico chez elle. J'ai proposé de lui rendre visite dans la soirée, mais elle a refusé, expliquant qu'elle préférait se coucher tôt et ne tenait pas à ce que je la voie dans cet état. Après notre conversation, j'ai appelé un fleuriste pour lui faire livrer un bouquet de tulipes. J'avais beau essayer de ne pas m'emballer, comme elle me l'avait recommandé au début de notre liaison, je me rendais compte que, plus le temps passait, plus elle me manquait lorsqu'il nous arrivait d'être séparés un jour ou deux.

Quand j'ai ensuite tenté de joindre Sarah Harper au numéro indiqué par Harry, elle n'a pas répondu, alors j'ai laissé un message sur sa boîte vocale. J'ai eu plus de chance avec Derek Simmons. C'est sa compagne, Leonora Phillis, qui a décroché. Elle avait un fort accent cajun qui m'a fait penser aux personnages de la série *Swamp People : chasseurs de croco*. Je lui ai rappelé qu'elle avait été contactée par un dénommé Harry Miller, qui lui avait fait part de mon souhait de m'entretenir avec Derek Simmons.

— Si j'ai bien compris ce qu'a dit vot' copain, c'est le journal qui paie, c'est ça ? a-t-elle demandé.

— Oui. Je pense pouvoir vous dédommager.

— Entendu, m'sieur… ?

— Keller. John Keller.

— Bon, ben, je crois que vous devriez nous rendre une p'tite visite. Mais d'abord, faut que je mette Der-eh au courant. C'est qu'il aime pas beaucoup parler… Vous pourriez venir quand ?

— Tout de suite, si ce n'est pas trop tard pour vous.

— Quelle heure il est, mon grand ?

— 3 h 12.

— Vers 5 heures, ça vous irait ?

J'ai dit que c'était parfait, avant d'insister une nouvelle fois pour qu'elle persuade « Der-eh » de répondre à mes questions.

Un peu plus tard, alors que j'entrais dans le tunnel en repensant à ma conversation avec Laura Westlake, je me suis soudain souvenu du détail qui m'avait échappé ce premier soir, alors que je venais de commencer mes recherches sur l'affaire Wieder : le livre sur lequel travaillait le professeur à l'époque et dont la publication était imminente. D'après Richard Flynn, Laura pensait qu'il allait bouleverser le monde des sciences – ou « faire l'effet d'une bombe », comme aurait dit Sam.

Or, il n'y en avait nulle trace sur Amazon ni sur les autres sites qui dressaient la liste de ses ouvrages. Son dernier titre publié était une étude de cent dix pages sur l'intelligence artificielle, parue aux Presses universitaires de Princeton en 1986, soit plus d'un an avant sa mort. Pourtant, il avait raconté à Flynn qu'il avait signé un contrat pour ce manuscrit, suscitant ainsi des rumeurs parmi ses collègues. Autrement dit, il devait déjà avoir envoyé le texte, complet ou non, à un éditeur et avait peut-être même touché une avance. Alors, pourquoi le livre n'était-il pas sorti ?

Je ne voyais que deux explications possibles.

La première : l'éditeur avait changé d'avis et finalement renoncé à le publier. C'était néanmoins peu probable, étant donné qu'il existait un contrat et que, d'un point de vue plus cynique, le mystère entourant le meurtre du professeur n'aurait certainement pas manqué de booster les ventes. Seule l'intervention d'un tiers influent aurait pu conduire à l'abandon d'un tel projet. Mais qui ? Et quelle était la nature de ce texte ? Traitait-il des recherches secrètes menées par Wieder ? Celui-ci avait-il l'intention d'en révéler la teneur ?

Autre possibilité : l'exécuteur testamentaire de Wieder – j'avais déduit de ma lecture des journaux de l'époque que le professeur avait rédigé un testament dans lequel il léguait tous ses biens à sa sœur Inge – s'était opposé à cette publication et avait usé d'arguments juridiques imparables. Sans doute devrais-je questionner Inge à ce sujet, même si elle s'était établie des années plus tôt en Italie et ne savait probablement pas grand-chose de la situation de son frère au moment du meurtre...

Songeur, je me suis engagé dans Valley Road, puis j'ai tourné à gauche dans Witherspoon Street et atteint bientôt Rockdale Lane, où vivaient Derek Simmons et sa compagne, pas loin du poste de police de Princeton. Comme j'étais en avance, je me suis garé près d'une école avant d'entrer dans le bar voisin où, devant une tasse de café, j'ai tenté de faire le point sur les nouvelles pistes apparues dans mon enquête. Plus je pensais au livre du professeur, plus j'étais intrigué. Qu'avait-il bien pu devenir ?

Derek Simmons et Leonora Phillis habitaient un modeste bungalow situé tout au bout de la rue, près d'un terrain de sport envahi par les herbes folles. Dans le jardinet devant, les rosiers n'allaient pas tarder à fleurir. Un nain en plâtre crasseux, à gauche de la porte d'entrée, m'a accueilli d'un sourire figé.

Mon coup de sonnette s'est répercuté dans les profondeurs de la maison.

Quelques instants plus tard, une petite brune ridée m'a ouvert, le regard méfiant, une louche dans la main droite. Quand je me suis présenté, son visage s'est éclairé et elle m'a invité à entrer.

J'ai pénétré à sa suite dans un couloir sombre et étroit, puis dans un salon encombré de meubles anciens. Je me suis assis sur le canapé, faisant s'envoler un nuage de poussière sous mon poids. Un bébé pleurait dans une autre pièce.

Leonora Phillis s'est excusée avant de disparaître. Je l'ai entendue peu après calmer l'enfant par des paroles et des sons apaisants.

J'ai examiné les objets autour de moi. Tous étaient vieux et dépareillés, comme s'ils avaient été achetés dans des vide-greniers ou ramassés dans la rue. Ici et là, les lattes du plancher s'affaissaient, et dans les coins le papier peint se décollait. Une antique pendule de voyage égrenait un tic-tac à peine audible. Apparemment, la petite somme mentionnée dans le testament du professeur avait été engloutie depuis longtemps.

À son retour, Leonora Phillis portait dans ses bras un garçonnet d'environ dix-huit mois, qui suçait son pouce. Il m'a tout de suite remarqué et dévisagé d'un air à la fois pensif et grave. Il avait des traits étrangement adultes, au point que je n'aurais pas été surpris de l'entendre s'exprimer avec une voix d'homme et me demander d'un ton belliqueux ce que je fabriquais là.

La maîtresse de maison s'est installée en face de moi, sur une chaise en bambou branlante. Tout en berçant l'enfant, elle m'a expliqué que c'était son petit-fils, Tom, et que sa fille Tricia lui avait demandé de le garder pendant qu'elle allait à Rhode Island rejoindre un homme rencontré sur Internet. Cela faisait maintenant deux mois qu'elle était partie, a ajouté Mme Phillis.

Elle m'a ensuite dit qu'elle avait convaincu Derek de me parler, mais qu'il serait préférable d'aborder la question financière avant. Ils avaient du mal à joindre les deux bouts, a-t-elle ajouté. Trois ans plus tôt, ils avaient réussi à obtenir une modeste allocation qui constituait l'essentiel de leurs revenus, auxquels venaient s'ajouter les petits boulots que Derek faisait de temps à autre. Or, aujourd'hui, il fallait s'occuper de Tom… Elle pleurait doucement en me disant cela, tandis que le garçonnet continuait de poser sur moi son regard troublant d'adulte.

Nous sommes tombés d'accord sur une somme, et je lui ai tendu des billets qu'elle a recomptés avant de les glisser dans sa poche. Enfin, elle s'est levée, a calé son petit-fils sur la chaise et m'a demandé de la suivre.

Elle m'a emmené dans un couloir qui débouchait sur une véranda dont les panneaux vitrés crasseux filtraient la lumière du couchant. Une bonne partie de l'espace à l'intérieur était occupée par un immense établi sur lequel s'alignaient divers outils. Un homme était assis sur le tabouret devant : grand et solidement bâti, en sweat-shirt et jean maculé de taches. Il s'est redressé à mon arrivée et m'a serré la main en se présentant. J'ai tout de suite été frappé par l'éclat de ses yeux verts et la force de ses mains calleuses. Il devait avoir plus de soixante ans, pourtant il se tenait très droit et paraissait en bonne santé. Son visage était néanmoins sillonné de rides profondes, et ses cheveux, presque blancs.

Leonora Phillis est retournée dans la maison, nous laissant seuls. Derek Simmons s'est rassis et je me suis adossé à l'établi. Dans le jardin à l'arrière de la maison, guère plus grand que celui à l'entrée et entouré d'une clôture envahie par les mauvaises herbes, se trouvait un petit portique dont la structure métallique rouillée dominait la terre nue, parsemée de flaques et de quelques touffes de chiendent.

— Leonora m'a dit que vous vouliez me parler de Joseph Wieder, a-t-il déclaré sans me regarder.

Il a sorti de sa poche un paquet de Camel et en a allumé une avec un briquet en plastique jaune.

— Vous êtes le premier depuis plus de vingt ans à venir me poser des questions sur lui, a-t-il ajouté.

Il semblait résigné à jouer un rôle, comme un vieux clown fatigué, las de ses tours et de ses blagues, qui continue de s'agiter sur la sciure d'une piste de cirque pour divertir une poignée de gamins indifférents mâchant du chewing-gum et pianotant sur leur portable.

Je lui ai résumé ce que j'avais découvert sur le professeur et sur lui, ainsi que sur Laura Baines et Richard Flynn. Pendant que je parlais, il fumait sa cigarette, le regard perdu dans le vague. M'écoutait-il seulement ? À la fin de mon récit, il a écrasé son mégot, allumé une autre Camel et demandé :

— Pourquoi vous vous intéressez à cette vieille histoire ?

— Je fais des recherches dans le cadre d'un travail qu'on m'a confié. Je prépare un livre sur les affaires de meurtre non élucidées.

— Je sais qui a tué le professeur, a-t-il affirmé d'une voix neutre. Je l'ai toujours su et c'est ce que j'ai déclaré aux flics à l'époque. Sauf que mon témoignage valait rien… N'importe quel avocat l'aurait rejeté au tribunal, parce que des années plus tôt j'avais été accusé de meurtre et enfermé à l'asile. Je serais passé pour un dingo, c'est sûr. J'avalais des tas de pilules, vous comprenez ? Du coup, ç'aurait été facile de dire que j'inventais ou que j'avais des hallucinations, mais moi je suis certain de ce que j'ai vu. Et je suis pas fou.

Il en était manifestement convaincu.

— Alors, qui a tué Wieder ?

— J'ai tout déballé à l'époque, m'sieur. Personne en a tenu compte, on m'a plus rien demandé, alors j'ai pensé que valait mieux m'occuper de mes affaires.

— Qui, monsieur Simmons ? ai-je insisté.

— Appelez-moi Derek. C'était le jeune, Flynn. Et cette fille malfaisante, Laura, était témoin, sinon complice. Bon, je vais vous dire comment c'est arrivé…

Durant l'heure suivante, en enchaînant les cigarettes tandis que la nuit tombait, Derek Simmons m'a raconté tout ce qu'il avait vu et entendu dans la soirée du 21 décembre 1987, avec un luxe de détails qui m'a surpris. Comment pouvait-il garder un souvenir aussi précis d'événements qui remontaient à plus de deux décennies ?

Il était allé chez le professeur ce matin-là pour réparer les toilettes dans la salle de bains du bas.

Wieder était chez lui, il préparait sa valise en prévision d'un séjour dans le Midwest avec des amis. Il avait invité Derek à déjeuner et s'était fait livrer des plats chinois. Il paraissait fatigué et soucieux, et pour finir avait avoué qu'il avait découvert des traces de pas suspectes dans le jardin ; il avait neigé dans la nuit, si bien qu'au matin les empreintes étaient parfaitement visibles. Il avait promis à Derek de continuer à veiller sur lui, même s'il avait l'intention de quitter le pays un moment, et lui avait recommandé de bien prendre ses médicaments. Vers 14 heures, Derek avait dit au revoir au professeur et s'était rendu sur le campus, où il devait repeindre un appartement.

Le soir, il était rentré dîner chez lui. Mais, inquiet pour Wieder, il avait décidé de faire un saut chez lui. À son arrivée, il avait reconnu la voiture de Laura Baines garée près de la maison. Il s'apprêtait à sonner quand il avait entendu des éclats de voix à l'intérieur.

Intrigué, il avait contourné la maison en longeant le lac. Il devait être 21 heures. Comme le salon était éclairé et les rideaux ouverts, il avait pu assister à toute la scène : Joseph Wieder et Laura Baines étaient assis à table ; Richard Flynn, debout, les apostrophait en gesticulant.

Quelques minutes plus tard, Laura s'était levée et avait quitté les lieux, sans que ses compagnons tentent de la retenir. Ils avaient continué à se quereller après son départ, jusqu'au moment où Flynn avait fini par se calmer. Les deux hommes avaient fumé, bu du café et quelques verres, et l'atmosphère avait paru se détendre. Derek, transi, allait regagner son domicile lorsque les choses s'étaient de nouveau envenimées. Il était alors un peu plus de 22 heures, croyait-il se rappeler.

À un certain moment, Wieder, qui jusque-là avait gardé son calme, avait laissé éclater sa colère.

Puis Flynn était parti à son tour et Derek s'était dépêché de contourner de nouveau la maison, espérant pouvoir le rattraper et lui demander des explications. Il ne lui avait pas fallu plus de vingt ou trente secondes pour atteindre la porte d'entrée, pourtant il n'y avait plus personne à son arrivée. Flynn semblait s'être volatilisé.

Pensant qu'il avait dû s'éloigner rapidement, Derek était retourné voir si le professeur allait bien. Ce dernier se trouvait toujours dans le salon et, quand il s'était approché de la fenêtre pour l'ouvrir, Derek avait précipitamment battu en retraite. Au passage, il avait remarqué la voiture de Laura, garée plus ou moins au même endroit. Il s'était dit alors qu'elle était venue rejoindre son amant pour la nuit, et que lui-même n'avait plus rien à faire là.

Réveillé de bonne heure le lendemain matin, il avait décidé de se rendre une nouvelle fois chez Wieder afin de s'assurer qu'il n'y avait pas de problème. Comme le professeur ne répondait pas à son coup de sonnette, il s'était servi de ses clés pour entrer. Et il avait découvert le corps dans le salon.

— Je suis certain que Flynn était pas parti, a-t-il conclu. Il avait dû se cacher dans le coin en attendant son heure. À ce moment-là, la fille était sûrement dans la maison elle aussi, mais jamais elle aurait pu assommer Wieder, il était beaucoup trop fort... J'ai toujours pensé que Flynn l'avait tué, et qu'elle était témoin ou complice. Pourtant, j'ai pas parlé d'elle à la police ; j'avais trop peur que les journaux en profitent pour salir la réputation du professeur. J'ai juste raconté que le jeune s'était disputé avec lui.

— D'après vous, Laura et Wieder couchaient ensemble ?

Il a haussé les épaules.

— J'en suis pas sûr à cent pour cent, je les ai jamais vus s'envoyer en l'air, mais elle restait parfois dormir chez lui, alors… Et le jeunot était fou d'elle, il me l'a avoué. On bavardait souvent, quand il bossait dans la bibliothèque. Il me racontait plein de trucs sur lui.

— Et les flics ne vous ont pas cru ?

— Peut-être qu'ils m'ont cru, ou peut-être pas. Je vous le répète, jamais un jury aurait pris au sérieux mon témoignage. Le procureur a pas donné suite et du coup la police a abandonné la piste. Si vous vérifiez, vous verrez que ma déposition de l'époque correspond exactement à ce que je viens de vous dire. Je suis certain que la police garde ce genre de document.

— Vous vous rappelez beaucoup de détails, ai-je fait remarquer. Je pensais pourtant que vous aviez perdu la mémoire…

— Seulement celle du passé lointain. C'est pour ça qu'on parle d'amnésie « rétrograde ». Le coup sur la tête que j'ai reçu à l'hosto m'a fait oublier presque toute ma vie d'avant, mais par la suite ma mémoire a toujours bien fonctionné. J'ai été obligé de réapprendre mon histoire jusqu'à mon agression, comme si c'était celle de quelqu'un d'autre : quand et où j'étais né, qui étaient mes parents, dans quelle école j'étais allé, ce genre de truc… C'était vraiment bizarre, au début. Après, je me suis habitué ; de toute façon, j'avais pas le choix.

Il s'est levé pour éclairer. Dans cette véranda exiguë, j'avais le sentiment que nous étions comme deux mouches piégées dans un bocal. Je ne savais pas si je pouvais me fier à lui.

— J'aimerais vous demander encore une chose, ai-je repris.

— Allez-y, je vous écoute.

— Le professeur avait aménagé une salle de sport chez lui, au sous-sol. Est-ce qu'il y avait rangé une batte de base-ball ? Vous souvenez-vous d'en avoir vu une quelque part chez lui ?

— Non. Je revois que les haltères et le sac de frappe.

— Les flics ont conclu qu'il avait probablement été tué à coups de batte, sauf que l'arme du crime n'a jamais été retrouvée. Si Wieder n'en avait pas chez lui, on peut supposer que son meurtrier en avait apporté une, même si ce n'est pas facile à dissimuler sous un manteau. Pourriez-vous me dire comment Flynn était habillé ce soir-là ?

Il a réfléchi quelques instants, avant de secouer la tête.

— J'en suis pas sûr… Je sais qu'il portait presque toujours une parka, et peut-être qu'il l'avait, mais j'en mettrais pas ma main à couper.

— Une dernière question, Derek. La police vous a soupçonné au début de l'enquête, avant de vous écarter de la liste des suspects parce que vous aviez un alibi. Or, vous venez de me dire que, vers

23 heures, vous étiez encore dans le jardin de Wieder et que vous étiez rentré chez vous après. Vous étiez célibataire à l'époque, non ? Alors, c'était quoi, cet alibi ?

— Ben, je me suis arrêté dans un bar près de chez moi, qui restait ouvert jusque tard dans la nuit. J'étais pas tranquille, vous comprenez ? Et j'avais pas envie de rester tout seul. J'ai dû arriver là-bas un peu après 11 heures. Le proprio était un copain pour qui je bossais de temps en temps. Quand les flics l'ont interrogé, il leur a dit que j'étais là le soir en question, ce qui était vrai. Ils m'ont encore cuisiné un moment, puis ils ont fini par me laisser tranquille, d'autant que j'étais la dernière personne au monde à souhaiter la mort du professeur. Quelle raison j'aurais eue de vouloir le tuer ?

— OK, vous êtes allé dans ce bar. Mais vous aviez le droit de boire de l'alcool, avec tous les médicaments que vous preniez ?

— Oh non, j'y touchais pas ! J'y touche toujours pas, d'ailleurs. Quand je sors boire un coup, je prends toujours un Coca ou un café. Ce soir-là, je voulais de la compagnie, c'est tout.

Sur ces mots, il a écrasé son mégot dans le cendrier.

— Vous êtes gaucher, Derek ? J'ai remarqué que vous teniez votre cigarette de la main gauche.

— Oui.

Nous avons discuté encore quelques minutes. Derek a ajouté que sa vie avait suivi son cours et qu'il avait fini par emménager avec Leonora. Il n'avait plus jamais eu de démêlés avec la loi, et depuis douze ans il n'était plus soumis à l'obligation de subir une évaluation psychiatrique annuelle.

Lorsque je l'ai quitté, il est resté dans son atelier de fortune. J'ai rebroussé chemin jusqu'au salon où sa compagne, assise sur le canapé, regardait la télé en serrant contre elle le petit garçon endormi. Je l'ai remerciée encore une fois puis, après lui avoir souhaité une bonne soirée, je suis parti.

6

Deux jours plus tard, j'attendais mon tour au guichet de la 56ᵉ Rue Est pour renouveler mon permis de conduire – je devais aussi faire refaire ma photo d'identité – en feuilletant une revue oubliée sur la chaise voisine, quand Laura Westlake m'a rappelé.

— Monsieur Keller ? J'ai lu l'extrait que vous m'avez remis, et il confirme mes soupçons : Richard a tout inventé ou presque. Peut-être qu'il voulait écrire un roman ? Après tout, à une certaine époque, de nombreux écrivains préféraient prétendre qu'ils ne racontaient pas une histoire née de leur imagination, mais qu'ils avaient découvert un texte anonyme ou rapportaient le récit d'un narrateur mort depuis longtemps, ou n'importe quelle autre fable du même genre, dans l'espoir de générer de la publicité autour de leur ouvrage. À moins que, au bout de tant d'années, Richard n'ait réussi à se persuader que tous ces événements s'étaient réellement produits… Avez-vous découvert le reste du manuscrit ?

— Pas encore.

— Richard ne l'a jamais terminé, n'est-ce pas ? Il a dû renoncer en se rendant compte que ses tentatives d'écriture étaient pitoyables et risquaient de lui attirer de sérieux ennuis sur le plan légal…

Elle s'exprimait d'un ton posé, où perçait cependant une note de triomphe, ce qui m'a mis hors de moi. Si Derek Simmons m'avait dit la vérité, alors Laura Westlake m'avait menti en me regardant droit dans les yeux, sans sourciller.

— Avec tout le respect que je vous dois, madame Westlake, le meurtre brutal du professeur Wieder n'est pas une invention de M. Flynn, pas plus que votre décision de changer de nom après ces événements. C'est vrai, je n'ai toujours pas le manuscrit complet, mais j'ai beaucoup d'autres témoignages, alors permettez-moi de rectifier deux ou trois points : vous êtes bel et bien allée chez Wieder le soir où il a été assassiné, et ensuite Flynn est arrivé. Comme vous lui aviez raconté que vous dormiriez chez une amie, il a fait une scène. Inutile de nier, je le sais de source sûre. Mais ensuite, que s'est-il passé ?

Elle a gardé le silence quelques instants, et je l'ai imaginée pareille à un boxeur sonné sur le ring, écoutant l'arbitre compter. Elle n'avait sans doute pas pensé un seul instant que je pourrais en apprendre autant sur cette soirée. Le professeur était mort, Flynn aussi, et à mon avis elle avait toujours ignoré que Derek Simmons était sur les lieux en cette soirée du 21 décembre. Allait-elle encore éluder ?

— Vous avez vraiment un mauvais fond, hein ? a-t-elle fini par lancer. Ça vous amuse de jouer les détectives, c'est ça ? Comment voulez-vous que je me souvienne de tous les détails au bout de tant d'années ? Vous avez l'intention de me faire chanter ? Je vous préviens, Keller, je connais beaucoup de monde dans cette ville !

— On dirait une menace tirée d'un vieux film policier ! Et moi, je suis censé vous répondre « Je fais que mon boulot, ma p'tite dame », vous décocher un sourire plein d'amertume, rabattre mon feutre sur mes yeux et relever le col de mon pardessus ?

— Quoi ? Mais qu'est-ce que vous racontez ? Vous avez bu ?

— Êtes-vous prête à me jurer que vous n'avez pas mis les pieds chez Wieder le soir du meurtre et que Flynn n'a pas menti aux flics pour vous couvrir ?

Au terme d'un autre silence prolongé, elle m'a demandé :

— Est-ce que vous enregistrez cette conversation ?

— Non.

— Ou peut-être que vous avez perdu la tête, comme Richard ? Votre mutuelle, si vous en avez une, devrait vous permettre de suivre quelques séances de thérapie… Je n'ai pas tué Wieder, d'accord ? Alors je ne vois pas en quoi ce que j'ai fait ce soir-là pourrait avoir une importance quelconque.

— C'est important pour moi, madame Westlake.

— Très bien, restons-en là. Je ne peux pas vous empêcher de poursuivre vos investigations, mais n'essayez plus de me contacter. Je ne plaisante pas, Keller. J'ai essayé d'être polie, j'ai répondu de mon mieux à vos questions, et je n'ai plus de temps à vous consacrer. Si vous me téléphonez encore une fois ou si vous tentez de m'aborder, je porterai plainte pour harcèlement. Au revoir.

Elle a raccroché et j'ai fourré rageusement mon portable dans ma poche. J'étais furieux contre moi-même, parce que je venais de perdre une source d'information capitale : non seulement Laura Westlake ne me dirait plus rien, mais je ne doutais pas qu'elle mettrait sa menace à exécution si je lui en fournissais l'occasion. Pourquoi m'étais-je emporté ainsi et pourquoi avais-je abattu toutes mes cartes au téléphone ? Derek Simmons m'avait donné une paire d'as et je l'avais gaspillée.

Quelques minutes plus tard, quand mon tour est venu de passer devant l'objectif, l'homme derrière l'appareil m'a dit :

— Tâchez de vous détendre un peu, mon vieux ! On croirait que vous portez toute la misère du monde sur vos épaules.

— Une partie seulement, ai-je répliqué. C'est déjà pas mal, d'autant que je n'ai même pas encore été payé pour ma peine.

Durant les trois semaines suivantes, alors que la douceur printanière s'installait, je me suis entretenu avec plusieurs personnes qui avaient été proches de Joseph Wieder et dont Harry Miller m'avait transmis les coordonnées.

La grippe de Sam s'était muée en pneumonie, l'obligeant à rester au lit presque tout le temps. Sa plus jeune sœur, Louise, étudiante aux beaux-arts, était venue de Californie s'occuper d'elle. J'avais beau insister pour lui rendre visite, elle refusait chaque fois sous prétexte qu'elle ne voulait pas être vue dans cet état, les yeux larmoyants et le nez rouge.

Peter étant souvent absent ou pris par ses affaires, je le tenais au courant de mes recherches par téléphone.

Apparemment, Danna Olsen n'avait toujours pas mis la main sur les derniers chapitres du manuscrit.

J'ai tenté de joindre plusieurs fois Sarah Harper, l'amie de Laura Baines, mais elle ne décrochait jamais et ne répondait pas à mes messages. Je n'ai pas réussi non plus à contacter Inge Rossi, la sœur du professeur. Lorsque j'ai appelé chez elle, je suis tombé sur une femme de ménage à peine capable d'aligner deux mots en anglais. J'ai néanmoins fini par comprendre que le *Signor* et la *Signora* Rossi étaient partis en Amérique du Sud et ne reviendraient pas avant deux mois.

Harry a retrouvé la trace de Timothy Sanders, mais il avait une mauvaise nouvelle à m'annoncer : l'ancien petit ami de Laura Baines était décédé en décembre 1998. Il avait été abattu devant chez lui, à Washington, et était mort sur le coup. La police n'avait jamais arrêté le meurtrier et avait conclu à une tentative de cambriolage ayant mal tourné. Sanders, qui enseignait les sciences sociales à la School Without Walls, l'un des meilleurs lycées de la ville, ne s'était jamais marié.

Ma conversation téléphonique avec Eddie Flynn a été aussi brève que déplaisante. Il en voulait beaucoup à son frère d'avoir légué son appartement à Mme Olsen et, à l'en croire, il n'avait jamais entendu parler de Joseph Wieder. Il m'a ordonné de ne plus l'importuner, avant de me raccrocher au nez.

Je suis allé voir quelques anciens collègues de Wieder, après avoir prétexté que je faisais des recherches pour un éditeur préparant une biographie du professeur et que j'avais besoin du témoignage de personnes qui l'avaient bien connu.

J'ai ainsi rencontré Dan T. Lindbeck, soixante-treize ans, un enseignant à la retraite qui avait travaillé dans le même département à Princeton. Domicilié dans le comté d'Essex, New Jersey, il habitait une demeure imposante au milieu des bois. Il m'a raconté qu'elle était hantée par le fantôme d'une certaine Mary, morte en 1863, pendant la guerre de Sécession. L'anecdote m'a remis en mémoire l'époque où j'écrivais pour *Ampersand*, et je lui ai parlé d'une maison hantée que j'avais moi-même visitée, pendant qu'il prenait des notes dans un petit carnet à spirale.

Lindbeck m'a décrit Joseph Wieder comme un personnage atypique, un homme imbu de lui-même et entièrement dévoué à son travail, aussi brillant sur le plan intellectuel que distant et difficile à cerner sur le plan personnel.

Il se souvenait vaguement que Wieder devait publier un livre mais ne se rappelait pas chez quel éditeur. Pour lui, il était peu probable qu'il y ait eu un conflit à ce sujet entre Wieder et le comité d'administration, dans la mesure où les enseignants étaient libres de faire paraître leurs travaux dans la maison d'édition de leur choix. De plus, le succès d'un de leurs ouvrages ne pouvait qu'être bénéfique pour l'université dans son ensemble. Lindbeck n'a rien pu me dire sur un éventuel programme de recherche dans lequel aurait été engagé le département de psychologie à cette époque.

Deux autres personnes m'ont fourni des informations intéressantes, quoique contradictoires.

La première, le professeur Monroe, avait été l'un des assistants de Joseph Wieder alors qu'il préparait sa thèse de doctorat. L'autre, Susanne Johnson, la soixantaine, avait également été son assistante et l'une de ses proches. Monroe enseignait toujours à Princeton. Johnson avait pris sa retraite en 2006 et vivait à Astoria, dans le Queens, avec son mari et sa fille.

John L. Monroe était un homme trapu à l'air sinistre et au teint aussi gris que le costume dont il était vêtu le jour où il m'a reçu dans son bureau, après m'avoir soumis à un long interrogatoire au téléphone. Il ne m'a proposé ni thé ni café à mon arrivée, se bornant à jeter un coup d'œil réprobateur à mon jean déchiré aux genoux, et n'a pas cessé durant toute la conversation de me couler des regards méfiants. Il s'exprimait d'une voix à peine audible, comme si ses cordes vocales étaient défaillantes.

Contrairement aux autres, il m'a présenté Wieder comme une tête brûlée sans scrupule qui n'hésitait pas à piller les travaux de ses collègues pour pouvoir occuper le devant de la scène. Selon lui, cependant, le professeur ne brassait que du vent, développant d'obscures théories destinées à un public ignare – le genre de prétendues révélations fracassantes dont on parle à la radio et dans les talk-shows à la télé, mais que la communauté scientifique considère avec circonspection. D'ailleurs, les progrès accomplis dans le domaine des neurosciences, de la psychiatrie et de la psychologie depuis la mort de Wieder n'avaient fait que mettre en lumière la faiblesse de ses arguments, et plus personne aujourd'hui n'avait envie de perdre son temps à démontrer l'évidence.

Les propos de Monroe étaient si venimeux que je l'ai soupçonné de ruminer sa rancœur depuis longtemps. Manifestement, il n'avait eu aucune sympathie pour le professeur et n'était que trop heureux d'avoir l'occasion de salir sa mémoire.

En attendant, lui se rappelait qui s'intéressait à l'époque au futur livre de Wieder : Allman & Limpkin, une maison d'édition dans le Maryland. Il m'a également confirmé que le projet avait créé des remous au sein du conseil d'administration : Wieder avait en effet été accusé d'utiliser les ressources de l'université pour rassembler des données qu'il voulait publier dans son propre intérêt.

Monroe ignorait en revanche pourquoi l'ouvrage n'avait jamais paru. Il ne voyait que deux possibilités : Wieder ne l'avait pas terminé ou son éditeur lui avait demandé de faire des changements avec lesquels il n'était pas d'accord. Il m'a expliqué que le point de départ des négociations était une « note d'intention », dans laquelle l'auteur fournissait à l'éditeur toutes les informations nécessaires sur son projet, tant au niveau du contenu que du public visé. Un tel document s'accompagnait en général d'un extrait du manuscrit, le reste devant être remis à une date ultérieure déterminée par les deux parties. Le contrat final n'était signé qu'à la remise du texte définitif, révisé en tenant compte des suggestions de l'éditeur.

Il n'avait jamais entendu parler de Laura Baines, mais il m'a dit que Wieder était un homme à femmes dont on ne comptait plus les aventures, y compris avec des étudiantes, au point que le comité d'administration avait décidé de ne pas renouveler son contrat l'année suivante. Tout le monde savait à l'époque que Wieder quitterait Princeton durant l'été 1988 ; d'ailleurs, le département de psychologie avait déjà commencé à lui chercher un remplaçant.

J'ai invité Susanne Johnson à déjeuner chez Agnanti, un restaurant du Queens. Comme j'étais en avance, j'ai commandé un café en l'attendant. Quand Mme Johnson est arrivée, dix minutes plus tard, j'ai été surpris de la voir en fauteuil roulant. Elle était paralysée à partir de la taille, m'a-t-elle expliqué. Elle était accompagnée par une jeune femme qu'elle m'a présentée : Violet, sa fille. Celle-ci nous a laissés en tête à tête après s'être assurée que sa mère n'avait besoin de rien et nous avoir dit qu'elle reviendrait la chercher une heure plus tard.

Mme Johnson se distinguait par un tel optimisme malgré son état qu'elle m'a fait l'effet d'une bouffée d'air frais. Elle m'a raconté que, dix ans plus tôt, pendant un voyage en Normandie, sur les traces de son père qui avait participé au débarquement, elle avait eu un terrible accident avec la voiture qu'elle avait louée à Paris. Par chance, son mari Mike, assis sur le siège passager, s'en était sorti presque indemne.

Elle m'a ensuite parlé de Wieder, dont elle avait été l'assistante et aussi la confidente. À ses yeux, c'était un véritable génie ; même s'il avait choisi d'exercer ses talents dans le domaine de la psychologie, elle était convaincue qu'il aurait brillé dans n'importe quelle autre branche. Et, a-t-elle ajouté, comme tout génie authentique, il n'avait pas son pareil pour susciter la haine des médiocres, incapables de s'élever à son niveau. Il ne comptait que quelques amis à l'université et était constamment harcelé sous divers prétextes. Ses nombreux ennemis avaient régulièrement cherché à lui nuire en répandant toutes sortes de rumeurs dégradantes, essayant de le faire passer pour un ivrogne doublé d'un coureur de jupons.

Susanne Johnson avait rencontré Laura Baines à maintes reprises. Elle n'ignorait pas que c'était la protégée du professeur, mais elle restait persuadée qu'il n'y avait rien eu entre eux. Elle m'a confirmé qu'à cette période Wieder terminait un livre sur la mémoire. C'était elle qui avait tapé le texte, parce qu'il l'avait rédigé à la main, et elle m'a affirmé que le manuscrit était prêt des semaines avant le meurtre. Elle ne s'était cependant jamais demandé s'il avait été soumis à un éditeur ni pourquoi il n'avait pas été publié.

Au dessert, j'ai voulu savoir si elle était au courant de recherches secrètes que Wieder aurait pu mener à cette époque. Elle a hésité quelques instants avant de répondre.

— Je me souviens seulement qu'il travaillait sur un projet en rapport avec la thérapie des soldats souffrant de stress post-traumatique. Je faisais des études d'économie, pas de psychologie ni de psychiatrie, alors je me contentais de taper son texte de façon mécanique, sans m'interroger beaucoup sur son contenu. Mais je ne vous cacherai pas que, les derniers temps, je m'inquiétais pour lui, car ses facultés mentales me paraissaient fragilisées par ces expériences dont j'ignorais tout.

— D'après vous, elles pourraient avoir un lien avec sa mort ?

— J'y ai pensé à l'époque, je l'admets. Oh, évidemment, mes connaissances en matière criminelle se limitent à ce que j'ai lu dans les romans policiers ou vu dans les films, mais si on l'avait tué pour l'empêcher de poursuivre son travail, vous ne croyez pas que le meurtrier aurait essayé de couvrir ses traces, de faire croire à un cambriolage ou même à un accident ? Pour ma part, je suis sûre qu'il a été assassiné par un amateur, qui a eu la chance d'échapper à la police. Cela dit, il n'est pas impossible qu'il y ait eu des tensions entre le professeur et ses commanditaires. Quand il est mort, cela faisait environ deux mois qu'il ne me donnait plus rien à taper. Il avait probablement cessé de collaborer avec ces gens.

Elle est restée silencieuse quelques instants, avant d'ajouter :

— J'étais amoureuse de lui, monsieur Keller. J'étais déjà mariée, et même si cela peut sembler paradoxal, j'aimais mon mari et mes enfants. Je ne lui ai jamais avoué ce que je ressentais pour lui, et à mon avis, il n'en était pas conscient. Je n'étais sans doute à ses yeux qu'une collègue serviable, prête à l'aider en dehors des heures de bureau… J'espérais qu'un jour il me verrait autrement, mais ce n'est jamais arrivé. Sa disparition m'a brisé le cœur, et pendant longtemps, j'ai eu le sentiment que mon univers s'était écroulé. C'était probablement l'homme le plus merveilleux que j'aie jamais rencontré.

Violet Johnson est arrivée à ce stade de la conversation, et elle a accepté mon invitation à rester encore quelques minutes avec nous. Titulaire d'une maîtrise d'anthropologie, elle travaillait comme agent immobilier, et elle m'a expliqué que le marché commençait tout juste à se remettre de la crise de ces dernières années. Elle ressemblait tellement à sa mère que, quand je les regardais, j'avais l'impression de voir la même personne à des périodes différentes de sa vie. Je les ai ensuite raccompagnées jusqu'au parking, où

Violet avait garé sa voiture, et au moment de nous séparer, Susanne Johnson m'a serré dans ses bras en me souhaitant bonne chance.

J'ai appelé Allman & Limpkin dès le lendemain matin.

La standardiste m'a transféré sur le poste de l'éditrice en charge des ouvrages de psychologie, une dame charmante qui m'a écouté attentivement avant de me donner le numéro du service des archives. Compte tenu de la notoriété du professeur Wieder à l'époque, m'a-t-elle dit, il était possible que sa proposition de manuscrit y ait été conservée.

Je n'ai cependant pas eu de chance de ce côté-là : l'employé que j'ai eu en ligne a raccroché après avoir déclaré qu'il n'avait pas le droit de parler aux journalistes sans l'accord préalable de sa direction.

Dans la foulée, j'ai rappelé l'éditrice, lui ai relaté l'incident et présenté de nouveau la liste des questions auxquelles j'essayais de trouver des réponses : l'ouvrage de Wieder avait-il vraiment existé ? Le professeur avait-il envoyé le manuscrit complet, auquel cas pourquoi n'avait-il pas été publié ? J'ai déployé des trésors de charme, et la tactique a paru fonctionner : mon interlocutrice a promis de faire tout son possible pour m'aider.

J'ai patiemment attendu de ses nouvelles. Deux jours plus tard, j'ai reçu un mail d'elle m'informant de ce qu'elle avait appris.

En juillet 1987, Joseph Wieder avait envoyé à son éditeur une proposition de manuscrit, assortie du premier chapitre. Il avait mentionné dans sa lettre que l'ouvrage était achevé et prêt à être expédié. L'éditeur lui avait adressé un contrat un mois plus tard, en août, stipulant entre autres que tous deux commenceraient à réviser le texte en novembre. À cette date, le professeur avait demandé quelques semaines de délai supplémentaires, parce qu'il voulait revoir certains passages pendant les vacances. Cette requête lui avait été accordée, mais ensuite Wieder avait été assassiné et l'éditeur n'avait jamais disposé du texte dans son intégralité.

Ma correspondante avait joint à son message une copie de la proposition, sous forme de scan du document original dactylographié. Celui-ci faisait près de cinquante pages, que j'ai imprimées. Je les ai ensuite feuilletées rapidement, avant de les réunir par un trombone et de les poser sur mon bureau.

Ce soir-là, j'ai récapitulé par écrit tout ce que j'avais découvert, puis j'ai tenté d'évaluer mes chances de parvenir à une conclusion.

La seule à laquelle j'ai abouti une demi-heure plus tard, en contemplant mes notes, c'est que j'étais perdu dans une sorte de dédale sans fin. Je m'étais lancé sur la piste du manuscrit de Richard Flynn, et non seulement je ne l'avais pas trouvé, mais j'étais maintenant enseveli sous une montagne de détails à propos de personnes et de faits qui refusaient de s'assembler pour former une image cohérente. J'avais l'impression de progresser à l'aveuglette dans un grenier encombré de rebuts amassés par des inconnus, qui n'avaient aucune signification pour moi.

D'autant que, parmi toutes ces informations, beaucoup étaient contradictoires, comme si les protagonistes et les événements de l'époque se liguaient pour m'empêcher de découvrir la vérité. Je me suis aussi rendu compte qu'au début de mon enquête le personnage central était Richard Flynn, mais qu'il avait peu à peu été relégué au second plan par la figure patriarcale de Joseph Wieder. Une fois de plus, celui-ci tenait la vedette, cantonnant le malheureux Flynn à un rôle de simple figurant.

J'ai essayé sans succès d'établir un lien entre le personnage de Laura Baines dans le manuscrit de Flynn et la femme que j'avais rencontrée au centre médical de l'université de Columbia : les deux images, l'une réelle et l'autre imaginaire, refusaient de se superposer.

De même, j'ai tenté en vain de comparer Richard Flynn tel qu'il apparaissait dans son récit – un jeune étudiant à Princeton, plein de fougue, qui rêvait de devenir écrivain et avait déjà publié quelques nouvelles – avec le misanthrope désenchanté qui avait mené une existence terne en compagnie de Danna Olsen dans un modeste appartement. J'aurais voulu comprendre pourquoi cet homme, déjà mourant, avait consacré les derniers mois de sa vie à rédiger un manuscrit qu'il avait fini par emporter dans la tombe.

Je me suis représenté Joseph Wieder, qualifié de génie par certains, d'imposteur par d'autres, enfermé avec ses fantômes dans cette immense maison glaciale, peut-être rongé par une culpabilité dont j'ignorais la cause. Il avait laissé derrière lui le mystère d'un manuscrit disparu et, par une sorte d'ironie dont le destin avait le secret, c'était exactement ce qui était arrivé à Richard Flynn près de trois décennies plus tard. Alors que je n'avais toujours pas mis la main sur le premier livre, mes recherches m'avaient mené sur les traces d'un second ouvrage introuvable.

Et plus je m'évertuais à donner de la consistance aux personnages que mon enquête avait fait resurgir, plus ils m'apparaissaient comme des ombres sans substance s'agitant dans une histoire dont la chronologie et le sens s'obstinaient à m'échapper. J'avais devant moi les pièces d'un puzzle impossible à reconstituer.

Paradoxalement, plus je plongeais dans le passé, plus le présent prenait de l'importance à mes yeux. J'avais l'impression de descendre dans un puits et de voir le cercle de lumière diminuer au-dessus de ma tête – ce cercle devenu un élément vital me rappelant sans cesse que je devrais remonter à la surface, où existait le monde auquel j'appartenais. Là était ma place.

Je téléphonais à Sam presque tous les jours. Elle allait mieux, et de mon côté, je me rendais compte qu'elle me manquait à un point que je n'aurais jamais cru possible avant le début de mes investigations et de sa maladie. Plus les différents aspects de l'histoire sur laquelle je travaillais se révélaient trompeurs, plus notre relation me paraissait réelle, et investie d'une force qu'elle n'avait pas eue jusque-là, ou que je n'avais pas voulu lui donner.

D'où le choc que j'ai reçu peu après.

J'allais partir de chez moi pour rejoindre Roy Freeman, un des policiers désormais à la retraite qui avait travaillé sur l'affaire Wieder, quand mon téléphone a sonné. C'était Sam et, sans préambule, elle m'a annoncé qu'elle voulait rompre – même si, a-t-elle souligné, le terme « rompre » n'était pas vraiment adéquat, puisqu'elle n'avait jamais considéré notre relation comme « sérieuse », mais plutôt comme une parenthèse agréable, sans engagement de part et d'autre.

Elle a ajouté qu'elle voulait se marier et avoir des enfants, et qu'un de ses collègues la draguait depuis longtemps. Il lui semblait mieux correspondre à ce qu'elle attendait d'un compagnon de vie.

Elle s'exprimait comme un directeur de casting informant un candidat malheureux qu'un autre acteur a décroché le rôle.

Je me suis demandé si elle m'avait déjà trompé avec ce type, avant de juger la question superflue : Sam n'était pas du genre à prendre une décision avant d'avoir pesé le pour et le contre de toutes les options s'offrant à elle.

Alors, tout en l'écoutant m'expliquer qu'elle avait mis sa maladie à profit pour réfléchir à ce qu'elle voulait réellement, j'ai compris que sa liaison durait sans doute depuis un bon moment.

— Mais c'est toi qui ne voulais pas d'attaches ! ai-je protesté. J'ai respecté ta volonté, même si de mon côté j'avais envie d'autre chose.

— Alors, pourquoi tu ne l'as pas dit plus tôt ? Qu'est-ce qui t'a arrêté ?

— J'avais prévu de t'en parler…

— Arrête, John, je te connais trop bien. Tu es comme tous les hommes : pour vous, une femme ne commence à compter qu'à l'instant où vous la perdez. Tu veux que je t'avoue un truc ? J'ai toujours eu peur que tu rencontres une fille plus jeune et que tu me plaques pour elle. Qu'est-ce que ça m'a fait, à ton avis, que tu ne m'aies jamais invitée à rencontrer tes amis ou que tu ne m'aies jamais présentée à tes parents, comme si tu voulais garder notre relation secrète ? Je me suis dit que j'étais juste une vieille avec qui tu aimais prendre ton pied de temps en temps.

— Mes parents vivent en Floride, Sam ! Quant à mes amis, je ne pense pas qu'ils te plairaient beaucoup : quelques anciens collègues du *Post*, et deux ou trois copains de fac empâtés qui, au bout du deuxième verre, n'en ont plus que pour leurs aventures extra-conjugales…

— C'est sur le principe que ça me choque.

— Et moi, je te dis ce qu'il en est.

— Écoute, je n'ai aucune envie de jouer au petit jeu des reproches, d'accord ? Je trouve ça vraiment moche de ruminer ses rancœurs et de se balancer des horreurs à la figure.

— Je ne t'ai rien reproché, je te signale.

— D'accord, je suis désolée. Je voulais seulement…

Je l'ai entendue tousser.

— Sam ? Ça va ?

— Je devrais être débarrassée de cette toux dans deux ou trois semaines. Bon, je te laisse. On pourra toujours se donner des nouvelles plus tard. Prends soin de toi.

J'aurais voulu lui demander si elle ne préférait pas qu'on se retrouve quelque part, pour se parler en face, mais je n'en ai pas eu l'occasion : elle avait déjà coupé la communication. Après avoir regardé le téléphone comme si je ne savais pas comment il était arrivé dans ma main, j'ai raccroché à mon tour.

En partant rejoindre Roy Freeman, j'ai soudain pris conscience que je voulais mettre un terme le plus vite possible à mes investigations.

Si je ne m'étais pas autant impliqué dans cette affaire et si je n'avais pas essayé de jouer les détectives, me semblait-il, j'aurais peut-être été à même de déceler les signes annonciateurs d'une crise dans ma relation avec Sam. Sans que je puisse l'expliquer, sa décision de rompre m'apparaissait comme la goutte d'eau qui faisait déborder le vase.

Je n'étais pas superstitieux, pourtant je ne pouvais m'empêcher de penser que l'histoire de Richard Flynn portait malheur. Il ne me restait plus qu'à appeler Peter pour lui dire que je renonçais. De toute façon, il était maintenant clair pour moi que je ne saurais jamais ce qui s'était passé cette nuit-là entre le professeur Joseph Wieder, Laura Baines et Richard Flynn.

7

Roy Freeman habitait dans le comté de Bergen, de l'autre côté du pont, mais comme il m'avait dit qu'il devait se rendre en ville, j'avais réservé une table dans un restaurant de la 36e Rue Ouest.

Grand et maigre, il m'a tout de suite fait penser à un acteur ayant toujours décroché des rôles secondaires, dans la catégorie du flic vieillissant qui soutient discrètement le héros dans sa lutte contre les méchants et inspire la confiance sans qu'on sache trop pourquoi, vu qu'il n'a qu'une ou deux répliques à dire.

Ses cheveux étaient presque blancs, de même que sa barbe soigneusement entretenue. Après les présentations, il m'a raconté qu'il avait été marié à une dénommée Diana pendant près de vingt ans et qu'ils avaient eu un fils, Tony, qu'il ne voyait pas beaucoup. Celui-ci était parti vivre à Seattle avec sa mère après le divorce, à la fin des années 1980, et présentait aujourd'hui les informations dans une radio locale.

Freeman a spontanément ajouté qu'il s'estimait responsable à cent pour cent de l'échec de son couple. De son propre aveu, il s'était laissé accaparer par son travail et avait sombré dans l'alcool. C'était l'un des premiers, dans le New Jersey, à avoir intégré directement la police à la sortie de l'université, en 1969, ce qui lui avait valu pas mal d'inimitiés dans le service, d'autant qu'il était afro-américain. Ceux qui prétendaient que le racisme n'existait plus dans la police au milieu des années 1970 étaient tous des menteurs, a-t-il souligné. Même si le cinéma montrait déjà des acteurs noirs dans le rôle de juges, d'avocats, de professeurs d'université et de chefs de la police, la réalité était bien différente. Mais la paie était bonne – un simple agent gagnait près de vingt mille dollars par an à l'époque –, sans compter qu'il avait toujours rêvé de devenir flic.

Au début des années 1980, le poste de West Windsor, dans le comté de Mercer, rassemblait une quinzaine de policiers, dont la plupart avait la quarantaine. Il n'y avait qu'une seule femme parmi eux, recrutée depuis peu, et tous étaient blancs, à l'exception de José Mendez, un Hispanique. C'était une période rude pour le New Jersey et pour New York, touchés par le fléau du crack. Si la ville de Princeton avait été relativement épargnée, Roy et ses collègues n'avaient cependant pas le temps de s'ennuyer. Il avait travaillé là-bas pendant dix ans avant d'être transféré à West Windsor en 1979, dans un poste créé deux ans plus tôt.

Il était content de me parler, ajouta-t-il, car il menait une existence assez solitaire depuis sa retraite.

— Pourquoi vous intéressez-vous à cette affaire ? m'a-t-il demandé.

Sans attendre ma réponse, il a suggéré de nous appeler par nos prénoms. J'avais beau me sentir un peu intimidé, sans raison particulière, j'ai accepté et décidé de jouer franc jeu avec lui. J'étais las d'inventer des histoires à propos de biographies imaginaires et d'affaires de meurtres irrésolues. Il me semblait en outre que mon interlocuteur, qui avait bien voulu me rencontrer et me confier certains épisodes douloureux de sa vie, méritait la plus grande sincérité de ma part.

Je lui ai donc révélé que Richard Flynn avait écrit un livre sur le sujet, dont il avait envoyé un extrait à un agent littéraire, et que la suite du manuscrit restait introuvable. Ledit agent m'avait engagé pour faire des recherches, ou « enquêter » moi aussi, sur le mystère de West Windsor. Mais, malgré tous les entretiens que j'avais pu avoir, je n'avais rien obtenu de concret jusque-là et je n'y voyais pas plus clair qu'au début.

À cet instant, il m'a montré la grande enveloppe brune qu'il avait apportée.

— Je suis passé au poste, où j'ai fait quelques photocopies, m'a-t-il expliqué. Nos dossiers n'ont été informatisés qu'à partir du début des années 1990, si bien que j'ai dû fouiller dans les archives. Ce ne sont pas des informations confidentielles, de toute façon, et j'ai pu y accéder sans problème. Emportez-les, vous les lirez tranquillement chez vous.

Je l'ai remercié avant de glisser l'enveloppe dans mon sac.

Il m'a ensuite fait un bref récapitulatif des événements qu'il avait gardés en tête : son arrivée chez Wieder en même temps que la Scientifique, le battage médiatique dans la presse, l'absence d'indices susceptibles de leur fournir une hypothèse de travail…

— Il y avait beaucoup d'éléments dans cette affaire qui ne collaient pas, m'a-t-il dit. Le professeur menait une existence tranquille, il ne se droguait pas, ne fréquentait pas les prostituées et ne traînait pas dans les endroits louches. Il ne s'était querellé avec personne à cette période, habitait dans un quartier résidentiel, et ses voisins étaient tous des gens convenables, des universitaires et des cadres supérieurs qui se connaissaient depuis des années. Et puis, subitement, il est sauvagement agressé chez lui ? La maison était remplie d'objets de valeur, pourtant rien ne manquait ; le meurtrier n'avait pris ni l'argent ni les bijoux. Je me rappelle néanmoins que les lieux avaient été fouillés : il y avait des tiroirs ouverts et des papiers disséminés par terre. Mais les seules empreintes qu'on a relevées étaient celles de personnes identifiées : un étudiant qui s'occupait de la bibliothèque du professeur et un gardien chargé des travaux d'entretien.

— À propos de ces papiers par terre… l'ai-je interrompu. Certains ont-ils été considérés comme des pièces à conviction ?

— Je ne me rappelle plus trop… Ça figure sûrement dans ces photocopies. Je me souviens en revanche qu'on a découvert un petit coffre-fort dans une pièce. Tout le monde ignorait la combinaison, alors il a fallu faire venir un serrurier. Quand on l'a ouvert, on n'a trouvé à l'intérieur que de l'argent, des actes notariés et des photos – rien qui puisse nous aider dans notre enquête.

— Le professeur venait de terminer un manuscrit qui semble s'être volatilisé.

— C'est sa sœur qui a récupéré ses effets personnels, John. Elle est arrivée d'Europe deux jours après le meurtre. Je la revois comme si c'était hier ! Elle se prenait pour une star de cinéma ou peut-être une diva, quelque chose dans ce goût-là… Elle portait un manteau de fourrure et des tas de bijoux, et parlait avec un accent étranger. Croyez-moi, elle ne passait pas inaperçue ! On lui a bien posé des questions, mais elle nous a juste dit qu'elle et son frère n'étaient pas très proches et qu'elle ne savait rien de sa vie.

— Elle s'appelle Inge Rossi. Elle vit en Italie depuis longtemps.

— Eh bien, c'est sûrement elle qui a emporté ce manuscrit, à moins que ce ne soit quelqu'un d'autre… De toute façon, on a vidé la maison deux ou trois jours après. La sœur de la victime ne nous a pas signalé d'objets manquants ; cela dit, elle ne devait avoir qu'une vague idée de ce que son frère possédait : elle m'a raconté qu'ils ne s'étaient pas vus depuis plus de vingt ans. Je me rappelle surtout qu'elle avait hâte d'en finir et qu'elle est repartie sitôt après l'enterrement.

— J'ai appris qu'un jeune voyou, Martin Luther Kennet, avait été soupçonné. Il a été condamné plus tard pour le meurtre d'un couple de retraités.

— Les Easton, oui, ça me revient… Une vraie boucherie. Kennet a écopé de la perpétuité et il est toujours à Rikers Island. Mais il n'a pas été accusé d'avoir tué Wieder, me semble-t-il…

— Il a quand même été considéré comme le principal suspect pendant un bon moment, non ?

Freeman a haussé les épaules.

— Et ça n'a rien d'étonnant… Wieder était une célébrité, alors la presse s'est emparée de l'histoire, qui du coup a eu un retentissement national, et on nous a mis la pression pour résoudre l'affaire au plus vite. On a aussi collaboré avec le bureau du shérif, et le bureau du procureur du comté de Mercer nous a envoyé un inspecteur de la criminelle, un dénommé Ivan Francis. Il avait les dents qui rayaient le parquet, si vous voyez ce que je veux dire, et des appuis politiques haut placés. Nous, la police locale, on n'avait aucune influence, c'était Francis et le procureur qui tiraient toutes les ficelles.

» Pour moi, et je ne me suis pas privé de donner mon avis à l'époque, ce gamin, Kennet, n'était coupable ni du meurtre des Easton ni de celui du professeur. J'en suis convaincu, John. Vous avez raison, le procureur a tenté de lui faire porter le chapeau dans l'affaire Wieder, si bien qu'on n'a pas cherché d'autres pistes. C'était complètement idiot, on en était tous bien conscients. D'accord, Kennet n'était pas une lumière, mais il n'était pas non plus bête au point d'essayer de refourguer les bijoux des victimes à un receleur installé à quelques kilomètres seulement de leur domicile ! Pourquoi ne pas aller à New York, plutôt, ou à Philadelphie ? C'était un dealer à la petite semaine, exact. En attendant, il avait un alibi pour la nuit du meurtre du professeur, donc la possibilité de son implication n'aurait même pas dû être prise en compte.

— Ah oui, j'ai lu ça dans les journaux. N'empêche, êtes-vous sûr que…

— Certain. Il était resté toute la nuit dans une salle de jeux vidéo. Il n'y avait pas de caméras de sécurité à l'époque, mais deux ou trois témoins ont confirmé qu'il était là-bas au moment du meurtre. Là-dessus, Ivan Francis est allé leur parler et, comme par hasard, ils sont revenus sur leurs déclarations. De plus, l'avocat de Kennet était un imbécile qui ne voulait contrarier personne. Vous comprenez le problème ?

— J'en déduis que, du coup, la piste de Richard Flynn a été rapidement écartée ?

— Tout juste. Ce n'est d'ailleurs pas la seule qui a été « rapidement écartée », pour reprendre votre expression… Pourtant, Flynn était la dernière personne à avoir vu le professeur vivant. On l'a interrogé à plusieurs reprises, sans jamais pouvoir le prendre en défaut. S'il reconnaissait être allé chez Wieder ce soir-là, il affirmait néanmoins être parti deux ou trois heures avant l'heure du meurtre. Est-il passé aux aveux, dans ce manuscrit ?

— Comme je vous l'ai dit, il manque les trois quarts du texte, alors je n'ai aucun moyen de savoir ce que Flynn projetait de révéler. Ce que vous ignoriez à l'époque, parce que Richard Flynn et Derek Simmons, l'autre témoin, n'en ont pas parlé, c'était qu'une étudiante, Laura Baines, se trouvait peut-être aussi chez le professeur ce même soir. Simmons m'a raconté qu'une querelle avait éclaté entre Flynn, Wieder et elle.

Mon interlocuteur a souri.

— Ne sous-estimez jamais un flic, John ! Bien sûr qu'on était au courant pour cette fille qui apparemment s'envoyait en l'air avec le professeur… Mais on n'a rien pu prouver. C'est moi qui l'ai interrogée et, si mes souvenirs sont exacts, elle avait un alibi solide pour la soirée. Autrement dit, c'était encore une impasse.

— Ah bon ? Pourtant, ça va à l'encontre de ce que l'homme à tout faire a…

— Dans sa déposition, il… Comment s'appelait-il, déjà ?

— Simmons. Derek Simmons.

Freeman s'est brusquement interrompu et a laissé son regard se perdre dans le vide pendant quelques secondes. Puis il a sorti de sa poche un petit flacon de comprimés, l'a ouvert et a avalé une pilule verte avec une gorgée d'eau. Il paraissait embarrassé.

— Désolé, je… Enfin, peu importe. Oui, Derek Simmons, c'est ça. Je ne me souviens plus de ce qu'il a déclaré mais, de toute façon, son témoignage ne nous avançait pas : cet homme était frappé d'amnésie et je crois qu'il n'avait pas toute sa tête. Bref, on n'avait pas la preuve que le professeur et cette fille étaient amants, et elle disposait d'un alibi en béton.

— Qui l'a confirmé ? Vous vous rappelez ?

— C'est dans les documents que je vous ai donnés. Une autre étudiante, il me semble.

— Sarah Harper ?

— Peut-être. Son nom doit être cité dans les rapports.

— Laura Baines avait déjà un petit ami, un certain Timothy Sanders. Peut-être est-il devenu jaloux ? Est-ce qu'il a été interrogé lui aussi ?

— Je vous le répète, Laura Baines n'était pas suspecte, on n'avait par conséquent aucune raison d'interroger son petit ami. Pourquoi me demandez-vous ça ? Vous avez trouvé quelque chose sur lui ?

— Rien qui soit en rapport avec l'affaire. Il a été abattu à Washington il y a des années. La police a parlé d'un cambriolage qui aurait mal tourné.

— C'est malheureux.

Nous avions fini de manger et nous avons commandé chacun un café. Freeman avait l'air fatigué et absent, comme si notre conversation l'avait vidé de toute énergie.

— Comment se fait-il qu'aucune charge n'ait été retenue contre Flynn ? ai-je repris.

223

— Je n'ai plus tous les détails en tête, mais il me semble que Francis avait de bonnes raisons de ne pas vouloir le traduire en justice. Flynn était étudiant, il n'avait pas de casier et n'avait jamais causé d'ennuis à personne. Il ne se droguait pas, ne buvait que modérément et n'était pas violent. En d'autres termes, il n'avait pas le profil d'un meurtrier potentiel. Oh, et il a réussi le test du détecteur de mensonges, vous le saviez ? Non, les gars comme lui ne sortent pas soudain de chez eux pour aller commettre un meurtre, même après un choc émotionnel brutal. Certaines personnes sont incapables de tuer, même pour sauver leur vie. Il y a quelques années, j'ai lu quelque chose à propos d'une étude sur les soldats de la Seconde Guerre mondiale, qui préféraient tirer en l'air plutôt que sur les Allemands ou les Japonais. Sans compter que c'est sacrément difficile de massacrer quelqu'un à coups de batte de base-ball ! Rien à voir avec ce qu'on nous montre dans les films. Non, franchement, je ne pense pas que ce Flynn ait pu faire le coup.

— Et une femme, Roy ? Une femme aurait-elle eu la force nécessaire ?

Il a réfléchi quelques instants.

— De défoncer le crâne de Wieder, vous voulez dire ? Non, ça m'étonnerait. Les femmes tuent moins souvent que les hommes, et presque jamais de façon aussi violente. Elles ont plutôt recours au poison ou à des méthodes qui ne font pas couler le sang. Ou encore, dans certains cas, à une arme à feu. D'un autre côté, s'il existe des schémas récurrents en sciences médico-légales, il n'y a pas de certitudes absolues, et un policier ne devrait jamais exclure aucune hypothèse. Pour autant que je m'en souvienne, Wieder était fort, en bonne condition physique et encore assez jeune pour se défendre le cas échéant. D'accord, il avait bu. Le taux d'alcool dans le sang sert d'indicateur sur l'état d'une victime au moment de l'attaque, mais dans une certaine mesure seulement. À taux égal, deux hommes peuvent réagir différemment : l'un aura des réflexes normaux, tandis que l'autre sera réduit à l'impuissance.

— Derek Simmons a-t-il été considéré comme suspect ?

— Qui ? Ah oui, l'homme à tout faire, celui qui avait une case en moins…

— C'est ça. Dans le passé, il avait été accusé d'avoir assassiné sa femme et la justice l'avait déclaré pénalement irresponsable. Alors, pourquoi ne pas avoir creusé cette piste ?

— Oh, il s'est montré très coopératif. De plus, il avait un alibi. Il a été interrogé au début de l'enquête, comme tous ceux qui avaient un lien avec la victime, mais il avait l'air inoffensif et on n'avait rien contre lui. Alors on lui a fichu la paix.

Freeman était venu par le train, aussi ai-je proposé de le raccompagner en voiture chez lui, dans le New Jersey. En route, il m'a parlé de la vie des flics à l'époque de l'affaire. Il habitait une vieille maison d'un étage entourée de pins, située au bout d'une piste de terre battue, non loin de l'autoroute. Avant de me laisser repartir, il m'a demandé de le tenir informé de mes investigations, et j'ai promis de l'avertir si je découvrais quelque chose d'intéressant. Mais je savais déjà que j'allais tout laisser tomber.

Dans la soirée, j'ai néanmoins lu les documents qu'il m'avait remis. Ils ne m'ont rien appris de nouveau.

Richard Flynn avait effectivement été interrogé à trois reprises. Chaque fois, il avait fourni aux enquêteurs des réponses claires, sans la moindre ambiguïté. Et comme l'avait dit Freeman, il avait passé avec succès le test du détecteur de mensonges.

Le nom de Laura Baines n'apparaissait que dans un rapport général sur les relations et fréquentations de Joseph Wieder. Elle n'avait fait partie ni des suspects ni des témoins dans cette affaire, et n'avait été interrogée qu'une fois. À un certain stade de l'enquête, les policiers avaient envisagé qu'elle ait pu être présente sur les lieux ce soir-là, et qu'elle soit partie vers 21 heures, au moment où Flynn arrivait. Mais elle avait nié – une version appuyée par le témoignage de Flynn : il avait affirmé qu'elle n'était pas là quand le professeur et lui avaient bu un verre.

Plus tard, tout en cherchant d'autres informations sur Internet sans vraiment me concentrer sur ma tâche, j'ai repensé à Sam. Je revoyais son sourire, la couleur changeante de ses yeux, la petite marque de naissance sur son épaule gauche… Pourtant, j'avais le sentiment étrange que les images d'elle commençaient déjà à s'estomper, qu'elles avaient trouvé leur place dans la chambre secrète des chances gâchées – celle dont on finit par jeter la clé tant les souvenirs qu'elle renferme sont douloureux.

Je ne me suis endormi qu'au petit matin, alors que le silence régnait encore sur la ville, en imaginant que des millions de rêves et d'histoires entremêlaient leurs trames pour former une boule gigantesque qui s'élevait lentement vers le ciel, prête à éclater.

J'avais tenté à plusieurs reprises de joindre Sarah Harper au cours des deux semaines précédentes. Elle m'a finalement rappelé le lendemain de ma rencontre avec Freeman, au moment où j'allais téléphoner à Peter pour lui annoncer ma décision de tout arrêter. D'une voix agréable, elle m'a expliqué qu'elle voulait me voir le plus vite possible, parce qu'elle devait bientôt s'absenter. Elle se rappelait avoir parlé à Harry Miller quinze jours auparavant et souhaitait savoir ce que je voulais.

À vrai dire, je ne tenais plus à la rencontrer. J'avais déjà parlé à trop de personnes, qui m'avaient toutes tenu des propos contradictoires. En outre, j'étais encore trop ébranlé par ma rupture récente avec Sam pour pouvoir me concentrer sur une vieille histoire dont je m'étais désintéressé dans l'intervalle. Ces événements du passé étaient devenus pareils à des dessins sans perspective ou à des illustrations simplistes de livres d'enfants qui ne m'inspiraient plus rien. Je n'avais pas la moindre envie de me traîner jusqu'au Bronx pour interroger une junkie qui allait probablement me raconter des salades elle aussi, dans l'espoir de gagner de quoi s'acheter sa dose.

Or, c'est elle qui m'a proposé de venir, et j'ai accepté. Je lui ai donné l'adresse du pub au coin de la rue et elle m'a dit qu'elle y serait une heure plus tard. Je pourrais la reconnaître à son sac de voyage vert, a-t-elle ajouté.

Elle est arrivée avec dix minutes de retard, alors que j'avais déjà commandé un espresso. Je lui ai fait signe de me rejoindre et nous avons échangé une poignée de main.

Elle était complètement différente de ce que j'avais imaginé : petite et frêle, avec un corps d'adolescente et un teint très pâle, mis en valeur par ses cheveux blond vénitien. Elle portait une tenue simple – jean, T-shirt à manches longues marqué « La vie est belle » et un blouson délavé –, mais présentait une apparence soignée et dégageait la senteur subtile d'un parfum coûteux. Je lui ai proposé un verre, qu'elle a refusé : elle ne buvait plus depuis un an, après son dernier séjour en cure de désintoxication. Elle m'a assuré qu'elle avait également décroché de la drogue, puis m'a indiqué son sac, placé sur la chaise voisine.

— Comme je vous l'ai dit au téléphone, monsieur Keller, je vais m'absenter. C'est pour ça que j'ai insisté pour vous parler maintenant.

— Où allez-vous ?

— Dans le Maine, chez mon ami. On va habiter sur une île. Il a trouvé du travail dans une fondation qui s'occupe de la protection des réserves naturelles. Je rêvais depuis longtemps d'avoir un tel projet, mais avant de me lancer, je voulais d'abord être tout à fait sûre que j'allais bien, vous comprenez ? New York va me manquer, j'y ai passé presque toute ma vie. En même temps, c'est un nouveau départ, non ?

Sarah Harper semblait à l'aise en ma présence, alors que nous venions à peine de faire connaissance. Assistait-elle toujours aux réunions de groupes comme celles des Alcooliques Anonymes ? Si son visage était presque dénué de rides, de profonds cernes se dessinaient sous ses yeux turquoise.

— Merci de vous être déplacée, en tout cas, ai-je dit, avant de lui raconter dans les grandes lignes l'histoire du manuscrit et mes recherches sur les événements survenus en 1987. Avant toute chose, j'aimerais vous avertir que l'agence pour laquelle je travaille ne m'a pas accordé un gros budget, si bien que...

Elle m'a interrompu d'un geste.

— J'ignore ce que vous a raconté M. Miller, mais je ne suis pas venue pour l'argent. J'ai réussi à faire quelques économies ces derniers temps et je n'aurai sans doute pas de gros besoins là où je vais. En fait, si j'ai insisté pour vous voir, c'est pour une autre raison, en rapport avec Laura Baines, ou Westlake, comme elle se fait appeler aujourd'hui. J'ai pensé que vous deviez savoir certaines choses à son sujet.

— Je prendrais bien un autre café. Vous en voulez un ?

— Oui, volontiers. Un cappuccino décaféiné, s'il vous plaît.

Je suis allé au comptoir où j'ai commandé, puis je suis retourné à notre table. En ce vendredi après-midi, le pub commençait à s'animer.

— Vous me parliez de Laura Baines... ai-je repris.

— Vous la connaissez bien ?

— Non. Nous nous sommes vus une demi-heure et je l'ai eue deux fois au téléphone. C'est tout.

— Quelle impression vous a-t-elle faite ?

— Pas très bonne, à vrai dire. J'ai eu le sentiment qu'elle mentait quand je l'ai interrogée sur ce qui s'était passé à l'époque. Ce n'est qu'une intuition, ça vaut ce que ça vaut, mais je crois qu'elle cache quelque chose.

— Laura et moi, on était copines et on a partagé un appartement jusqu'à ce qu'elle s'installe avec son petit ami. Pour une fille originaire du Midwest, elle était rudement libérée et cultivée, croyez-moi ! Elle possédait aussi un charme fou, qui la rendait attirante aux yeux des garçons comme des filles. Elle était attachante, se faisait inviter à toutes les fêtes et n'avait pas son pareil pour attirer l'attention des profs. Une vraie star, quoi.

— Quel genre de relation entretenait-elle avec le professeur Wieder ? Vous êtes au courant ? Certaines personnes m'ont dit qu'ils avaient eu une liaison, et c'est ce que semble suggérer Richard Flynn dans son manuscrit. Mais elle prétend qu'il n'y a jamais rien eu entre eux.

Sarah Harper a réfléchi quelques secondes en se mordillant la lèvre inférieure.

— Je ne sais pas trop comment formuler ça… Je ne pense pas qu'il y ait eu quelque chose de physique entre eux, même s'ils comptaient beaucoup l'un pour l'autre. Le professeur Wieder ne semblait pas rechercher spécialement la compagnie des filles plus jeunes, c'est juste qu'il dégageait une espèce d'énergie incroyable… On l'admirait tous. Ses cours étaient formidables. Il possédait un grand sens de l'humour et nous donnait toujours le sentiment de vouloir nous apprendre quelque chose, plutôt que de se contenter de faire le boulot pour lequel il était payé. Tenez, je vais vous citer un exemple : une fois, à l'occasion d'un feu d'artifice à l'automne, on s'était réunis avec deux de nos profs devant le musée d'art pour attendre la tombée de la nuit et le début du spectacle. En moins d'une demi-heure, tous les étudiants s'étaient rassemblés autour de Wieder, qui n'avait pourtant même pas ouvert la bouche.

— Quelques-uns, parmi ses anciens collègues, affirment que c'était un séducteur et qu'il buvait trop.

— Ça m'étonne... En tout cas, Laura ne m'en a jamais parlé. À mon avis, ce ne sont que des ragots. De plus, elle avait un copain à l'époque...

— Timothy Sanders ?

— Oui, il me semble que c'était ce nom-là. Je n'ai jamais eu la mémoire des noms, désolée... Quoi qu'il en soit, Laura paraissait beaucoup tenir à lui – si elle a jamais tenu à quelqu'un ! Avec moi, cependant, elle avait commencé à se montrer sous un jour différent, qui a fini par m'effrayer.

— Comment ça ? ai-je demandé, intrigué.

— Eh bien, elle était extrêmement... volontaire. Ou plutôt, farouchement déterminée, en plus d'être calculatrice. Nous – les étudiants, je veux dire –, on ne prenait pas la vie au sérieux. Pour moi, un flirt était plus important que ma future carrière. Je passais mon temps à m'amuser, à acheter des conneries ou à aller au cinéma... Je restais des nuits entières à parler de tout et de rien avec des copines.

» Laura, elle, était à part. Un jour, elle m'a dit qu'elle avait abandonné l'athlétisme à dix-huit ans, quand elle s'était rendu compte que les prix remportés jusque-là ne suffiraient pas à lui garantir une place dans l'équipe pour les Jeux olympiques de Los Angeles. D'autant que, quatre ans plus tard, elle aurait été trop vieille pour avoir une chance d'être sélectionnée. Je lui ai demandé quel était le rapport avec le sport, et elle a paru tomber des nues. Vous savez ce qu'elle m'a répondu ? "Quel intérêt de se donner à fond si on n'a pas l'occasion de prouver qu'on est le meilleur ?" Vous voyez ? Pour elle, l'athlétisme n'était qu'un moyen de parvenir à une fin, la reconnaissance publique. C'est ce qu'elle voulait par-dessus tout, ou peut-être la seule chose qu'elle voulait vraiment : être reconnue comme la meilleure. Si j'ai bien compris une chose à son sujet, c'est qu'elle avait un esprit de compétition surdéveloppé depuis toute petite. Avec le temps, c'est devenu une obsession. Quoi qu'elle fasse, il fallait toujours qu'elle brille ; quoi qu'elle veuille, il fallait toujours qu'elle l'obtienne le plus vite possible.

» Le pire, c'est qu'elle n'en était même pas consciente ! Elle s'imaginait ouverte, généreuse, prête à se sacrifier pour les autres… Mais en réalité, quiconque se dressait sur son chemin était un obstacle à éliminer.

» À mon avis, c'est pour ça que sa relation avec Wieder comptait autant pour elle. Elle était flattée d'avoir été remarquée par le prof le plus charismatique de la fac, un génie admiré de tous. L'intérêt qu'il lui portait la valorisait : elle était la seule élue parmi toutes ces filles qui le vénéraient. Timothy, lui, n'était qu'un gamin qui la suivait partout comme un chiot et avec qui elle couchait de temps en temps.

Sarah Harper s'est interrompue. Elle semblait épuisée par l'effort qu'elle venait de fournir pour parler. Deux taches rouges coloraient désormais ses joues et elle n'arrêtait pas de s'éclaircir la gorge. Constatant que sa tasse était vide, je lui ai proposé un autre café, mais elle a décliné l'offre.

— Je crois aussi que c'est ce qui l'a poussée à se rapprocher de moi, a-t-elle repris. J'avais beau être une citadine, j'étais naïve et elle me subjuguait complètement. Du coup, elle n'avait pas de raison de complexer parce qu'elle venait d'un trou perdu. Elle m'a prise sous son aile, d'une certaine façon : j'étais pareille à Sancho Panza sur son âne, alors qu'elle poursuivait son ascension vers la gloire. En attendant, elle ne tolérait pas la moindre manifestation d'indépendance de ma part. Un jour, j'ai acheté des chaussures sans lui demander conseil. Elle en a fait toute une histoire, en me disant qu'elles étaient moches et que je n'avais aucun goût. J'ai fini par les donner.

— Si je vous suis bien, c'était une garce, froide et calculatrice. Mais comme beaucoup de gens, non ? Vous croyez possible qu'elle soit impliquée dans la mort de Wieder ? Quel mobile aurait-elle pu avoir ?

— Le livre de Wieder, m'a-t-elle répondu aussitôt. Ce foutu bouquin qu'il venait d'écrire.

Elle m'a raconté que le professeur avait sollicité l'aide de Laura Baines, dont les connaissances en maths lui avaient permis de créer des modèles afin d'évaluer les changements comportementaux causés par des événements traumatisants.

Sarah Harper était néanmoins d'avis que son amie avait surestimé sa propre contribution au projet de Wieder. Laura semblait convaincue que, sans elle, il n'aurait jamais pu le mener à bien. Alors elle lui avait demandé de la citer comme coauteur de l'ouvrage, et lui, ainsi qu'elle l'avait annoncé fièrement à Sarah, avait accepté. À l'époque, Timothy Sanders était parti en Europe poursuivre ses recherches dans une université, et elle avait emménagé dans la maison où vivait Richard Flynn, un doux rêveur qui, à l'en croire, était fou amoureux d'elle – une situation amusante à ses yeux.

Mais un jour, lors d'une visite chez le professeur, Laura était tombée sur la copie d'une note d'intention qu'il avait envoyée à un éditeur. Ne voyant son nom mentionné nulle part, elle avait compris que Wieder lui avait menti et n'avait pas la moindre intention de créditer son travail.

C'est alors qu'elle avait commencé à lui révéler la face sombre de sa personnalité, m'a confié Sarah. Laura n'avait pas eu de crises d'hystérie, elle n'avait ni hurlé ni tempêté, ce qui aurait peut-être été préférable. Au lieu de quoi, elle avait demandé un soir à Sarah de l'accueillir pour la nuit et elle était restée des heures le regard perdu dans le vague, à ruminer en silence. Puis elle avait entrepris d'échafauder un plan de bataille, comme un général déterminé à anéantir l'ennemi.

Elle savait que des désaccords avaient surgi entre le professeur et les mystérieux commanditaires d'un projet secret, alors elle avait décidé de semer la confusion dans son esprit, de lui faire croire qu'il était suivi et que sa maison avait été fouillée pendant son absence. En réalité, c'était elle qui se livrait à un petit jeu sadique, déplaçant des objets chez lui et laissant des signes discrets d'intrusion.

Parallèlement, elle avait feint d'être amoureuse de Richard Flynn, qu'elle avait présenté au professeur en espérant le rendre jaloux. Entre-temps, elle essayait de le convaincre de retarder la remise de son manuscrit et de revenir à leur accord initial.

— Wieder devait penser que les exigences de Laura étaient démesurées, a poursuivi Sarah Harper.

Elle n'avait même pas encore terminé sa maîtrise et elle aurait été associée à la publication d'un ouvrage scientifique majeur, tandis que lui se serait exposé aux critiques et aurait peut-être mis sa carrière en danger...

Je me suis alors souvenu de ce que Flynn avait raconté dans son manuscrit à propos de sa première rencontre avec le professeur. Si Sarah Harper disait vrai, il n'avait réellement été qu'un pion, une marionnette dont Laura Baines tirait les fils.

— Le soir du meurtre, Laura a débarqué chez moi, m'a révélé Sarah. Il devait être 3 heures du matin. Je m'étais couchée tôt, parce que le lendemain je devais rentrer chez mes parents pour les vacances, et une copine avait proposé de m'emmener en voiture.

» Elle semblait affolée et m'a expliqué qu'elle s'était querellée avec Richard Flynn. Apparemment, il avait pris leur flirt très au sérieux et se montrait beaucoup trop possessif. Alors elle avait rassemblé toutes ses affaires, qu'elle avait chargées dans le coffre de sa voiture. Quoi qu'il en soit, Timothy était rentré deux jours plus tôt et ils comptaient se réinstaller ensemble.

— Richard Flynn a écrit que, ce week-end-là, elle devait passer la journée et la nuit chez vous.

— Je vous le répète, elle est arrivée vers 3 heures du matin. Je n'ai aucune idée de ce qu'elle avait fait avant. Mais elle m'a suppliée de dire qu'on ne s'était pas quittées de la soirée, au cas où on me poserait des questions. J'ai accepté, pensant qu'elle parlait de Flynn...

— Où habitiez-vous, Sarah ?

— À Rocky Hill, à environ huit kilomètres du campus.

— Combien de temps aurait-il fallu à Laura pour venir de la maison qu'elle partageait avec Flynn ?

— Pas longtemps, malgré la neige. Ils vivaient dans Bayard Lane. Je dirais, une vingtaine de minutes.

— Et il lui avait fallu à peu près une demi-heure pour aller de chez le professeur, à West Windsor, à la maison de Bayard Lane, plus encore une heure pour rassembler ses affaires. Ce qui nous fait en gros deux heures. Si mes informations sont correctes, elle est retournée chez Wieder ce soir-là, vers 1 heure du matin, donc *après* l'agression de Wieder, et non vers 21 heures, comme l'a déclaré Flynn à la police...

— J'ai tout de suite senti que quelque chose clochait et que Laura mentait, m'a confirmé Sarah. D'habitude, elle était toujours très sûre d'elle, mais cette nuit-là, elle avait peur. Je venais de me réveiller et j'avais hâte de retourner me coucher, si bien que je ne l'ai pas vraiment écoutée. On n'était déjà plus très proches à ce moment-là et, pour être honnête, je ne voulais plus de son amitié. Je lui ai préparé un lit sur le canapé et je lui ai dit que je partirais de bonne heure. Quand je me suis réveillée, à 7 heures, elle n'était plus là. Elle m'avait laissé un message disant qu'elle allait rejoindre Timothy.

» J'ai quitté mon appartement vers 8 heures et entendu la nouvelle à la radio, dans la voiture de mon amie. Je lui ai dit de quitter l'autoroute – on était sur le Jersey Turnpike –, et je n'ai eu que le temps de sortir pour vomir. Je me suis immédiatement demandé si Laura avait quelque chose à voir avec la mort du professeur. Mon amie voulait m'emmener à l'hôpital, alors j'ai essayé de me calmer. Une fois arrivée chez mes parents, j'ai passé les vacances au lit. La police m'a appelée entre Noël et le nouvel an, et j'ai dû rentrer dans le New Jersey pour témoigner. J'ai affirmé que Laura Baines était avec moi du samedi au déjeuner jusqu'au lendemain matin. Pourquoi est-ce que j'ai menti, sachant qu'elle était peut-être impliquée dans un crime ? Je l'ignore. Elle devait encore avoir du pouvoir sur moi et je ne me sentais pas capable de la défier…

— Lui avez-vous reparlé, par la suite ?

— Après mon interrogatoire, on a pris un café toutes les deux. Elle n'arrêtait pas de me remercier et de me répéter qu'elle n'était pour rien dans ce qui était arrivé au professeur ; si elle m'avait demandé de lui servir d'alibi, c'était pour éviter d'être harcelée par les flics et les journalistes. Elle a aussi ajouté que Wieder avait enfin accepté de la mentionner comme coauteur, ce qui m'a paru un peu étrange : pourquoi aurait-il brusquement changé d'avis, juste avant d'être assassiné ?

— Vous ne l'avez pas crue, donc…

— Non. Pourtant, je n'ai pas cherché à en savoir plus ; je me sentais vidée et je n'avais qu'une envie : rentrer chez moi et oublier toute cette histoire. Là-dessus, j'ai décidé de prendre une année sabbatique et je n'ai recommencé les cours qu'en septembre 1988. À ce moment-là, Laura avait quitté Princeton. Elle m'a téléphoné plusieurs fois durant cette période, mais je n'ai pas voulu lui parler. J'ai menti à mes parents en disant que j'avais eu une rupture difficile et j'ai entrepris une thérapie. À la rentrée suivante, quand je suis retournée à la fac, la mort de Wieder était déjà de l'histoire ancienne ; parmi les étudiants, presque plus personne n'y faisait allusion. Par la suite, on ne m'a plus posé de questions au sujet de cette affaire.

— Avez-vous eu des nouvelles de Laura, depuis ?

— Non. Mais l'année dernière, par hasard, j'ai trouvé ceci.

Elle a ouvert son sac et en a sorti un ouvrage qu'elle a poussé sur la table dans ma direction. Il était écrit par une certaine Laura Westlake, titulaire d'un doctorat en psychologie. Une photo de l'auteur, en noir et blanc, figurait sur la jaquette, au-dessus d'une brève biographie. Elle n'avait pas beaucoup changé en deux décennies, ai-je constaté : mêmes traits quelconques, auxquels une expression déterminée conférait néanmoins une maturité précoce.

— Je suis tombée sur ce bouquin dans la bibliothèque du centre de désintoxication où je faisais un séjour, a précisé Sarah Harper. Il a été publié en 1992. J'ai reconnu la photo sur la couverture et compris que Laura avait changé de nom. C'était son premier livre. J'ai découvert qu'il avait été salué unanimement par la critique et lui avait servi de tremplin pour sa carrière. Je suis certaine que c'était le manuscrit du professeur Wieder.

— Je me suis demandé pourquoi il n'avait jamais été publié, lui ai-je révélé. Il semblait avoir disparu après le meurtre.

— J'ignore s'il a joué un rôle dans la mort du professeur, mais je soupçonne Laura de l'avoir volé. Je me suis dit qu'elle avait peut-être manipulé Flynn pour le pousser à tuer Wieder et pouvoir ainsi mettre la main sur le texte. Alors j'ai fait quelque chose...

Elle s'est essuyé la bouche avec une serviette prise dans le distributeur sur la table, laissant une trace de rouge à lèvres sur le papier, puis s'est éclairci la gorge.

— J'ai cherché l'adresse de Richard Flynn. Ce n'était pas facile, parce qu'il y a beaucoup de Flynn à New York, mais je savais qu'il avait obtenu sa licence à Princeton en 1988 et je suis partie de là pour remonter jusqu'à lui. Après, je lui ai envoyé un exemplaire du bouquin de Laura, sans aucune explication.

— À mon avis, il ignorait qu'elle avait volé le texte de Wieder, ai-je déclaré. Il devait toujours penser que leur histoire était celle d'un triangle amoureux dont personne n'était sorti indemne.

— Sûrement, oui. Là-dessus, j'ai appris la mort de Flynn. Je ne saurai jamais si c'est l'envoi de ce livre qui l'a incité à écrire... Peut-être a-t-il cherché à se venger de Laura ?

— Qui n'a jamais été inquiétée, grâce à son témoignage et au vôtre !

J'avais bien conscience de me montrer brutal, même si c'était la vérité.

— Elle n'a jamais hésité à exploiter les sentiments de ceux qui lui étaient attachés, a-t-elle répliqué. Écoutez, monsieur Keller, vous pouvez faire ce que vous voulez des informations que je vous ai données, mais je ne suis pas prête à témoigner officiellement.

— Je ne pense pas que ce sera nécessaire. Tant qu'on n'a pas retrouvé le manuscrit de Flynn, tout ça n'est que spéculations.

— Il vaudrait peut-être mieux qu'on ne le retrouve jamais, en un sens. C'est un vieux fait divers dont tout le monde se fiche éperdument, y compris moi. Aujourd'hui, j'ai vécu bien d'autres expériences, auxquelles je compte bien réfléchir dans les années à venir.

En prenant congé de Sarah Harper, j'ai été frappé par l'ironie de la situation : j'avais peut-être enfin réussi à débrouiller toute cette affaire, alors qu'elle avait cessé de présenter un intérêt à mes yeux.

Je ne m'étais pas fixé comme objectif de faire triompher la justice. Je n'ai jamais été obsédé par la quête d'une prétendue « vérité », et j'avais assez d'expérience pour savoir que vérité et justice ne sont pas forcément synonymes. Je partageais en outre l'avis de Sam au moins sur un point : la plupart des gens préfèrent les belles fables bien tournées aux vérités aussi complexes qu'inutiles.

Joseph Wieder était mort presque trente ans plus tôt et Richard Flynn était également six pieds sous terre. Selon toute probabilité, Laura Baines avait construit sa carrière sur des mensonges, et peut-être aussi sur un meurtre. Et alors ? Les livres d'histoire n'apportent-ils pas la preuve que les hommes ont depuis toujours porté aux nues et qualifié de « héros » des êtres taillés dans cette étoffe ?

De retour chez moi, j'ai imaginé Laura Baines fouillant la maison de Wieder à la recherche du manuscrit, alors que son mentor agonisait par terre dans le salon. Et que pouvait bien faire Richard Flynn, qui avait peut-être manié la batte de base-ball, pendant ce temps ? Était-il encore sur place ou déjà parti ? Avait-il essayé de se débarrasser de l'arme du crime ? Mais s'il avait tué le professeur sur l'instigation de Laura, pourquoi l'avait-elle plaqué juste après ? Et pourquoi avait-il menti pour la protéger ?

Ou alors, était-il possible que cette version des événements n'existe que dans la tête de Sarah Harper, qui était elle-même tombée au plus bas quand la carrière de son ancienne amie connaissait une ascension fulgurante ? Combien d'entre nous peuvent prétendre se réjouir sincèrement de la réussite des autres, sans rêver secrètement de prendre leur revanche un jour ?

Quoi qu'il en soit, ces questions me laissaient désormais indifférent. Au fond, peut-être préférais-je croire que Laura Baines, cette femme calculatrice et froide, avait appliqué la stratégie des joueurs de billard qui frappent une boule, laquelle en frappe une autre, puis une autre encore – que Richard Flynn, Timothy Sanders et Joseph Wieder n'avaient été pour elle que des billes s'entrechoquant jusqu'à lui permettre d'atteindre son but.

Le plus ironique, dans ce scénario, aurait été qu'un homme comme Wieder, si enclin à fouiller dans le cerveau de ses semblables, puisse être finalement battu à son propre jeu par l'une de ses étudiantes. Après tout, si Laura Baines s'était révélée plus douée que son mentor pour disséquer l'esprit humain, alors elle méritait de réussir.

Le lendemain, j'ai retrouvé Peter à l'Abraço, dans l'East Village.

— Alors, ça avance ? m'a-t-il demandé. T'as l'air crevé, mon vieux. Qu'est-ce qui se passe ?

Je lui ai annoncé que j'avais rempli mon contrat et lui ai remis une enveloppe contenant un récapitulatif de mes différentes démarches. C'est tout juste s'il y a prêté attention avant de la ranger dans sa mallette. Je lui ai également confié l'ouvrage de Laura Westlake.

Il avait la tête ailleurs, manifestement. Comme il ne me posait aucune question, j'ai jugé bon de lui présenter une version possible des événements survenus pendant l'automne et l'hiver 1987. Il m'a écouté d'un air distrait, en tripotant un sachet de sucre. De temps à autre, il avalait une gorgée de thé.

— Tu as peut-être raison, John, a-t-il dit quand j'ai eu fini. Mais, en l'absence de preuves concrètes, je vois mal comment publier un tel récit...

— Je ne te parle pas de publication, ai-je répliqué – à son grand soulagement, de toute évidence. J'ai comparé le chapitre envoyé par Wieder à Allman & Limpkin avec celui qui ouvre le livre de Laura Baines, et ils sont pratiquement identiques. Alors, qu'est-ce qu'on peut en déduire ? Soit elle a bel et bien volé le travail du professeur, soit ils ont réellement collaboré sur ce projet auquel elle a apporté une contribution significative. Mais en aucun cas ça ne prouve qu'elle a tué Wieder pour s'approprier son texte avec la complicité de Richard Flynn. Évidemment, un témoignage écrit de la part de ce dernier aurait sans doute tout changé.

— J'ai du mal à croire que l'auteur de ces chapitres soit un assassin. Je ne dis pas qu'il n'aurait pas pu commettre ce meurtre, juste que...

Peter a détourné les yeux avant d'ajouter :

— Donc, pour toi, il aurait eu l'intention de se confesser dans son manuscrit, c'est ça ?

— Oui, ai-je répondu. Flynn n'avait plus beaucoup de temps à vivre, il se fichait pas mal de la réputation qu'il laisserait derrière lui et il n'avait pas d'héritiers. Il est tout à fait possible que Laura Baines l'ait manipulé à l'époque afin de se débarrasser du professeur, puis qu'elle ait profité de ce crime pour lancer sa carrière sans plus se soucier de lui. Quand il a reçu le livre envoyé par Sarah Harper, Flynn a dû comprendre qu'il avait gâché sa vie à cause d'un mensonge, que Laura l'avait dupé du début à la fin. Elle lui avait peut-être aussi fait miroiter la promesse d'une réconciliation, en disant que leur rupture était seulement une précaution visant à ne pas éveiller les soupçons ?

— D'accord, c'est une histoire intéressante mais, pour revenir à nos moutons, tu n'as pas retrouvé le manuscrit et tu n'as pas l'air trop décidé à écrire toi-même la suite…

— Non, c'est vrai. Désolé de t'avoir fait perdre ton temps.

— Pas de problème. Entre nous, je ne suis pas sûr qu'un éditeur ait envie d'affronter toutes les complexités légales liées à une telle publication. Si j'ai bien compris, les avocats de Laura Baines n'hésiteraient pas à le tailler en pièces…

— Et c'est un risque que personne n'a envie de courir. Bon, merci pour le café, en tout cas. À plus !

Une fois rentré chez moi, j'ai rassemblé tous les documents en rapport avec mes investigations de ces dernières semaines, puis les ai rangés dans un carton que j'ai remisé au fond d'un placard. Après, j'ai téléphoné à Danna Olsen pour lui expliquer que, n'ayant pas réussi à découvrir d'éléments nouveaux, j'abandonnais mes recherches. C'était sans doute la meilleure solution, m'a-t-elle dit. D'après elle, mieux valait laisser les morts reposer en paix et les vivants poursuivre leur existence – des propos qui, à mon sens, auraient pu servir d'épitaphe au défunt Richard Flynn.

Ce soir-là, j'ai rendu visite à mon oncle Frank, dans l'Upper East Side, et je lui ai rapporté toute l'affaire.

Savez-vous ce qu'il m'a dit, après m'avoir attentivement écouté pendant une bonne heure ? Que c'était l'histoire la plus captivante qu'il ait jamais entendue. En même temps, il a toujours fait preuve d'un enthousiasme débordant.

Nous avons bavardé, bu deux ou trois bières et regardé un match à la télé. J'espérais ainsi oublier Sam et tous ces mystères à propos de livres disparus. Le stratagème a dû fonctionner, parce que cette nuit-là j'ai dormi comme un bébé.

Deux mois plus tard, un ancien collègue du *Post* parti vivre en Californie m'a appelé et proposé un job de scénariste pour une nouvelle série télé. J'ai accepté, puis décidé de louer mon appartement avant de partir pour la côte Ouest. En voulant faire de la place dans les placards, je suis tombé sur les documents de l'affaire Wieder et j'ai téléphoné à Roy Freeman pour lui demander s'il voulait les récupérer.

— Merci d'avoir pensé à moi, j'allais vous appeler de toute façon, m'a-t-il dit. Figurez-vous qu'on a eu des aveux.

Mon cœur a manqué un battement.

— C'est vrai ? C'était Laura Baines, alors ? Elle a reconnu les faits ?

— Non, pour autant que je le sache, ce n'est pas elle la meurtrière. Bon, et si vous passiez prendre un café ? Je vous raconterai tout.

— Avec plaisir ! À quelle heure ?

— Quand vous voudrez. Je suis chez moi et je ne compte pas en bouger. Vous vous rappelez où j'habite ? Parfait. Oh, et surtout, n'oubliez pas d'apporter le dossier, il y a toujours quelque chose qui me chiffonne.

Troisième partie

Roy Freeman

Comme notre livre vous le contera dans l'ordre,
apertement, d'après le récit de messire Marco Polo [...]
qui vit tout cela de ses yeux.
Et ce qu'il ne vit pas,
il l'entendit d'hommes sûrs en vérité.
Aussi, tous ceux qui liront
ou écouteront ce récit doivent le croire,
parce que ce sont toutes choses véritables.

Marco Polo, *Le Livre des merveilles*, prologue

1

Matt Dominis m'a téléphoné un de ces soirs de solitude où l'on regrette de ne pas avoir de chat. Après notre conversation, je suis sorti sous la véranda et m'y suis attardé quelques minutes en essayant de remettre de l'ordre dans mes pensées. La nuit tombait, les premières étoiles brillaient dans le ciel et la rumeur de la circulation sur l'autoroute au loin m'évoquait le bourdonnement d'une nuée d'abeilles.

Découvrir enfin la vérité au sujet d'une affaire qui vous a longtemps obsédé, c'est un peu comme perdre un compagnon de voyage – un compagnon bavard, indiscret et envahissant jusqu'à friser l'impolitesse, mais dont la présence vous est devenue familière dès votre réveil. C'est l'effet que produisait sur moi l'affaire Wieder depuis plusieurs mois. Or, ce que Matt m'avait annoncé au téléphone balayait d'un coup toutes les hypothèses que j'avais passé d'innombrables heures à échafauder dans le coin-bureau de ma chambre d'amis. Je restais néanmoins persuadé que ça ne se terminerait pas ainsi, même si je ne pouvais mettre en doute les révélations de mon ami :

il y avait encore quelque chose qui ne collait pas dans cette histoire.

Une fois rentré, j'ai rappelé Matt pour lui demander s'il me serait possible de parler à Frank Spoel, qui venait d'avouer le meurtre du professeur Joseph Wieder, à quelques mois seulement de son exécution. Comme mon ami était l'un des plus anciens employés du pénitencier de Potosi, le directeur a accepté cette requête sans difficulté, surtout quand il a appris qu'elle émanait d'un inspecteur ayant enquêté sur l'affaire à la fin des années 1980. Je voulais voir cet homme de mes propres yeux, entendre de mes propres oreilles le récit des événements survenus à West Windsor. Je n'étais pas convaincu par ses aveux ; un auteur californien voulait le citer dans un livre, et je le soupçonnais d'avoir essayé de profiter de cette occasion pour attirer l'attention sur lui. À l'époque où Wieder avait été assassiné, Spoel était sorti depuis peu d'un hôpital psychiatrique du New Jersey, et il avait certainement lu les comptes rendus du meurtre dans les journaux.

Sur ces entrefaites, John Keller m'a rendu visite et m'a apporté mes documents, ainsi que les notes rassemblées au cours de ses investigations. Il ne savait pas que je m'étais replongé dans mes dossiers après notre conversation au printemps, et nous avons parlé des aveux de Spoel en buvant un café. Il m'a raconté que sa petite amie avait rompu à cause de cette enquête.

— Je ne suis pas superstitieux, pourtant j'ai l'impression que cette histoire porte la poisse, m'a-t-il dit. Alors, à votre place, je serais prudent. Franchement, je suis soulagé d'avoir laissé tomber et je ne veux plus jamais m'en mêler. Quoi qu'il en soit, il semblerait bien que l'énigme soit résolue, pas vrai ?

Je lui ai répondu que tout le laissait supposer, en effet, et lui ai souhaité bonne chance pour ses nouveaux projets professionnels. Je n'étais cependant pas sûr que toute la lumière ait été faite sur l'affaire Wieder. Aussi, lorsque Matt m'a rappelé deux semaines plus tard afin de me dire que tout était arrangé, me suis-je empressé de réserver un billet d'avion sur Internet pour le lendemain et de remplir un petit sac de voyage.

Le chauffeur de taxi est venu me chercher à 5 heures du matin et il nous a fallu une demi-heure pour arriver à l'aéroport. Matt m'attendrait à Saint Louis et m'emmènerait à Potosi.

Pendant le vol, je me suis retrouvé assis à côté d'un représentant de commerce – le genre de personne qui, même devant le peloton d'exécution, serait encore capable de vendre un aspirateur aux soldats. Il s'appelait John Dubcek et il a mis dix bonnes minutes à se rendre compte que j'étais trop absorbé par la lecture de mon journal pour prêter vraiment attention à ses propos.

— Je parie que vous êtes prof, a-t-il dit.

— Perdu.

— Je ne me trompe jamais, Roy. Vous enseignez l'histoire, c'est ça ?

— Vous n'y êtes pas du tout, désolé.

— Ah, ça y est ! Les maths.

— Non plus.

— D'accord, je donne ma langue au chat. Je connais un bar tranquille près de l'aéroport et je vous offre le petit déjeuner. Vous n'avez pas eu le temps de le prendre avant de partir, hein ? Je n'aime pas manger seul, alors je vous invite.

— Merci, mais je ne peux pas. Un ami doit venir me chercher.

— Dommage… En attendant, vous ne m'avez toujours pas dit ce que vous faites dans la vie.

— Je suis à la retraite. J'étais inspecteur de police.

— Waouh ! Je n'aurais jamais deviné. Vous la connaissez, celle des trois flics qui entrent dans un bar ?

Et de me raconter une blague idiote dont je n'ai pas compris la chute.

Après l'atterrissage, il m'a remis sa carte de visite, aussi colorée qu'une carte de vœux, en m'assurant d'un air solennel qu'il était capable de me trouver tout ce dont je pourrais avoir besoin ; je n'aurais qu'à lui passer un coup de fil pour lui expliquer ce qu'il me fallait. Alors que je me dirigeais vers la sortie, je l'ai vu parler à une fille qui, vêtue d'un jean et d'un gilet en cuir sur une chemise à carreaux, et arborant un chapeau de cow-boy sur ses longs cheveux blonds, avait tout d'une chanteuse de country.

Matt m'attendait près du kiosque à journaux.

Une fois sortis de l'aéroport, nous nous sommes dirigés vers un café proche. Il me restait deux heures avant mon rendez-vous à Potosi.

Matt et moi avions été collègues pendant huit ans au poste de West Windsor. Au début des années 1990, il était parti s'installer dans le Missouri, mais nous étions restés amis et nous nous parlions au téléphone de temps à autre. J'étais même allé chez lui à deux ou trois reprises, et il m'avait emmené à la chasse. Surveillant au pénitencier de Potosi depuis onze ans, il allait bientôt prendre sa retraite. Si tout portait à croire qu'il demeurerait célibataire toute sa vie, il avait à la surprise générale épousé une de ses collègues, Julia, deux ans plus tôt. J'avais été invité au mariage, et nous ne nous étions pas revus depuis.

— La vie de couple semble te réussir, dis donc ! me suis-je exclamé en versant un sachet de sucre dans une tasse de café aussi grande qu'un bol. Tu fais dix ans de moins !

Il m'a décoché un sourire triste. Il avait toujours eu l'air abattu d'un homme convaincu de l'imminence d'une catastrophe. Sa stature imposante lui avait valu le surnom de Fozzie dans le service, comme l'ours du *Muppet Show* – un sobriquet qui se voulait amical : tout le monde aimait Matt Dominis.

— Je ne me plains pas. Julia est formidable et tout va bien entre nous. Mais je suis maintenant arrivé à cet âge où je n'aspire plus qu'à profiter de la retraite. Tu vois ce que je veux dire ? Avant qu'une crise cardiaque survienne et fasse de moi un grabataire qui se pisse dessus, j'aimerais visiter la Louisiane ou m'offrir de longues vacances à Vancouver. Peut-être même aller en Europe, qui sait ? J'en ai plus que ma claque de surveiller tous ces abrutis. Mais Julia dit qu'on devrait attendre encore.

— Tu sais, je suis à la retraite depuis trois ans et je n'ai pas beaucoup bougé, à part les deux fois où je suis venu te voir et un voyage à Seattle quand ma petite-fille est née.

— D'accord, d'accord, peut-être que je ne mettrai jamais les pieds en Louisiane ni dans cette foutue ville de Vancouver. N'empêche, je donnerais cher pour pouvoir me lever le matin, boire mon café et lire mon journal tranquillement, sans me dire que je vais devoir passer la journée enfermé dans un cube en béton avec des détenus ! Bon, en parlant de Seattle, comment vont Diana et Tony ?

Diana était mon ex-femme, partie vivre à Seattle après notre divorce, et Tony était notre fils, qui venait d'avoir trente-huit ans. Il me rendait responsable de la séparation, c'était évident à sa façon de toujours me critiquer. Combien de fois l'avais-je entendu dire : « T'as tout fait foirer » ? Je savais qu'il avait raison, bien sûr, que j'avais effectivement tout gâché, mais ne faut-il pas parfois pardonner ? D'autant que, pour ma part, j'avais payé au prix fort ma stupidité de l'époque et vécu seul pendant presque trente ans.

Tony s'était marié trois ans plus tôt, et ma petite-fille, Erin, avait un an et demi. Je ne l'avais vue qu'une fois, à sa naissance.

J'ai raconté à Matt quelques anecdotes amusantes sur elle, que j'avais entendues de Diana, mais il a brusquement changé de sujet.

— Dis-moi, Roy, qu'est-ce que tu penses de la soudaine confession de Frank Spoel ? Après toutes ces années ?

— Figure-toi qu'un journaliste m'a contacté il y a environ trois mois au sujet de cette même affaire. Du coup, je me suis replongé dans les dossiers…

— Tu parles d'une coïncidence !

— Qu'est-ce qui lui a pris de tout déballer maintenant ? Il reste combien de temps, avant l'exécution ?

— Cinquante-huit jours. Mais trente jours avant l'injection, il sera transféré à la prison de Bonne Terre, où ont lieu toutes les exécutions de l'État ; c'est à environ une demi-heure d'ici… Tu te demandes ce qui lui a pris ? Comme je te l'ai raconté au téléphone, il a reçu la visite d'un Californien, un professeur qui écrit un livre sur le fonctionnement de l'esprit criminel, quelque chose comme ça, et voulait comprendre comment Spoel avait pu devenir un tueur. Jusque-là, on savait qu'il avait commis son premier meurtre en 1988, dans le comté de Carroll, Missouri, quand il avait poignardé un vieil homme qui avait fait l'erreur de le prendre en stop sur la route 65. Spoel avait vingt-trois ans à l'époque et il en avait déjà passé deux à l'hôpital psychiatrique de Trenton, dans le New Jersey, où il avait été envoyé après avoir été arrêté pour agression et déclaré pénalement irresponsable. Aujourd'hui, il n'a plus rien à perdre : il est emprisonné depuis 2005, la Cour suprême du Missouri a rejeté son appel il y a deux mois, et le gouverneur Nixon préférerait encore se tirer une balle dans la tête plutôt que de le gracier. Du coup, il a sûrement décidé de mettre de l'ordre dans ses affaires, pour que l'histoire retienne toute la vérité, et rien que la vérité, à propos de sa remarquable existence... Ah, excuse-moi un moment.

Matt a extirpé sa grande carcasse de l'espace étroit entre la chaise et la table, puis s'est dirigé vers les toilettes. Je me sentais fatigué et j'ai demandé à la serveuse de nous rapporter du café. Elle a souri en remplissant ma tasse. Son prénom, Alice, était inscrit sur son badge, et elle semblait avoir l'âge de mon fils. J'ai jeté un coup d'œil à l'horloge murale en forme de tortue Ninja. Rien ne pressait, nous avions encore du temps devant nous.

— Bref, a repris Matt une fois réinstallé à table, Spoel s'est mis en tête de persuader ce Californien que tout avait commencé à cause d'un coup tordu que le professeur Wieder lui avait fait des années auparavant.

— Attends... Si je comprends bien, il affirme avoir tué Wieder parce que celui-ci le méritait ?

— En fait, c'est un peu compliqué. À vingt ans, Spoel a été mêlé à une bagarre. Il a volé du fric à l'un de ses adversaires et l'a pratiquement laissé pour mort. Son avocat a réclamé une évaluation psychiatrique, dont Wieder s'est chargé, à la suite de quoi Spoel a été déclaré pénalement irresponsable et envoyé à l'hôpital. Ce même avocat lui avait assuré qu'il demanderait à Wieder de procéder à une nouvelle évaluation deux ou trois mois plus tard, et qu'il serait libéré. Mais Spoel a été enfermé pendant deux ans, parce que le professeur s'est opposé à sa libération.

— Comme je te l'ai dit, j'ai rouvert le dossier récemment, après ma rencontre avec ce journaliste. C'était une piste que j'avais envisagée à l'époque : la possibilité d'une vengeance liée à une affaire dans laquelle Wieder était intervenu en tant qu'expert. Pourtant, le nom de Frank Spoel n'est jamais apparu...

— Peut-être parce que ce n'était qu'une petite frappe à l'époque, juste un gamin de vingt et un ans un peu plus violent que les autres ? Tu as dû penser qu'il ne représentait pas un danger. Quoi qu'il en soit, il t'expliquera tout lui-même ; moi, je me fiche complètement de leurs histoires, à tous ces idiots. En attendant, je suis content que tu sois venu. Tu dors à la maison, ce soir ?

— Non, une autre fois. J'ai entrepris de faire des réparations chez moi et je voudrais finir avant qu'il se mette à pleuvoir. Bon, on y va ?

— Détends-toi, on a encore le temps… Ça roule toujours bien sur l'I-55 à cette heure-ci. Il nous faudra, quoi, une petite heure à tout casser pour aller là-bas.

Matt a poussé un profond soupir.

— Spoel s'est plaint d'avoir été envoyé à l'asile alors qu'il était sain d'esprit, mais en général, c'est l'inverse. Tu savais qu'un tiers des détenus dans une prison de haute sécurité ont une case en moins ? Il y a deux mois, je suis allé à Chicago assister à une conférence sur la criminalité. Toutes sortes de grands pontes venus de Washington avaient été invités. Apparemment, après un cycle de deux décennies durant lesquelles la criminalité a régressé, la tendance est maintenant à la hausse. Et comme les hôpitaux psychiatriques sont bondés, les dingos ont toutes les chances de se retrouver en taule, parmi les détenus ordinaires. Du coup, les pauvres matons comme moi doivent gérer ce genre de cas chaque jour que Dieu fait.

Il a consulté sa montre.

— Allez, en route !

Pendant qu'on roulait sur l'autoroute, j'ai repensé au parcours de Frank Spoel, dont j'avais étudié le dossier avant de partir pour Saint Louis. C'était l'un des meurtriers les plus dangereux détenus dans le couloir de la mort. Il avait tué sept personnes – huit, s'il était vrai qu'il avait assassiné Wieder – dans trois États différents avant d'être appréhendé. Il avait aussi commis quatre viols et d'innombrables agressions. Ses deux dernières victimes étaient une femme de trente-cinq ans et sa fille de douze ans. Pourquoi s'en était-il pris à elles ? Parce que la femme avait dissimulé ses économies pour éviter qu'il ne les lui prenne, avait-il déclaré. Spoel l'avait draguée dans un bar deux mois plus tôt, et ils vivaient ensemble dans un mobile home près de la rivière.

Comme me l'avait rappelé Matt, les enquêteurs devaient découvrir plus tard que Spoel avait commis son premier meurtre en 1988, à tout juste vingt-trois ans. Il était né et avait grandi dans le comté de Bergen, New Jersey, et avait été arrêté à vingt et un ans dans le cadre d'une affaire de violences aggravées. À sa sortie de l'hôpital psychiatrique, deux ans plus tard, il était allé s'installer dans le Midwest, où il avait enchaîné les petits boulots pendant un certain temps. Sa première victime était un homme de soixante-quatorze ans, originaire du comté de Carroll, dans le Missouri, qui l'avait pris en stop sur la route 65. Butin ? Une poignée de dollars, un vieux blouson en cuir et une paire de bottes qui, par le plus grand des hasards, lui allait.

Il avait alors décidé de se rendre dans l'Indiana, où il avait tué une deuxième fois. Il avait ensuite rejoint un gang de Marion spécialisé dans les cambriolages. Quand les membres de la bande s'étaient séparés, Spoel était retourné dans le Missouri. Là, il avait décroché une place dans une pizzeria à Saint Louis et n'avait plus fait parler de lui pendant huit ans. Ensuite, il avait déménagé à Springfield et travaillé dans une station-service pendant trois ans. Et puis, du jour au lendemain, il avait recommencé. Il avait été arrêté en 2005, à l'occasion d'un contrôle de routine par une patrouille de la sécurité routière.

Au moment de l'assassinat de Wieder, j'attendais que mon divorce soit prononcé et je me retrouvais seul dans une maison bien trop grande pour moi. Comme tout alcoolique patenté, je me servais de ma situation comme d'une excuse pour vider encore plus de bouteilles et pleurer sur l'épaule du premier quidam venu qui acceptait de m'écouter. J'avais néanmoins essayé de faire mon boulot, en me raccrochant à ce qu'il me restait de lucidité, mais au fond, j'étais convaincu d'avoir mal géré l'affaire Wieder, de même que toutes les autres à cette époque. Mon patron, Eli White, s'était montré remarquablement indulgent à mon égard : il aurait eu toutes les raisons de me virer de la police avec un dossier tellement mauvais que je n'aurais même pas pu postuler à un emploi de veilleur de nuit dans un centre commercial.

Matt a baissé les vitres et allumé une cigarette tandis que la plaine défilait autour de nous. C'était le début de l'été, et il faisait beau.

— C'était quand, la dernière fois où t'as mis les pieds dans une prison ? m'a-t-il demandé en haussant la voix pour couvrir celle de Don Williams qui, sur une station de musique country, se lamentait à cause d'une fille qui ne l'avait jamais compris.

— Ça devait être en 2008, à l'automne. J'avais besoin de recueillir la déposition d'un type à Rikers, dans le cadre d'une affaire sur laquelle je bossais. C'était l'enfer, là-dedans.

— Si tu t'imagines que c'est mieux à Potosi, tu te trompes ! Chaque matin, quand je prends mon service, j'ai envie de casser un truc. Oh, bon sang ! Pourquoi on n'est pas devenus médecins ou avocats ?

— On n'était pas assez intelligents, Matt. Et de toute façon, je crois que ça ne m'aurait pas trop plu de charcuter mes congénères.

2

Le pénitencier de Potosi était un géant de brique rouge, entouré de barbelés électrifiés, qui se dressait au milieu de la plaine comme un énorme monstre pris au piège. C'était une prison de haute sécurité, où environ huit cents détenus, de même qu'une centaine de surveillants et d'employés administratifs, s'efforçaient de survivre jour après jour. Seuls les quelques arbres rachitiques bordant le parking des visiteurs apportaient une note de couleur dans ce paysage désolé.

Matt s'est garé, puis nous sommes descendus de voiture et nous sommes approchés de l'entrée du personnel. De l'autre côté s'étendait une cour gravillonnée couleur rouge sang. Après l'avoir traversée, nous avons longé un couloir qui s'enfonçait dans les profondeurs du bâtiment. Matt a salué les gardes en uniforme que nous croisions sur notre chemin – des hommes corpulents, au visage fermé, que plus rien ne pouvait étonner, parce qu'ils en avaient trop vu.

Une fois franchie l'étape du détecteur de métaux, nous avons récupéré nos affaires, et Matt m'a accompagné jusqu'à une pièce aveugle, au sol recouvert de lino, seulement meublée de quelques tables et chaises inamovibles.

Un surveillant nommé Garry Mott, qui s'exprimait avec un fort accent du Sud, m'a donné les instructions habituelles.

— L'entretien durera une heure pile. Si vous voulez finir plus tôt, dites-le aux gardiens qui accompagnent le détenu. Aucun contact physique n'est permis, et tout objet que vous souhaiteriez remettre au détenu ou qu'il souhaiterait vous remettre doit d'abord être inspecté. Durant votre visite, vous serez sous la surveillance constante des caméras, et toute information que vous pourriez obtenir est susceptible d'être utilisée plus tard par la justice.

J'ai écouté d'un air attentif ce discours qui m'était déjà familier. Après le départ de Garry Mott, Matt et moi nous sommes assis.

— Alors, c'est là que tu bosses, ai-je dit.

— C'est pas l'endroit le plus gai du monde, c'est sûr, a-t-il répliqué d'un ton sinistre. Et à cause de toi, une de mes journées de congé est passée à l'as.

— Je t'inviterai à déjeuner quand on sortira, en dédommagement, d'accord ?

— Je préférerais que tu nous paies un verre !

— Sauf que tu seras le seul à boire.

— Bon, t'auras qu'à adresser un signe à cette caméra-là lorsque tu auras terminé, a-t-il dit en l'indiquant d'un mouvement de tête. C'est Julia qui est de garde au centre de contrôle.

Il s'est levé.

— Faut que je file, j'ai des courses à faire. Je reviens te chercher dans une heure, OK ? Amuse-toi bien et arrange-toi pour que personne ne soit blessé.

Avant de partir, il a agité la main en direction de la caméra, et j'ai imaginé sa femme assise sur une chaise, les yeux rivés à la rangée d'écrans devant elle. Solidement charpentée et presque aussi grande que Matt, elle était originaire de la Caroline. Du Nord ou du Sud, je ne m'en souvenais plus.

J'ai encore attendu quelques minutes avant d'entendre la porte s'ouvrir dans un bourdonnement. Frank Spoel a fait son entrée, flanqué de deux gardes armés. Il portait une combinaison grise, sur laquelle une étiquette blanche, cousue du côté gauche, indiquait son nom. Il avait les mains menottées dans le dos et des bracelets métalliques aux chevilles, reliés par une chaîne qui entravait sa progression et cliquetait à chaque pas.

Plutôt petit et malingre, ce n'était certainement pas le genre de personne sur laquelle on se retourne après l'avoir croisée dans la rue. Mais beaucoup d'hommes envoyés derrière les barreaux pour avoir commis des meurtres effroyables présentent une apparence similaire : celle d'un individu « normal », inoffensif, genre mécanicien ou chauffeur de bus. S'il était encore possible, avant les années 1980, de reconnaître un criminel aux tatouages qu'il s'était fait faire en prison, la mode s'en était ensuite mêlée et tout le monde, désormais, en arborait.

Spoel s'est assis sur la chaise en face de moi et m'a souri, révélant des dents aussi jaunes que des œufs brouillés. Sa moustache couleur sable retombait de chaque côté de sa bouche, jusqu'à se perdre dans sa barbe. Il n'avait presque plus de cheveux, et les quelques mèches qu'il lui restait étaient plaquées sur son crâne par la sueur.

— Tu seras sage, hein, Frankie ? a lancé l'un des gardiens.

— Sinon quoi ? Je peux dire adieu à ma conditionnelle, c'est ça ? a répliqué Spoel sans se retourner. De toute façon, qu'est-ce que tu veux que je fasse ? Que je me débarrasse de mes menottes pour me branler ?

— Surveille ton langage, princesse, a rétorqué le garde, avant de s'adresser à moi : On sera postés de l'autre côté de la porte, au cas où vous auriez besoin de nous. S'il déconne, n'hésitez pas, on sera là en un rien de temps.

Les deux surveillants sont sortis, me laissant seul avec le détenu.

— Bonjour, monsieur Spoel, ai-je commencé. Je m'appelle Roy Freeman. Merci d'avoir accepté de me rencontrer.

— Vous êtes flic ?

— Ex-flic. Je suis à la retraite.

— J'en étais sûr. En 1997, j'ai rencontré un gars complètement barje, dans l'Indiana. Bobby, qu'il s'appelait. Son clébard, Chill, était capable de repérer un flic même s'il était pas en uniforme, vous vous rendez compte ? Un as, ce clebs ! Il se mettait à aboyer chaque fois qu'il flairait l'odeur de la bleusaille.

— Impressionnant, en effet, ai-je convenu.

— Mouais. Bon, si j'ai bien compris, vous vous intéressez à une vieille affaire ?

— Exact. Le meurtre du professeur Wieder, dans le New Jersey. J'étais l'un des inspecteurs chargés de l'enquête à l'époque.

— Wieder, c'est ça… Dites, z'auriez pas une clope ?

Je n'avais pas fumé depuis quinze ans mais, sur les conseils de Matt, j'avais apporté un paquet de Camel. Je savais qu'en prison les cigarettes constituent la principale monnaie d'échange, après les drogues et les somnifères. J'ai tiré le paquet de mon sac puis, après le lui avoir montré, je l'ai rangé.

— Vous l'aurez après mon départ, monsieur Spoel. Les gardiens doivent d'abord l'examiner.

— Merci. C'est que je peux compter sur personne dehors, moi ! J'ai pas vu mes parents depuis plus de vingt piges et, de toute façon, je suis même pas sûr qu'ils soient encore de ce monde. Dans deux mois je serai plus là non plus, et je vous mentirais si je disais que j'ai pas la trouille. En attendant, vous voulez savoir ce qui s'est passé, c'est ça ?

— Vous affirmez avoir tué Joseph Wieder. Est-ce vrai ?

— Oui, m'sieur. C'est moi qui ai fait le coup. Bon, d'accord, je reconnais que c'était pas prévu : j'avais encore jamais tué, à c't'époque-là. Je voulais juste lui coller une raclée, vous me suivez ? L'envoyer à l'hosto, quoi, mais pas à la morgue. Il m'avait joué un sale tour et j'avais bien l'intention de prendre ma revanche. Sauf que ça a mal tourné et que je suis devenu un assassin. Remarquez, après les deux ans que j'avais passés chez les dingues, plus rien aurait dû m'étonner…

— Pourquoi ne pas me raconter toute l'histoire ? On a une heure devant nous.

— Sûr, comme ça les gars dehors auront le temps de laver ma Jag, a-t-il ironisé, avec un sourire grimaçant. OK, je vais vous dire ce que j'ai d'jà dit à l'autre clampin, celui qui écrivait un bouquin.

À quinze ans, Frank Spoel avait laissé tomber le lycée et commencé à traîner avec les propriétaires d'une salle de jeux vidéo, qui l'avaient recruté comme coursier. Son père travaillait dans une station-service, sa mère était femme au foyer et il avait une sœur de cinq ans sa cadette. Deux ans plus tard, ils avaient tous les trois quitté brusquement le New Jersey et il ne les avait plus jamais revus.

À vingt ans, il avait déjà trempé dans toutes sortes de magouilles : il apportait des marchandises volées à différents receleurs de Brooklyn, donnait dans la contrebande de cigarettes et la contrefaçon de matériel électronique... Il lui arrivait aussi de jouer les collecteurs de fonds pour un usurier ou les souteneurs pour deux ou trois filles.

Dans les bandes, il y a toujours beaucoup de petites frappes comme lui, qui représentent le menu fretin à une extrémité de la chaîne complexe allant des rues des quartiers pauvres aux propriétés des millionnaires. La plupart terminent leur carrière comme ils l'ont commencée : toujours à la poursuite d'un billet tandis que les années passent et qu'ils deviennent de plus en plus insignifiants. Certains, néanmoins, réussissent à gagner du galon et se pavanent en costume chic, une montre en or au poignet. Et quelques-uns finissent par se faire prendre et vont croupir en prison, oubliés de tous.

En 1985, à l'automne, Spoel avait vendu deux cartouches de cigarettes à des gars de Princeton, qui l'avaient payé en parfum français. Ayant découvert après coup que plus de la moitié des flacons étaient des contrefaçons, il s'était mis en tête de récupérer son argent. Il avait retrouvé un des types, une bagarre avait éclaté et, après l'avoir assommé, Spoel l'avait délesté de tout le liquide qu'il avait sur lui. Surpris par une patrouille, il avait été arrêté pour agression. Il n'avait pas osé parler des cigarettes, de peur d'aggraver son cas.

Le tribunal lui avait assigné un avocat commis d'office, un certain Terry Duanne. L'homme que Spoel avait agressé n'avait pas de casier. À trente-huit ans, il était marié, père de trois enfants, et possédait une petite boutique – un profil bien différent de celui de Spoel, un jeune à la dérive qui avait déjà reçu plusieurs avertissements pour avoir enfreint la loi. C'est en vain que Duanne avait essayé de négocier un arrangement avec la victime.

Spoel avait alors été confronté à un choix : être jugé en tant qu'adulte, auquel cas il risquait entre cinq et huit ans ferme, ou accepter d'être évalué par un expert psychiatre susceptible de déclarer que ses facultés mentales avaient été temporairement altérées. Sur les conseils de son avocat, il avait opté pour la seconde option. Duanne avait en effet laissé entendre qu'il connaissait bien l'expert en question et que, dans les deux mois au plus tard, son client serait dehors. L'hôpital psychiatrique de Trenton n'était pas l'endroit le plus agréable du monde, mais c'était mieux que la prison de Bayside.

De fait, Joseph Wieder, qui l'avait examiné, avait conclu qu'il souffrait de troubles bipolaires et devait être transféré dans un établissement psychiatrique. Sur ses recommandations, Spoel avait donc été envoyé à Trenton, où il pensait ne faire que passer.

— Pourquoi vous ont-ils gardé ? ai-je demandé.

267

— Vous avez d'jà mis les pieds dans un asile ?

— Non.

— Ben, j'espère pour vous que vous irez jamais. C'est l'horreur. Un peu après mon arrivée, ils m'ont fait boire une tasse de thé, et quand je me suis réveillé, deux jours plus tard, je savais même plus comment je m'appelais. Là-bas, y avait des types qui se mettaient à hurler comme des bêtes, ou qui vous sautaient dessus et vous cognaient sans raison. L'un d'eux a déchiré l'oreille d'une infirmière avec ses dents alors qu'elle essayait de lui donner à manger. Vous imaginez même pas ce que j'ai vu… J'ai entendu dire que, jusque dans les années 1960, ils arrachaient les dents des patients, soi-disant pour empêcher les infections. Mon cul, oui…

Il m'a raconté qu'il avait également été frappé par le personnel. Les surveillants étaient corrompus, a-t-il ajouté, alors les patients qui avaient de l'argent pouvaient obtenir tout ce qu'ils voulaient, mais ceux qui n'en avaient pas étaient considérés comme quantité négligeable.

— Tout le monde pense que, quand on purge sa peine, ce qui vous obsède le plus, c'est les nanas, a-t-il poursuivi. Mais moi, je peux vous dire que c'est pas vrai : le plus important, c'est le cash, vous pouvez me croire… même si la baise vous manque, bien sûr. Quand vous n'avez pas de fric, vous êtes foutu : personne s'intéresse à vous, sauf pour vous casser la gueule. Et moi, j'avais pas un radis, vieux. En taule, si votre famille vous envoie rien, vous pouvez toujours bosser pour vous faire un peu de blé, mais à l'asile, sans aide extérieure, vous restez toute la journée les bras ballants, à regarder les murs.

Trois semaines après son arrivée, il avait été emmené dans un service spécial, où se trouvaient déjà une dizaine d'autres détenus, tous âgés de vingt à trente ans et tous condamnés pour des crimes violents. Spoel avait découvert plus tard qu'on leur avait administré un traitement expérimental dans le cadre d'un programme supervisé par le professeur Joseph Wieder.

— J'ai parlé à mon avocat deux ou trois fois, sans résultat. Au bout du compte, il a fini par lâcher que je devais patienter, que dans un an maximum il demanderait au juge de me libérer ou de me transférer dans un hôpital avec un niveau de sécurité moins élevé. J'arrivais pas à le croire, m'sieur ! Deux types m'avaient arnaqué, j'en avais dérouillé un et je lui avais pris quatre-vingts dollars dans son portefeuille – même pas de quoi me rembourser des clopes ! –, et je me retrouvais chez les dingues pour au moins un an.

— Vous n'avez pas eu l'occasion d'interroger le professeur Wieder ?

— Oh, il venait de temps en temps dans le service, c'est sûr… Il nous posait des tas de questions, nous faisait choisir des couleurs ou passer des tests où il fallait cocher des cases, ce genre de truc. On n'était que des cobayes pour lui. Des putain de rats de laboratoire ! Un jour, j'ai pas pu me retenir, je lui ai sorti : « Ce connard de Duanne m'a raconté qu'il vous connaissait, alors j'ai accepté d'aller à l'asile pour éviter la taule. Mais je suis pas plus dingue que vous, m'sieur. Alors, où est le problème ? » Lui, il me regardait avec ses yeux de poisson mort – je le revois encore comme si c'était hier –, et vous savez ce qu'il m'a répondu ? Qu'il comprenait pas ce que je voulais dire. D'après lui, j'étais là parce que j'avais des troubles mentaux, c'était dans mon intérêt de prendre le traitement et je resterais aussi longtemps qu'il le jugerait nécessaire... N'importe quoi !

Spoel m'a ensuite révélé qu'il avait eu des cauchemars épouvantables, durant lesquels il ne faisait plus la différence entre le rêve et la réalité, et que les médicaments qu'il avalait lui avaient fait plus de mal que de bien. Presque tous les autres détenus souffraient de terribles maux de tête et, à cause de leur traitement, beaucoup avaient fini attachés sur leur lit, en proie à des hallucinations effrayantes. La plupart vomissaient tout ce qu'ils avalaient et avaient des éruptions cutanées.

Au bout d'un an, Spoel avait reçu la visite d'un autre avocat nommé Kenneth Baldwin. Ce dernier lui avait expliqué qu'il prenait la suite de son confrère, qui avait quitté le New Jersey. Spoel lui avait parlé de l'accord initial passé avec Duanne. Il n'aurait su dire si le nouvel avocat l'avait cru, mais le fait est qu'il avait demandé au juge de réexaminer le dossier. Résultat, Spoel s'était retrouvé une nouvelle fois en face de Wieder, qui avait refusé sa demande de libération et n'avait pas non plus donné son accord pour le transférer à l'hôpital psychiatrique de Marlboro, réputé pour être moins strict. Spoel avait donc été renvoyé à Trenton.

— Environ six mois avant que je me tire, a-t-il continué, on a tous été répartis dans d'autres services, et le nôtre a été fermé. Les toubibs ont changé mes médocs et j'ai commencé à me sentir mieux : j'avais plus de cauchemars ni de migraines. Le problème, c'est que je me réveillais toujours sans savoir où j'étais et que j'avais en permanence les nerfs à fleur de peau, même si j'essayais de le cacher et de faire semblant d'aller bien, pour prouver que j'étais pas zinzin. Pourquoi ils m'avaient infligé ça, hein ? Sûr, j'étais pas un saint, mais j'avais tué personne et j'aurais même pas cogné ce type s'il m'avait pas arnaqué. Ils m'avaient traité comme un chien, et tout le monde s'en foutait.

Lorsque son dossier avait de nouveau été revu par la commission, Spoel avait appris que Wieder n'y siégeait plus. Sa demande de libération avait été enfin acceptée, et quelques semaines plus tard, il avait quitté l'hôpital.

C'était en octobre 1987. À sa sortie, Spoel n'avait plus nulle part où aller. Toutes ses affaires avaient été vendues par le propriétaire du taudis où il vivait avant son arrestation, qui s'était ainsi remboursé des loyers impayés. Les membres de sa bande ne voulaient plus avoir affaire à lui ; ils avaient trop peur d'attirer l'attention des flics en se montrant en sa compagnie. Une seule de ses anciennes fréquentations, un Sino-Américain qu'il avait rencontré juste avant d'être envoyé à Trenton, l'avait pris en pitié et accueilli chez lui deux ou trois jours.

Quelques semaines plus tard, il avait réussi à décrocher une place de plongeur dans un petit restaurant près de Princeton Junction, dont le propriétaire l'avait autorisé à dormir dans la réserve. Spoel savait que Wieder habitait non loin de là, à West Windsor, et il s'était mis en tête de le filer. Il était déterminé à prendre un nouveau départ, mais pas avant de s'être vengé. Il était convaincu que le professeur, avec la complicité de Duanne et peut-être d'autres acolytes, avait mené des expériences secrètes pour lesquelles il avait besoin de cobayes et qu'il s'était retrouvé piégé. Et il comptait bien le leur faire payer. Duanne n'était plus là, alors ce serait à Wieder de régler la facture pour les deux.

Après avoir cherché l'adresse du professeur, Spoel s'était rendu sur place et avait pu constater qu'il vivait seul dans une maison isolée. Au départ, il s'était mis en tête de l'attaquer de nuit, dans la rue, mais après avoir vu la configuration des lieux, il s'était dit que ce serait mieux de le surprendre chez lui. Il n'avait pas l'intention de le tuer, a-t-il répété, il voulait juste lui donner une bonne leçon. Alors il avait fauché une batte de base-ball à des gamins, puis l'avait enveloppée dans une vieille serviette pour amortir les coups avant de la cacher dans les fourrés au bord du lac.

À l'époque, il s'était lié d'amitié avec un barman, Chris Slade, originaire du Missouri. Slade, qui rêvait de quitter le New Jersey, venait de décrocher un petit boulot dans un parc à mobile homes près de Saint Louis, et lui avait suggéré de l'accompagner. Sa décision de partir après les fêtes avait précipité les choses.

Spoel avait surveillé la maison de Wieder plusieurs soirs de suite, après son service. Le restaurant fermait à 22 heures, aussi vers 22 h 30 allait-il se cacher au fond du jardin, d'où il observait les allées et venues au domicile du professeur. Il avait ainsi remarqué que deux personnes venaient assez souvent : un jeune qui avait l'air d'un étudiant et un grand barbu costaud, qui apparemment faisait des travaux d'entretien. Mais pour autant qu'il pouvait en juger, aucun d'eux ne passait la nuit sur place.

— Le 21 décembre, a-t-il poursuivi, j'ai rendu mon tablier et j'ai dit au proprio du restau que j'allais tenter ma chance sur la côte Ouest. Avant que je parte, il m'a filé ma paie et deux paquets de clopes en prime. Comme je voulais pas qu'on me voie dans le coin, je suis allé me planquer dans une remise à Assunpink Creek jusqu'à la tombée de la nuit, et après seulement je suis allé chez Wieder. Il devait être 9 heures quand je suis arrivé, mais le professeur était pas seul : le jeune et lui buvaient un coup dans le salon.

Quand j'ai demandé à Spoel s'il se rappelait à quoi ressemblait le jeune en question, il m'a répondu qu'il ne serait pas capable de le décrire, parce qu'il ressemblait à tous les fils à papa qui vivaient sur le campus. Trois jours plus tôt, alors que lui-même surveillait la maison, le gamin s'était approché de la fenêtre et avait bien failli le repérer. Heureusement, il neigeait à gros flocons, et l'étudiant avait dû croire qu'il s'était trompé, car il s'était détourné.

— Je pense qu'il s'agissait d'un certain Richard Flynn, ai-je précisé. Vous êtes sûr qu'il n'y avait pas une fille avec eux ce soir-là ?

— Certain. Ils étaient que tous les deux. Comme je vous l'ai dit, je me suis pointé là-bas vers 21 heures. Le jeune a dû se barrer deux heures plus tard, et après Wieder est resté tout seul. J'ai encore attendu une dizaine de minutes, pour m'assurer que l'étudiant reviendrait pas. Mon idée, c'était de sonner et de lui sauter dessus dès qu'il aurait déverrouillé la porte, mais il m'a facilité le boulot en ouvrant les fenêtres qui donnaient sur le jardin, avant de monter au premier. Je me suis glissé dans la maison et caché dans le couloir.

Au bout de quelques minutes, Wieder était redescendu dans le salon, avait refermé les fenêtres et s'était assis sur le canapé pour lire des documents. Spoel s'était alors approché de lui par-derrière et l'avait frappé à la tête avec la batte. Le coup manquait cependant de puissance, parce que le professeur avait réussi à se lever et à lui faire face. Furieux, Spoel avait contourné le canapé et l'avait frappé frénétiquement, peut-être dix ou douze fois, jusqu'à ce qu'il tombe par terre. Comme il portait un masque, il ne craignait pas d'être reconnu. Une fois sa victime inconsciente, il avait décidé de fouiller la maison à la recherche d'argent, mais il avait soudain entendu la porte d'entrée s'ouvrir. Sans demander son reste, il avait ouvert la baie vitrée et s'était précipité dehors, dans la tempête.

Après avoir jeté la batte dans la rivière à moitié gelée, il s'était réfugié dans la remise près d'Assunpink Creek. Le lendemain matin, il avait rejoint Slade à Princeton Junction et ils avaient mis le cap sur le Missouri. Il n'avait appris la mort de Wieder que bien plus tard.

— J'avais dû le cogner plus fort que je pensais, a-t-il conclu. Voilà, c'est comme ça que je suis devenu un assassin. Et vous savez quoi, m'sieur ? Par la suite, chaque fois que je faisais une connerie, j'avais l'impression que c'était juste un mauvais rêve, que ça pouvait pas être moi le coupable. Au fond, je suis convaincu que j'ai perdu la boule à cause de toutes ces pilules qu'ils m'ont forcé à avaler dans ce putain d'asile. Et je dis pas ça pour me dédouaner, hein ? De toute façon, maintenant, ça servirait plus à rien.

— Vous étiez en liberté conditionnelle, ai-je souligné. Personne n'a donné l'alerte quand vous avez quitté le New Jersey ? On ne vous a pas recherché ?

— Aucune idée, m'sieur. J'ai mis les voiles, c'est tout. Personne m'a rien demandé après ça, et la police m'a laissé tranquille jusqu'en 2005, l'année où je me suis fait arrêter pour excès de vitesse. Lorsque j'ai dit à mon avocat que j'avais été interné à Trenton autrefois, il a demandé une évaluation psychiatrique. L'expert nommé par la cour a déclaré que j'étais pas un malade mental, et du coup j'ai été jugé et condamné. Vous voulez que je vous dise ce qui est le plus ironique ? Quand j'étais sain d'esprit, et je peux vous dire que je l'étais, j'ai fini à l'asile. Mais là, alors que j'étais sûr d'avoir pété les plombs, ils ont refusé de m'y envoyer et condamné à la piquouze.

— Ces événements remontent à loin, j'en ai bien conscience, et peut-être que vous ne vous souvenez pas de tout, mais je vous repose la question, monsieur Spoel : êtes-vous sûr que le professeur a passé la soirée avec un jeune Blanc d'une vingtaine d'années, et personne d'autre ? Il neigeait, vous étiez caché au fond du jardin, et peut-être que vous ne pouviez pas bien voir à l'intérieur...

— Je vous répète que j'en suis certain, m'sieur. Vous dites que vous avez enquêté sur l'affaire ?

— Exact.

— Alors vous devez vous rappeler comment était la baraque... Dans le salon, y avait deux grandes fenêtres et une baie vitrée qui donnaient sur le jardin et le lac. Quand les lumières étaient allumées et les rideaux écartés, on voyait toute la pièce. Le professeur et le jeune mangeaient quand je suis arrivé. Ils discutaient, ensuite le jeune est parti et Wieder est resté seul.

— Est-ce qu'ils se sont disputés ?

— Je sais pas. J'entendais pas ce qu'ils disaient.

— Et donc, le jeune est parti à 23 heures ?

— Dans ces eaux-là. Il était peut-être 23 heures 30, mais pas plus tard.

— Et dix minutes après son départ, vous avez attaqué Wieder.

— C'est ça. Bon, peut-être que c'était vingt minutes plutôt que dix, mais pas plus, en tout cas. J'avais encore les mains gelées quand je l'ai frappé la première fois, c'est pour ça que j'ai foiré le coup. J'étais sûrement pas à l'intérieur depuis longtemps.

Je l'ai dévisagé quelques instants en me demandant comment son nom avait pu m'échapper lorsque j'avais envisagé un acte de vengeance perpétré par l'un des anciens patients du professeur.

D'accord, la liste des affaires pour lesquelles Wieder avait été consulté en tant qu'expert psychiatre était longue. Et le procureur s'était montré aussi borné que désorganisé : un jour, il nous envoyait sur une piste, pour changer d'avis le lendemain et nous orienter dans une autre direction. Dans ces conditions, je n'avais sans doute pas eu le temps de tout examiner en détail, sans compter que les journalistes nous harcelaient et écrivaient n'importe quoi dans les journaux. Il est vrai aussi qu'à cette époque j'avais toujours une bouteille cachée dans ma voiture, et que je craignais en permanence d'être démasqué et viré. Quand je me remémorais cette période, j'en arrivais à me demander si j'avais vraiment tout mis en œuvre pour retrouver l'assassin de Wieder ; il me semblait que j'étais trop occupé à m'apitoyer sur mon sort et à me chercher des excuses pour justifier mon comportement.

— Si j'ai bien compris, monsieur Spoel, vous ne savez pas qui est entré après vous chez le professeur ?

— Non, je me suis tiré tout de suite. J'aurais jamais imaginé que quelqu'un puisse se pointer aussi tard... Comme y avait plein de junkies dans le coin, je me disais que les flics penseraient à une tentative de cambriolage. Pour moi, Wieder était juste assommé, alors y avait pas de quoi en faire une pendule. Sauf qu'il est mort et que ça a tout changé...

— Vous ne pourriez pas dire s'il y avait plus d'une personne à la porte ?

Il a secoué la tête en signe de dénégation.

— Désolé.

— Wieder n'est mort que deux ou trois heures plus tard, monsieur Spoel. Si un visiteur est effectivement arrivé vers minuit, il aurait dû appeler les secours... Or, il ne l'a pas fait. Est-il possible que vous ayez cru entendre la porte s'ouvrir ? Il y avait beaucoup de vent cette nuit-là, et peut-être qu'elle vibrait dans son encadrement...

— Non, a-t-il décrété. Ça s'est passé comme je vous l'ai dit : quelqu'un a déverrouillé la porte avant d'entrer.

— Et cette personne aurait laissé le professeur agoniser sur le sol ?

Il m'a regardé longuement, le front barré par un pli soucieux, l'air dérouté.

— J'ignorais que... qu'il était pas mort tout de suite...

— Ce mystérieux visiteur aurait pu le sauver en prévenant les secours. Mais c'est seulement le lendemain matin – et à ce moment-là il était trop tard – que l'homme à tout faire a donné l'alerte.

— C'est pour ça que vous voulez savoir qui est entré après moi ?

— Oui. Encore une question : quand vous l'avez agressé, Wieder a-t-il dit quelque chose ? A-t-il appelé au secours ou demandé qui vous étiez ? A-t-il cité des noms ?

— Je suis sûr qu'il a pas appelé au secours. Peut-être qu'il a dit un truc, je me rappelle pas... Au début, il a voulu se défendre, et puis il est tombé et il a essayé de se protéger la tête. Mais il a pas crié, ça, c'est certain. De toute façon, y avait personne pour l'entendre.

Au même instant, les deux gardiens sont entrés et l'un d'eux m'a fait signe que l'entretien était terminé. Les mots « À bientôt peut-être » me venaient déjà aux lèvres, lorsque je me suis rendu compte que ce serait de mauvais goût. Alors j'ai remercié Spoel encore une fois d'avoir bien voulu me parler. Nous nous sommes levés et il a tendu la main comme pour me la serrer mais, au dernier moment, il a tourné les talons et s'est éloigné de son étrange démarche traînante, encadré par les deux surveillants.

Resté seul, j'ai sorti les cigarettes de mon sac pour ne pas oublier de les remettre à l'accueil avant de partir.

Qui était le visiteur arrivé chez le professeur à minuit, qui n'avait pas appelé les secours en le découvrant inanimé ? Si Spoel disait vrai, cette personne n'avait ni sonné ni frappé, mais s'était servie d'une clé pour entrer. Après tant d'années, il n'était pas impossible que sa mémoire lui joue des tours… En attendant, une chose était sûre : ce qu'il m'avait raconté ne correspondait pas à ce que Derek Simmons avait dit à l'époque et répété à ce journaliste quelques mois plus tôt.

À la fin de son enquête, John Keller avait rédigé une synthèse de toutes les informations qu'il avait rassemblées. Il y en avait une copie dans les papiers qu'il m'avait apportés. Il soupçonnait Laura Baines d'avoir été présente au moment du meurtre et d'avoir volé le manuscrit de Wieder, qu'il venait de terminer et comptait envoyer à son éditeur. Keller envisageait aussi que Richard Flynn ait pu être son complice, parce qu'elle n'aurait pas eu la force nécessaire pour tuer le professeur. Pour lui, si c'était Flynn qui avait manié la batte, Laura Baines n'en était pas moins le cerveau et l'instigatrice de toute l'affaire, et aussi la seule à qui profitait le crime.

Mais si Spoel ne m'avait pas menti, elle n'avait même pas eu besoin de complice. En arrivant par hasard après l'agression, elle avait très bien pu découvrir le professeur à l'agonie, en profiter pour dérober le manuscrit, refermer la baie vitrée par laquelle s'était enfui Spoel et verrouiller la porte d'entrée au moment de repartir. Ce scénario expliquait pourquoi Derek Simmons avait trouvé les fenêtres closes et les portes fermées à clé en se présentant chez Wieder le lendemain matin.

Puis je me suis rappelé un détail important, mentionné dans le rapport du légiste. Celui-ci avait été intrigué par une constatation : de tous les coups que la victime avait reçus, un seul lui avait été fatal – vraisemblablement le dernier, porté à la tempe gauche, alors que Wieder gisait sur le sol, sans doute déjà inconscient. Spoel venait de me révéler qu'il avait enveloppé la batte dans une serviette ; autrement dit, ce n'était plus une arme aussi redoutable. Alors, et si le dernier coup, celui qui avait tué Wieder, avait été asséné par quelqu'un d'autre ?

Matt est venu me chercher quelques minutes plus tard. J'ai laissé à l'accueil les cigarettes destinées à Frank Spoel, et nous sommes sortis sur le parking. Le ciel s'était éclairci : il n'y avait désormais plus aucun nuage au-dessus de la plaine. Un rapace se laissait porter par les courants aériens en poussant de temps à autre un cri perçant.

— Ça va, vieux ? m'a demandé Matt. T'es tout pâle.

— Oui, ça va, ne t'inquiète pas. C'est juste l'atmosphère à l'intérieur qui ne doit pas me convenir. Tu connais un bon petit restau, dans le coin ?

— Il y a bien le Bill's Diner, à cinq ou six kilomètres, sur l'I-55... Ça te tente ?

— Je t'ai dit que je t'invitais à déjeuner, Matt. Mon avion ne décolle que dans quatre heures.

Il a conduit en silence pendant que je réfléchissais à l'histoire de Spoel.

Il me paraissait étrange que ses aveux ne concordent pas avec la version de Derek Simmons. Celui-ci avait également prétendu s'être caché dans le jardin ce même soir. Alors, comment était-il possible que les deux hommes ne se soient pas au moins aperçus ? Le jardin était grand, d'accord, mais le seul endroit où ils auraient pu se dissimuler sans risquer d'être repérés de l'intérieur, tout en ayant une bonne vue sur le salon, se situait à gauche de la maison, du côté opposé au lac, où je me rappelais avoir remarqué à l'époque quelques pins ornementaux de petite taille et un bosquet de magnolias.

— Tu repenses à ta conversation avec ce gars, c'est ça ? a lancé Matt en se garant sur le parking du restaurant.

J'ai hoché la tête.

— Attention, Roy, rien ne garantit qu'il n'ait pas tout inventé. Ces salopards seraient prêts à raconter n'importe quoi contre un paquet de clopes ! Peut-être qu'il veut attirer l'attention pour essayer de faire rouvrir le dossier Wieder dans l'espoir de retarder l'exécution… Comme le meurtre a été commis dans le New Jersey, il se dit que s'il est envoyé là-bas pour y être jugé, il faudra compter encore plusieurs années de procédure aux frais du contribuable. Son avocat a déjà tenté le coup une fois, sans succès – ce qui est pas plus mal, si tu me demandes mon avis.

— Et s'il ne mentait pas ?

Après être descendu de voiture, Matt a ôté sa casquette de base-ball et passé une main dans ses cheveux grisonnants avant de la recoiffer.

— Tu sais, Roy, j'ai repensé à ce type de Californie, celui qui écrit un bouquin sur les meurtriers. Moi, j'ai toujours vécu parmi les criminels. Au début de ma carrière, j'ai tout fait pour les mettre en prison et, après, j'ai tout fait pour les y maintenir aussi longtemps que le juge et le jury l'avaient décidé. Je les connais bien et y a pas grand-chose à dire pour leur défense. Certains sont nés en portant le mal en eux, comme d'autres naissent avec un don pour le dessin ou le basket. Oh, bien sûr, ils ont tous une triste histoire à raconter, mais tu veux que je te dise ? Moi, je m'en fous.

Une fois attablés dans la salle, nous avons commandé. Pendant le déjeuner, nous avons parlé de choses et d'autres, sans plus mentionner Spoel. En fin de repas, Matt m'a demandé :

— À propos, qu'est-ce qui t'a pris de te replonger dans cette affaire ? T'as pas trouvé mieux pour occuper tes journées ?

C'est à ce moment-là seulement que j'ai décidé de tout lui avouer. Matt méritait de connaître la vérité, et lui au moins, j'étais sûr qu'il m'épargnerait cette expression de pitié qui m'était insupportable.

— Il y a environ six mois, je suis allé voir le toubib, ai-je dit. J'avais toujours eu une bonne mémoire, pourtant j'oubliais de plus en plus souvent des trucs, surtout les noms de rues… Je me suis imposé des exercices, du style quel acteur jouait dans quel film, qui chantait telle ou telle chanson, quel était le résultat de tel match… Mais je me suis aperçu aussi que j'avais un problème avec le nom des gens, alors j'ai pris rendez-vous chez mon médecin. Il m'a fait passer des tests, m'a posé toutes sortes de questions, et deux semaines plus tard, il m'a annoncé la grande nouvelle.

— Me dis pas que…

— C'est Alzheimer, oui, au tout début. Heureusement, je n'en suis pas encore au stade où j'oublie ce que j'ai mangé la veille ou que je dois aller aux toilettes. Le toubib m'a conseillé de continuer les exercices pour stimuler la mémoire et m'a donné un livre et des vidéos pour m'aider. C'est là que je me suis souvenu de ce journaliste qui m'avait contacté à propos du meurtre de Wieder. J'étais allé au poste récupérer des documents pour lui aux archives. Lorsqu'il me les a rendus, je me suis dit que ce serait une bonne idée de reprendre cette affaire ; ça constituerait en tout cas une activité plus intéressante et motivante que d'essayer de me rappeler les résultats de matchs. De plus, j'ai toujours pensé que j'avais foiré cette enquête, vu qu'à l'époque je buvais comme un trou. Voilà pourquoi, quand tu m'as téléphoné, je n'ai pas hésité.

— J'aurais peut-être mieux fait de ne pas déterrer toute cette histoire. Je t'ai prévenu comme ça, pour te tenir au courant, mais je ne m'attendais pas à ce que tu fasses le déplacement. Je suis vraiment navré de…

— Écoute, Matt, c'est important pour moi de comprendre ce qui est arrivé à l'époque et comment j'ai pu laisser le meurtrier s'en tirer. Dans un an ou deux, trois au maximum, je ne saurai même plus qui était Wieder, ni même que j'ai été flic un jour. C'est l'occasion ou jamais de nettoyer le bordel que j'ai laissé, de réparer les torts que j'ai causés et que je n'ai pas encore fini de payer.

— T'es trop dur avec toi-même, a-t-il répliqué en faisant signe à la serveuse de nous rapporter du café. On a tous eu des hauts et des bas dans notre vie. Je ne me rappelle pas un seul moment où tu n'aies pas fait ton devoir. On te respectait tous, Roy, parce que t'étais quelqu'un de bien. OK, t'avais tendance à lever un peu trop le coude, mais fallait bien trouver un moyen de se protéger contre tout ce qu'on voyait, pas vrai ? Le passé est le passé, mon vieux. Maintenant, tu dois penser à toi.

Il a marqué une pause avant de demander :

— Il t'a donné un traitement ? Le toubib, je veux dire. Il t'a prescrit des médocs ?

— Oui. Je suis toutes ses recommandations, mais je n'ai pas beaucoup d'espoir. J'ai lu des tas de trucs sur Internet au sujet de cette maladie et je sais qu'il n'y a pas de guérison possible. C'est juste une question de temps. Quand je ne serai plus capable de me prendre en charge, j'irai dans une maison de retraite.

— T'es sûr que tu ne veux pas dormir chez nous ? On pourrait bavarder encore un peu…

— Non, ça me reviendrait trop cher si je changeais mon billet maintenant. Je reviendrai peut-être plus tard, d'accord ? Après tout, je ne suis pas débordé…

— T'es toujours le bienvenu, Roy. Mais plus de visites en prison.

— Promis.

Quand nous nous sommes quittés à l'aéroport, j'ai eu le sentiment étrange que c'était la dernière fois que je le voyais, et je l'ai regardé s'éloigner dans la foule jusqu'à ce qu'il disparaisse dehors.

Trois heures plus tard, j'ai atterri à Newark et pris un taxi pour rentrer. Sur le trajet, le chauffeur a mis un CD de Creedence Clearwater Revival, que j'ai écouté en essayant de me remémorer les débuts de mon histoire avec Diana : notre rencontre lors d'un pique-nique ; ce fichu papier sur lequel j'avais noté son numéro, et que j'avais perdu, et ce soir où j'étais tombé sur elle par hasard alors qu'elle sortait du cinéma avec des copines ; la première fois que nous avions fait l'amour dans un motel sur la côte du New Jersey. Bizarrement, tous ces souvenirs me semblaient plus réels que l'entretien que je venais d'avoir à la prison de Potosi.

J'avais remarqué depuis longtemps que, quand on est concentré sur quelque chose, une partie du cerveau continue de s'activer sur le sujet, même si on est distrait par d'autres pensées. J'ai réglé la course au chauffeur et, alors que j'ouvrais la porte d'entrée, j'ai soudain acquis une certitude : Spoel m'avait dit la vérité, forcément ; après tout, il n'avait plus rien à perdre. Autrement dit, Derek Simmons m'avait menti lorsque je l'avais interrogé presque trente ans plus tôt. Il me restait maintenant à découvrir pourquoi.

3

Je suis allé voir Simmons deux jours plus tard, après lui avoir annoncé ma visite par téléphone. J'avais trouvé son adresse dans les papiers remis par John Keller. Il habitait près du poste de police de Princeton, et je suis arrivé là-bas vers 15 heures, au moment où les nuages de pluie crevaient au-dessus des toits en bardeaux.

Avant de partir, j'avais essayé en vain de me remémorer ses traits. Il avait déjà la quarantaine à l'époque où j'enquêtais sur l'affaire, par conséquent, je m'attendais à rencontrer un vieil homme. Or, je me trompais : s'il avait bien les cheveux blancs et le visage ridé, il offrait une apparence beaucoup plus jeune que je ne l'avais imaginé.

Quand je me suis présenté, il m'a dit qu'il se souvenait vaguement de moi, parce que j'avais l'air d'un prêtre plus que d'un flic. Je lui ai demandé où était sa compagne, Leonora Phillis, mentionnée dans les documents de Keller, et il m'a expliqué qu'elle était partie en Louisiane s'occuper de sa mère, qui venait de subir une intervention chirurgicale.

Il m'a fait entrer dans le salon et je me suis assis sur le canapé pendant qu'il allait me préparer une tasse de café parfumé à la cannelle – une recette cajun qu'il tenait de Leonora. Après être retourné à la cuisine se chercher une tasse, il a allumé une cigarette, puis tiré vers lui un cendrier déjà presque plein.

— Je crois que je vous aurais pas reconnu si je vous avais croisé dans la rue, a-t-il déclaré. Pour être franc, j'ai essayé d'oublier toute cette histoire. Vous saviez qu'un journaliste est venu me poser des questions il y a deux mois ?

— Oui, je suis au courant. Je l'ai rencontré aussi.

Je lui ai ensuite rapporté les propos de Frank Spoel en me référant aux notes que j'avais prises dans le calepin où je consignais mes informations, comme au bon vieux temps. Simmons m'a écouté attentivement, sans m'interrompre, en sirotant son café et en fumant cigarette sur cigarette.

À la fin de mon récit, il n'a fait aucun commentaire, se bornant à me demander si je voulais un autre café. Le cendrier menaçait désormais de déverser son contenu sur la table en acajou qui nous séparait.

— Vous comprenez pourquoi je souhaitais vous parler, monsieur Simmons ?

— Non, a-t-il répondu posément. Personne m'a rien demandé pendant trente ans, et aujourd'hui, brusquement, tout le monde semble s'intéresser à cette vieille affaire ! Moi, ça me dépasse… Et ça me fait pas plaisir de revenir sur ce qui s'est passé : le professeur était mon seul ami.

— Vous souvenez-vous de ce que vous avez dit dans votre témoignage à l'époque ? Et de ce que vous avez raconté à ce journaliste il y a quelque temps ?

— Bien sûr.

— Le problème, c'est que vos déclarations et celles de Spoel ne concordent pas. Il prétend s'être caché dans le jardin derrière la maison le soir du meurtre et vous avez affirmé vous y être dissimulé aussi, au même moment, soit vers 21 heures. Comment auriez-vous pu ne pas vous voir ? Vous avez également dit que Laura Baines était là et que Richard Flynn se disputait avec Wieder. Toujours d'après vous, elle serait partie puis revenue plus tard, en laissant sa voiture près de l'entrée. Or, Spoel ne l'a pas mentionnée. Il prétend que le professeur était seul avec Richard Flynn et qu'il n'a pas remarqué de désaccord entre eux.

J'avais dressé dans mon calepin la liste des incohérences entre les deux versions.

— Et alors ? a-t-il répliqué d'un air indifférent. Il a peut-être des trous de mémoire, depuis le temps, ou alors il raconte des salades… Pourquoi le croire, lui, et pas moi ? Qu'attendez-vous de moi au juste ?

— Ce n'est guère difficile à deviner, monsieur Simmons : l'un de vous deux ne dit pas la vérité, et aujourd'hui j'aurais tendance à penser que c'est vous. Ce que je voudrais savoir, c'est pourquoi vous me mentiriez.

Il m'a adressé un sourire dénué de chaleur.

— Possible que je me souvienne pas bien de ce qui est arrivé cette nuit-là. Je suis vieux. C'est normal d'oublier des choses quand on vieillit, non ?

— Je ne vous parle pas seulement de ce que vous avez dit à Keller il y a deux mois, mais aussi de ce que vous avez dit à la police à l'époque, après le meurtre. C'est la même chose, quasiment au mot près. De plus, vous avez insinué que le professeur et Laura Baines avaient une liaison, vous vous rappelez ?

— Possible. Pourquoi cette question ? Vous avez la preuve du contraire ?

— Vous êtes le seul à avoir suggéré qu'ils étaient amants. Et comme Flynn était amoureux d'elle, les enquêteurs en sont venus à le soupçonner d'avoir tué Wieder dans un accès de jalousie. Vous leur avez fourni un mobile, en somme.

— C'est ce que j'ai toujours pensé, qu'ils couchaient ensemble. Et je suis sûr que le gamin a seulement fait semblant de quitter la maison après son engueulade avec le professeur ; si vous avez pas été capable de le prouver, c'est votre problème, pas le mien.

— Vous n'étiez pas caché derrière la maison ce soir-là, hein ? Pourquoi avez-vous essayé de faire accuser Flynn ?

Il a paru soudain furieux et agité.

— Qu'est-ce que vous me chantez ? J'ai jamais essayé de faire accuser qui que ce soit ! Ça s'est passé exactement comme je l'ai dit. J'étais là, je les ai vus tous les trois dans le salon.

— Et vous seriez resté dehors pendant deux heures ? En pleine tempête de neige ? Comment étiez-vous habillé ?

— Quelle question ! M'en souviens pas.

— Comment expliquez-vous que vous n'ayez pas vu Spoel et qu'il ne vous ait pas vu ?

— Soit il ment et il était pas sur place, soit il se goure sur les heures. Qu'est-ce que vous voulez que je vous dise ?

— Pourquoi affirmer que Laura Baines était dans la maison ?

— Parce que je l'ai vue de mes yeux, et que sa voiture était garée tout près. Vous arrêtez pas de me faire répéter les mêmes choses !

Il s'est levé d'un bond.

— Désolé, mais j'ai promis à un client de réparer sa voiture pour ce soir. Elle est dans le garage, je dois m'en occuper. De toute façon, le prenez pas mal, mais j'ai plus envie de discuter avec vous ; j'aime pas votre ton. L'heure est maintenant au base-ball. Merci de votre coopération.

— Pardon ?

— C'est ce qui a été dit en ouverture du match des Yankees contre les Orioles de Baltimore. J'étais là quand le commentateur a prononcé ces mots après l'hommage rendu au receveur Thurman Lee Munson, mort dans un accident d'avion. Bon, pour info, si quelqu'un veut me reparler de Wieder, faudra qu'il ait un mandat. Je vous raccompagne.

Je me sentais un peu ridicule en partant ; j'avais l'impression d'être un gamin qui avait voulu jouer au détective et s'était fait flanquer dehors par l'un des « suspects ». J'avais été flic autrefois, certes, mais ce temps-là était révolu. Aujourd'hui, je n'étais plus qu'un vieil idiot, sans plaque ni arme à sa ceinture. Une fois remonté en voiture, j'ai fourré le calepin dans la boîte à gants.

Alors que je m'engageais sur la Valley Road, sous une pluie battante qui mettait les essuie-glaces à rude épreuve, je me suis demandé quelles étaient mes options. J'étais désormais convaincu que Derek Simmons mentait, tout comme il avait menti dans le témoignage qu'il avait donné après le meurtre, mais que pouvais-je y faire ? Matt m'avait dit que l'avocat de Spoel n'avait pas réussi à obtenir la réouverture du dossier, et ce n'était certainement pas un retraité à moitié sénile qui allait y parvenir...

Pendant les deux jours suivants, j'ai continué les travaux sur le toit de ma maison et repeint le salon, tout en réfléchissant à l'affaire.

Le samedi, j'ai désherbé le jardin et, le dimanche, j'ai traversé la rivière pour aller voir un ancien collègue en ville, Jim Foster, qui était sorti de l'hôpital depuis quinze jours après avoir failli succomber à une crise cardiaque. Comme il faisait un temps magnifique, nous sommes sortis nous promener avant d'aller déjeuner dans un restaurant près de Lafayette Street. Il m'a parlé du régime draconien qu'il était obligé de suivre. Je lui ai demandé s'il se souvenait de l'affaire Joseph Wieder, et il a paru surpris. Manifestement, le nom ne lui disait rien.

— C'était ce professeur à Princeton qui a été assassiné chez lui en décembre 1987, lui ai-je rappelé. Un détenu dans le couloir de la mort à Potosi vient d'avouer le meurtre. Il s'appelle Frank Spoel, il avait vingt-deux ans à l'époque. J'ai participé à l'enquête.

— Je n'ai jamais aimé ce prénom, Frank... a-t-il dit, les yeux fixés sur les saucisses dans mon assiette. Gamin, j'ai lu *Autant en emporte le vent*, et y avait ce personnage, Frank, qui avait mauvaise haleine... Je ne sais pas pourquoi ce détail m'est resté, mais j'y pense chaque fois que j'entends parler d'un Frank. Pourquoi tu te réintéresses à cette affaire, tout d'un coup ?

— Il n'y en a pas une dans ta carrière qui t'a obsédé, à laquelle tu repenses encore, même après toutes ces années ?

— J'en ai vu passer beaucoup, Roy.

— Je m'en doute, mais moi, je me suis rendu compte que celle-là me troublait toujours. En fait, j'ai l'impression qu'elle n'est pas bouclée, qu'il me reste un élément crucial à découvrir... Oh, rien à voir avec toutes ces conneries qu'on nous sert dans *New York, police judiciaire !* Non, je veux parler de justice – du sentiment que si j'échoue, cette fois, ce sera pour de bon.

Il a réfléchi quelques instants.

— Je pense savoir à quoi tu fais allusion... Quand j'ai intégré la police de New York, dans les années 1990, j'ai travaillé un moment aux Stups. On collaborait avec les fédéraux, en ce temps-là, pour lutter contre le gang des Westies à Hell's Kitchen et la bande de John Gotti. On n'avait pas le temps de s'ennuyer, je t'assure ! Un jour, l'ex-petite amie d'un boss irlandais, une certaine Myra, nous a raconté qu'elle était prête à tout balancer, à condition qu'on la protège. Je me suis arrangé pour la rejoindre dans un bar de la 43ᵉ Rue Ouest, le Full Moon. Je m'y suis rendu avec Ken Filley, un collègue qui, un an plus tard, a été tué au cours d'une fusillade avec des gars du Nicaragua dans le New Jersey. Bref, la fille s'est pointée, on a commandé à boire et je lui ai expliqué en quoi consistait le programme de protection des témoins. Là-dessus, elle est partie aux toilettes. Mon coéquipier et moi, on a patienté une bonne dizaine de minutes, avant de se dire que quelque chose clochait. J'ai demandé à la serveuse d'aller jeter un coup d'œil aux toilettes, mais y avait personne. Du coup, j'ai prévenu le gérant et on a fouillé le bar de fond en comble. Je te le donne en mille, vieux : elle n'était nulle part. Il n'y avait pas de fenêtres dans les toilettes ; pour sortir, il aurait fallu passer par la cuvette des W-C ou par le conduit d'aération, où même un gosse n'aurait pas pu se faufiler ! On n'a pas compris comment elle avait fait. D'autant que personne d'autre n'était entré dans les toilettes ou n'en était ressorti dans l'intervalle.

— C'est pas croyable... ! Et vous avez fini par percer le mystère ?

— Jamais. Et, au fond, je crois que j'avais pas envie d'y repenser. Tiens, rien que d'en parler, ça me fait froid dans le dos, même encore aujourd'hui. C'est comme si cette fille s'était volatilisée à quelques mètres de nous... On ne l'a jamais retrouvée, ni morte ni vive. Pendant des années, je me suis trituré les méninges à la recherche d'une explication. En vain. À mon avis, tous les flics traînent des casseroles de ce genre, Roy. Alors, peut-être que tu ne devrais pas trop te focaliser sur la tienne.

Après avoir raccompagné Jim chez lui, je suis allé sur le parking où j'avais laissé ma voiture. Alors que je passais devant la librairie McNally Jackson, j'ai remarqué une petite affiche sur la vitrine disant que Mme Laura Westlake, docteur en psychologie, y donnerait une conférence le mercredi après-midi, soit trois jours plus tard. J'ai pensé que je pourrais peut-être échanger quelques mots avec elle après la signature, alors qu'en d'autres circonstances je n'aurais sans doute pas osé l'aborder. Il me semblait que cette annonce était un signe, et j'ai décidé de tenter ma chance.

Comme il n'y avait pas de photo d'elle sur l'affiche, j'en ai cherché une sur Internet dans la soirée. Je me souvenais vaguement d'une jeune femme élancée, mince et sûre d'elle, qui avait répondu à toutes mes questions sans se démonter, mais je ne me rappelais plus ses traits. J'ai trouvé quelques portraits récents, que j'ai examinés avec attention, notant le front haut, le regard glacial et la bouche pincée. Si elle n'était pas jolie à proprement parler, je pouvais néanmoins comprendre comment elle avait pu rendre Richard Flynn fou amoureux.

Trois mois plus tôt, à la demande de John Keller, j'avais fait un tour aux archives du poste de West Windsor, où j'avais photocopié les documents de l'affaire Wieder. Cette fois, j'ai décidé de me rendre au poste de Princeton afin d'en savoir plus sur Derek Simmons, jadis accusé d'avoir tué sa femme. Richard Flynn avait mentionné l'histoire de Simmons dans son manuscrit, en disant qu'il la tenait de Laura Baines. Quel mal pouvait-il y avoir à jeter un coup d'œil au dossier ? Le meurtre avait eu lieu en 1982, quelques années après mon transfert au poste de West Windsor.

Je me suis entretenu par téléphone avec l'inspecteur principal Brocato, que je connaissais pour avoir travaillé avec lui dans le temps, et il m'a autorisé à consulter les documents sans trop me poser de questions. Sur place, le policier de permanence à l'entrée m'a remis un badge visiteurs, puis je suis descendu au sous-sol, où se trouvaient les archives et le local des scellés.

La disposition des lieux n'avait pas changé depuis mon époque. Un agent d'un certain âge, Val Minsky, que je connaissais aussi, m'a remis un vieux carton avant de m'accompagner jusqu'à une pièce servant de bureau, où il y avait une table avec une lampe, une vieille Xerox fatiguée, deux chaises et des étagères vides. Il m'a dit de prendre mon temps et m'a laissé faire mes recherches après m'avoir indiqué le panneau « Interdit de fumer ».

Derek Simmons n'avait jamais avoué le meurtre, et le juge l'avait déclaré pénalement irresponsable en se fondant sur l'évaluation psychiatrique à laquelle avait procédé Joseph Wieder. Après son arrestation, Simmons avait été détenu à la prison du New Jersey et ensuite envoyé à l'hôpital psychiatrique de Trenton, où il avait reçu le coup qui avait provoqué son amnésie.

Un an plus tard, alors qu'il était remis physiquement, il avait été transféré à l'hôpital psychiatrique de Marlboro, d'où il était sorti au bout de deux années. C'était également Joseph Wieder qui avait rédigé les rapports d'évaluation ayant conduit le juge à le changer d'établissement, puis à lui accorder la liberté conditionnelle en 1983. À partir de là, il ne restait plus qu'un document dans le dossier, daté de 1994 : l'ordonnance du juge levant l'obligation d'un suivi médical, encore une fois motivée par une évaluation psychiatrique.

J'ai noté le nom des deux autres experts qui avaient cosigné le rapport de Wieder en 1983 : Lindsey Graff et John T. Cooley.

Puis j'ai remarqué une liste de numéros de téléphone.

Simmons n'avait été appréhendé que huit jours après la mort de sa femme. Sur cette liste figuraient tous les appels passés ou reçus sur le téléphone de son domicile dans la semaine précédant le meurtre et jusqu'à son arrestation. Je l'ai photocopiée et j'ai rangé le papier dans ma mallette.

Deux enquêteurs avaient travaillé sur l'affaire Simmons : Nicholas Quinn, un de mes amis, mort d'une crise cardiaque dans les années 1990, et un certain Ian Kristodoulos, qui avait dû intégrer le service après mon départ.

Lorsque j'ai rapporté le carton à l'agent Minsky, il m'a demandé si j'avais trouvé ce que je cherchais.

— Je n'en sais trop rien, ai-je répondu. Ian Kristodoulos, ça te dit quelque chose ? C'est l'un des deux policiers qui ont enquêté à l'époque. Je connaissais l'autre, Quinn, mais il est mort il y a quinze ans.

— Bien sûr que je connais Kristodoulos ! Ça doit faire cinq ans qu'il a été muté à New York.

— T'aurais son numéro de téléphone ?

— Donne-moi une seconde.

— Merci beaucoup, Val.

— De rien. Content de pouvoir rendre service à un copain.

Minsky a passé quelques coups de fil, échangé des blagues sur les femmes adultères et les mères de famille portées sur la bouteille – tout en m'adressant force clins d'œil frénétiques, comme s'il avait un tic –, jusqu'au moment où une expression triomphante a illuminé son visage rougeaud. Il a noté un numéro sur un Post-it qu'il m'a tendu après avoir pris congé de son interlocuteur.

— Il n'est pas encore à la retraite, apparemment, m'a-t-il dit. Il bosse au 67e district, à Brooklyn, dans Snyder Avenue. C'est son numéro.

Je l'ai aussitôt entré dans le répertoire de mon téléphone, puis j'ai remercié Minsky et je suis parti.

J'ai donné rendez-vous à Ian Kristodoulos l'après-midi même dans un café près de Prospect Park et, dans l'intervalle, j'ai essayé de retrouver la trace des deux experts ayant collaboré avec Wieder.

Après pas mal de recherches sur Internet, j'ai découvert qu'une psychiatre nommée Lindsey Graff exerçait en ville, dans la 56e Rue Est. Son cabinet avait un site Internet, où j'ai pu consulter sa biographie. Selon toute vraisemblance, c'était la bonne personne : entre 1981 et 1985, Lindsey Graff avait travaillé comme consultante pour l'institut médico-légal de l'État, avant d'enseigner à l'université de New York pendant six ans. Elle avait ouvert son cabinet avec deux confrères en 1998.

J'ai appelé le cabinet en question pour avoir un rendez-vous, mais la secrétaire m'a répondu que le Dr Graff ne pourrait pas me recevoir avant la mi-novembre. Je lui ai alors expliqué que j'avais un problème particulier dont j'aurais voulu m'entretenir avec le Dr Graff par téléphone. Je lui ai laissé mon numéro et elle m'a assuré qu'elle transmettrait le message.

Je n'avais en revanche toujours pas réussi à localiser John T. Cooley quand j'ai rejoint Ian Kristodoulos. Petit et trapu, le policier avait les cheveux noirs et le teint mat de ceux dont la barbe repousse à peine une heure après qu'ils se sont rasés. Sur ma demande, il m'a raconté d'une voix dénuée de chaleur ses souvenirs au sujet de l'affaire Simmons.

— C'était ma première grosse affaire, a-t-il expliqué. Depuis un an et demi que je bossais au poste de Princeton, je m'occupais que des délits mineurs. Alors, quand c'est arrivé, j'ai demandé à Quinn de me prendre comme coéquipier. Vous savez ce que c'est, on n'oublie jamais sa première affaire d'homicide, pas plus qu'on n'oublie sa première petite amie… En attendant, ce salopard de Simmons s'en est tiré.

Il m'a dit qu'il n'avait jamais douté de la culpabilité de Simmons, dont le mobile lui semblait évident : sa femme entretenait une liaison. Le suspect lui avait paru tout à fait sensé, mais fourbe, aussi le résultat de l'évaluation psychiatrique les avait-il dégoûtés, ses collègues et lui.

— On disposait de pas mal d'éléments contre lui, et je suis quasiment sûr que, s'il y avait eu un procès, Simmons aurait écopé de la perpétuité sans possibilité de remise de peine. Malheureusement, là, on n'avait pas de recours. C'est la loi, ou du moins ça l'était : personne ne pouvait aller contre l'avis des experts psychiatres. Alors Simmons a été envoyé à l'hôpital, d'où il est sorti deux ans plus tard. Mais je crois que Dieu devait veiller, parce que notre homme s'est fait agresser pendant son séjour. Et c'est pour le coup qu'il a vraiment perdu la boule, si j'ai bien compris. Quoi qu'il en soit, la loi a été modifiée un an plus tard, en 1984, quand le Congrès a voté l'Insanity Defense Reform Act après que l'auteur de la tentative d'assassinat contre Reagan avait été déclaré pénalement irresponsable.

Après avoir remercié Kristodoulos, je suis rentré chez moi. J'ai de nouveau essayé de trouver la trace de Cooley – en vain. Lindsey Graff ne m'a pas rappelé, mais à vrai dire, je n'y comptais pas.

Vers 22 heures, alors que je regardais un vieil épisode de *Mon oncle Charlie*, le téléphone a sonné. C'était Diana.

— T'avais promis de me rendre un service, a-t-elle dit après l'habituel échange de petites nouvelles.

Nous ne nous étions pas parlé depuis deux ou trois semaines.

Ça m'est revenu : j'étais censé aller chercher une attestation dans une entreprise pour laquelle elle avait travaillé des années plus tôt. Elle en avait besoin pour constituer son dossier de retraite. J'ai marmonné des excuses et promis de m'en occuper dès le lendemain.

— Oh, rien ne presse, je te posais juste la question par curiosité, a-t-elle répliqué. Et si je venais passer la semaine chez toi ? J'en profiterais pour aller le récupérer moi-même ce papier. Ça te dérangerait ?

Chaque fois que j'entendais sa voix, j'avais l'impression qu'on venait de se quitter. Je lui ai répondu que j'avais tout simplement oublié et que je me débrouillerais pour lui obtenir son attestation. Puis j'ai soudain compris pourquoi elle m'appelait.

— Matt t'a téléphoné, c'est ça ?

Elle a gardé le silence quelques secondes.

— Cette grande gueule n'avait pas le droit de…

— C'est vrai, Roy ? Tu en es certain ? T'as demandé un autre avis ? Est-ce que je peux faire quelque chose pour t'aider ?

Je me suis senti embarrassé, comme si elle avait découvert un secret honteux à mon sujet. Je lui ai dit que je ne voulais pas de sa pitié. Surtout, je ne l'imaginais pas sacrifier ses dernières années de vie auprès d'un zombie incapable de se rappeler son propre nom.

— Je ne veux pas en parler, Dee. Ni maintenant ni jamais.

— J'aimerais venir te voir quelques jours. Je n'ai rien d'autre à faire à part remplir de la paperasse pour ce foutu dossier de retraite, et même ça, ça peut attendre.

— Non.

— S'il te plaît, Roy…

— Je vis avec quelqu'un, Dee.

— Ah oui ? Première nouvelle !

— Elle a emménagé la semaine dernière. On s'est rencontrés il y a deux mois. Elle s'appelle Leonora Phillis, elle est originaire de Louisiane.

— Leonora Phillis, de Louisiane… Pourquoi pas Minnie, de Disneyland ? Je ne te crois pas, Roy. Tu vis seul depuis notre séparation.

— Je ne plaisante pas, Dee.

— Pourquoi réagis-tu comme ça ?

— Il faut que je te laisse, désolé. Je t'aurai ton attestation, promis.

— Je viens, Roy.

— Ne fais pas ça, je t'en prie.

Après avoir raccroché, je me suis allongé sur le canapé et j'ai fermé les yeux, en serrant fort les paupières pour refouler mes larmes.

Les couples mixtes étaient rares dans les années 1970, même dans les États du Nord-Est. Je me rappelais encore les regards que nous attirions quand nous entrions dans un bar : certains hostiles, d'autres scandalisés… Quelques-uns se voulaient complices, comme si Diana et moi étions ensemble uniquement dans le but de prouver quelque chose. Nous étions bien obligés de nous en accommoder, et je pouvais au moins me consoler à la pensée que je n'avais pas à passer Noël avec mes beaux-parents dans le Massachusetts. Plus tard, cependant, j'ai tout perdu quand j'ai sombré dans l'alcool. Chaque fois que je buvais, je devenais méchant : je l'insultais, lui reprochais tout et n'importe quoi, multipliais les remarques blessantes… Aujourd'hui, même après tout ce temps, le souvenir de mon comportement à cette époque suffit à me nouer l'estomac.

Le seul point positif de ma maladie, c'était qu'elle me permettrait d'oublier ces années-là : je ne saurais même plus qu'elles avaient existé.

J'avais réussi à décrocher de l'alcool trois ans après le divorce, grâce aux réunions des AA et à un séjour dans une clinique à Albany. J'avais également dû remobiliser ma volonté après deux rechutes. Pour autant, j'étais bien conscient que je resterais un alcoolique toute ma vie – que, dès l'instant où j'entrerais dans un bar pour commander une bière bien fraîche ou un Jack Daniel's, je replongerais. J'avais été tenté de le faire, surtout au début de ma retraite, lorsque j'avais l'impression que plus rien n'avait d'importance. Mais, chaque fois, je m'étais dit que ce serait la forme de suicide la plus pitoyable ; il y avait d'autres méthodes, plus rapides et plus propres.

Au bout d'un moment, j'ai enfilé ma veste et je suis parti me promener dans le parc voisin. Il était situé sur une colline, et il y avait une grande clairière au milieu où étaient disposés des bancs en bois sur lesquels j'aimais m'asseoir. De ce poste d'observation, je contemplais les lumières de la ville en ayant l'impression de flotter au-dessus des toits.

Ce soir-là, j'y ai passé une bonne demi-heure, à regarder les gens promener leur chien ou suivre le raccourci jusqu'à l'arrêt de bus au bas de la pente. Puis je suis lentement rentré chez moi, en me demandant si je n'avais pas fait la plus grosse connerie de ma vie quand j'avais dit à Diana de ne pas venir.

4

Le mercredi après-midi, je suis arrivé à la librairie McNally Jackson à 16 h 45, soit un quart d'heure avant le début de la conférence. Le nouveau livre de Laura Westlake, qui traitait de l'hypnose, était sorti depuis moins d'un mois, et cette signature s'inscrivait dans le cadre d'une tournée promotionnelle. J'en ai acheté un exemplaire avant d'aller m'asseoir dans la salle en bas. Presque toutes les chaises étaient occupées.

De bonne heure ce matin-là, j'étais passé au siège de la société où avait travaillé Diana. Une employée m'avait promis de me faire parvenir l'attestation par mail dès le lendemain et j'avais aussitôt envoyé un texto à Diana pour lui dire que le problème était réglé. Comme elle ne m'avait pas répondu, j'en avais déduit que son téléphone était éteint.

Laura Westlake présentait mieux qu'en photo, et c'était de toute évidence une oratrice expérimentée. Je l'ai écoutée avec intérêt, même si je me sentais gagné par la nervosité à l'idée qu'il ne lui faudrait pas longtemps pour m'envoyer paître quand elle comprendrait qui j'étais et pourquoi j'étais là.

Son intervention a été suivie d'une courte séance de questions-réponses, au terme de laquelle une file d'attente s'est formée devant sa table. J'ai été le dernier à lui tendre mon livre et elle a levé vers moi un regard interrogateur.

— Freeman, ai-je dit. Roy Freeman.

— Pour Roy Freeman, donc.

Avec un sourire, elle m'a dédicacé l'ouvrage.

— Merci.

— Merci à vous, monsieur Freeman. Seriez-vous psychologue, par hasard ?

— Non, j'étais dans la police. Inspecteur à la criminelle, plus exactement. J'ai enquêté sur la mort du professeur Joseph Wieder il y a une trentaine d'années. Vous ne vous souvenez probablement pas de moi, mais je vous ai interrogée, à l'époque.

Elle m'a dévisagé quelques secondes, puis elle a paru sur le point de dire quelque chose, avant de se raviser et de passer la main gauche dans ses cheveux. Elle a ensuite balayé la pièce du regard, sans doute pour s'assurer que j'étais bien le dernier à vouloir une dédicace, et rebouché son stylo, qu'elle a rangé dans son sac posé sur la chaise près d'elle. À quelques pas de nous, une femme d'un certain âge aux cheveux teints en violet nous observait.

— Je vais marcher un peu avec avec M. Freeman, lui a dit Laura Westlake.

Son interlocutrice a écarquillé les yeux.

— Vous êtes sûre que…

— Tout à fait sûre. Je vous appellerai demain matin. Bonne soirée, Debbie.

Je l'ai aidée à enfiler son manteau, elle a récupéré son sac et nous sommes sortis. La nuit tombait et l'air sentait la pluie.

— Debbie est mon agente, m'a-t-elle expliqué. Elle a parfois tendance à me materner. Avez-vous apprécié la conférence, monsieur Freeman ?

— Oui, c'était très intéressant.

— Ce n'est cependant pas pour ça que vous êtes venu, n'est-ce pas ?

— J'espérais avoir l'occasion de vous parler quelques instants.

— En général, je ne m'attarde pas après une signature, mais avec vous, c'est différent : j'ai l'étrange impression que je vous attendais.

Nous passions devant le café Zanelli et je lui ai proposé d'entrer. Nous nous sommes installés à une table, et elle a commandé un verre de vin rouge tandis que j'optais pour un café.

— Je vous écoute, monsieur Freeman. Voyez-vous, il y a deux mois, quand j'ai rencontré un journaliste à propos de cette histoire, je me suis dit que le facteur sonne toujours deux fois. Je me doutais bien qu'on viendrait de nouveau me poser des questions sur ces événements qui remontent à loin. Mettez ça sur le compte de l'intuition féminine… Savez-vous que Richard Flynn a écrit un livre sur l'affaire Wieder ?

— Oui, je suis au courant. J'en ai lu un extrait. John Keller, le journaliste que vous venez de mentionner, m'en a remis une copie. Mais depuis, il y a eu du nouveau.

Je lui ai parlé de Frank Spoel et de sa version des événements. Elle m'a écouté attentivement, sans m'interrompre.

— Ce journaliste ne m'a manifestement pas crue quand je lui ai dit que je n'avais pas eu de liaison avec Richard Flynn, a-t-elle souligné. Ni avec le professeur

Wieder, d'ailleurs. Quoi qu'il en soit, les déclarations de ce Frank Spoel semblent expliquer beaucoup de choses, non ?

— En fait, madame Westlake, je ne pense pas qu'il ait assassiné le professeur Wieder. Une autre personne, qui avait les clés de la maison, est entrée alors qu'il était encore sur place. À ce moment-là, le professeur était toujours vivant. Spoel l'avait frappé, c'est vrai, sans toutefois le tuer. Il voulait juste lui donner une leçon, et il n'a eu que le temps de s'échapper. Je répète : le professeur était toujours vivant. Mais quand un homme est déjà inconscient et qu'on le frappe à la tête avec une batte de base-ball, c'est qu'on veut sa mort… Bref, au lieu d'appeler les secours, cette personne arrivée après Spoel a porté à Wieder le coup fatal. Pourquoi ? À mon avis, elle a réagi en prédateur opportuniste et décidé d'exploiter la situation : Wieder gisait sur le sol, la baie vitrée était grande ouverte, toutes les apparences laisseraient donc supposer qu'un intrus l'avait battu à mort avant de s'enfuir – un intrus qui, bien sûr, serait accusé du meurtre.

— Et vous pensez que c'était moi, ce « prédateur opportuniste », c'est ça ?

Comme je gardais le silence, elle a repris la parole :

— Je ne suis pas allée chez le professeur ce soir-là, monsieur Freeman. Je n'avais pas mis les pieds chez lui depuis au moins deux semaines.

— Je sais que votre amie, Sarah Harper, vous a fourni un faux alibi et nous a menti. Tout comme vous nous avez menti. John Keller s'est entretenu avec elle et m'a remis ses notes. Sarah Harper vit dans le Maine aujourd'hui, mais elle pourrait témoigner au besoin.

306

— Je me doutais bien que vous étiez au courant, pour Sarah… Elle a toujours été extrêmement fragile, monsieur Freeman. Si vous vous étiez montré plus ferme à l'époque, elle aurait fini par craquer et par tout avouer. J'ai néanmoins accepté de courir ce risque quand je lui ai demandé de dire qu'on avait passé la soirée ensemble, parce que je ne voulais pas être malmenée par la presse. Je connais les journalistes, ils n'auraient pas manqué de nous salir, le professeur et moi. Voilà, c'est tout. Je n'avais pas peur d'être interrogée par la police, je cherchais seulement à éviter un scandale.

— Alors où étiez-vous cet après-midi-là, après les cours ? Richard Flynn affirme dans son manuscrit que vous n'étiez pas avec lui. Vous n'étiez sans doute pas non plus avec votre petit ami Timothy Sanders, sinon vous lui auriez demandé de témoigner…

— Je me trouvais dans une clinique à Bloomfield, où je me suis fait avorter, a-t-elle répliqué. J'étais tombée enceinte de Timothy juste avant son départ pour l'Europe. Je lui ai annoncé la nouvelle quand il est revenu et je peux vous dire que ça n'a pas eu l'air de le réjouir ! Alors j'ai décidé de régler le problème avant de rentrer chez moi pour les vacances, parce que j'avais peur que ma mère remarque quelque chose. Je n'ai même pas averti Timothy, je suis allée seule à la clinique. Je suis rentrée tard et j'ai eu une dispute terrible avec Richard Flynn. Il n'avait pas l'habitude de boire, mais ce soir-là, je crois qu'il était ivre. Il avait passé la soirée avec le professeur, dont il prétendait que j'étais la maîtresse. Pour finir, lasse de ses attaques, j'ai fait mes bagages et je suis partie chez Sarah ; de toute façon, j'avais l'intention de déménager après les vacances. Vous comprenez maintenant pourquoi je ne voulais pas dire où j'étais ce jour-là et pourquoi j'ai sollicité l'aide de Sarah ? J'étais enceinte, il y avait déjà des rumeurs à propos d'une liaison entre le professeur et moi, et la presse se serait certainement emparée de…

— Ce journaliste, Keller, a conclu que vous aviez volé le manuscrit de Wieder et que vous l'aviez publié sous votre nom…

— Quel manuscrit ?

— Celui de votre premier livre, paru cinq ans après la mort du professeur. Flynn raconte que vous lui aviez parlé d'un ouvrage très important sur lequel travaillait Wieder, qui devait révolutionner la psychologie. Il y était question des liens entre les stimuli internes et les réactions, quelque chose comme ça. C'était bien le sujet de votre premier livre, n'est-ce pas ?

— Oui, en effet, mais je n'ai rien volé au professeur, a-t-elle affirmé en secouant la tête. Ce manuscrit auquel vous faites allusion n'a jamais existé, monsieur Freeman ! J'avais donné à Wieder le plan de mon mémoire de maîtrise, ainsi que la première partie. Mes recherches l'avaient enthousiasmé, il m'avait d'ailleurs fourni des pistes et de la documentation, mais par la suite tout s'est mélangé peu à peu et il en est venu à considérer ce projet comme le sien. Un jour, j'ai trouvé une lettre qu'il avait envoyée à un éditeur, dans laquelle il affirmait avoir un manuscrit achevé à lui soumettre. En fait, il ne disposait que de mes premiers chapitres, auxquels il avait joint des extraits de ses publications antérieures, sans même essayer de donner un semblant de cohérence à l'ensemble…

— Puis-je savoir quand et comment vous avez découvert cette lettre ?

Laura Westlake a avalé une gorgée de vin et s'est éclairci la gorge avant de répondre.

— Il avait dû me demander de mettre de l'ordre dans ses papiers, en oubliant que cette lettre était dans le lot…

— Et quand était-ce ? ai-je insisté. Vous venez de dire que vous n'étiez pas allée chez lui depuis plusieurs semaines.

— Ça, je ne m'en souviens plus, monsieur Freeman. En tout cas, c'est pour cette raison que j'ai arrêté d'aller chez lui. Il s'était brouillé avec les personnes pour qui il travaillait à l'époque, et il n'avait plus la concentration nécessaire pour préparer un nouveau livre. En même temps, il n'aspirait qu'à faire bonne impression sur les administrateurs de l'université où il avait l'intention de commencer à enseigner l'année suivante. Il voulait retourner en Europe un moment.

— Ah bon ? C'était quelle université ?

— Cambridge, il me semble.

— Et qui étaient ces mystérieuses « personnes » qui l'avaient engagé ?

— Oh, elles n'étaient pas aussi mystérieuses qu'il aurait voulu le faire croire… D'après ce que j'avais compris, il collaborait avec le département de recherche d'une agence militaire, qui voulait étudier les effets à long terme des traumatismes psychologiques subis par des sujets confrontés à des situations extrêmes. Le contrat a expiré pendant l'été 1987, point final. Mais le professeur avait quelquefois tendance à dramatiser : ça lui plaisait d'imaginer que les représentants de cette agence le soumettaient à des pressions, l'impliquaient dans toutes sortes d'affaires secrètes et le menaçaient parce qu'il en savait trop… C'était peut-être une façon pour lui de se donner de l'importance, pour compenser le déclin de sa carrière. Depuis deux ans, les émissions de télé ou de radio et les interviews dans les journaux étaient devenues plus importantes pour lui que ses travaux scientifiques. Il était flatté quand on le reconnaissait dans la rue et, à l'université, il se sentait supérieur à tous les autres professeurs. Il se prenait pour une star, en d'autres termes. Sauf qu'il en était arrivé à négliger ses recherches, ce qui n'était pas sans conséquences : il n'avait plus rien de nouveau à dire et il commençait tout juste à le comprendre.

— Mais Sarah Harper…

— Elle avait de gros problèmes, monsieur Freeman ! Vous faites fausse route si vous pensez qu'elle a pris un congé sabbatique parce que le professeur avait été tué… On a vécu ensemble un an, je la connaissais bien.

— Donc, l'ouvrage que vous avez publié n'a pas été écrit par Wieder ?

— Bien sûr que non ! Je ne l'ai terminé qu'après ma thèse de doctorat, quand j'ai eu plus de temps devant moi. Aujourd'hui, avec le recul, je trouve sa construction maladroite et je suis surprise par les louanges qu'il a reçues à l'époque.

— N'empêche, le premier chapitre est identique à cent pour cent à celui envoyé par le professeur à une maison d'édition. Keller en a obtenu une copie.

— Je vous le répète, c'est Wieder qui s'est approprié mon idée.

— Donc, il s'apprêtait à vous spolier… Pourquoi n'avez-vous rien tenté ? Lorsque vous avez mis la main sur cette lettre, le texte avait déjà été soumis à un éditeur. Si le professeur n'avait pas été tué, il aurait sans doute sorti ce livre sous son nom. Votre livre, je veux dire.

— Et si moi j'avais accusé une personnalité telle que lui de fraude à la propriété intellectuelle, que se serait-il passé, à votre avis ? Au mieux, on m'aurait traitée de parano ! Je n'étais personne, c'était l'un des plus éminents psychologues du pays.

Elle avait raison, bien sûr. En même temps, elle me semblait particulièrement déterminée, et c'était de son avenir à l'époque que nous parlions, d'une chance pour elle de lancer sa carrière, d'être reconnue comme la meilleure. Je n'avais aucun mal à imaginer de quoi elle aurait été capable si quelqu'un avait essayé de lui nuire d'une façon ou d'une autre, surtout en ce qui concernait la voie qu'elle avait choisie.

— Bon, revenons au soir où le professeur a été assassiné, ai-je repris. Vous vous êtes disputée avec Flynn et vous avez bouclé vos bagages. Mais lui, est-ce qu'il est resté dans la maison ?

Elle n'a pas répondu tout de suite.

— Non, a-t-elle dit enfin. Il a pris sa veste et il est sorti avant moi.

— Quelle heure était-il ? Vous vous rappelez ?

— J'étais rentrée vers 20 heures et il est arrivé un peu après 22 heures. Je pense qu'il devait être à peu près 23 heures.

— Donc, Flynn aurait pu se trouver à West Windsor aux environs de minuit ?

— Oui.

— A-t-il appelé un taxi avant de partir ?

— Peut-être. Je ne sais plus.

— Il s'était querellé avec le professeur plus tôt dans la soirée ?

— Je ne me rappelle pas très bien... Il était furieux, c'est certain. Quand je lui ai dit que si Wieder m'avait demandé de coucher avec lui – ce qu'il n'avait jamais fait –, j'aurais probablement accepté, il est parti en claquant la porte. C'était la stricte vérité, monsieur Freeman. Au début, ça m'amusait que Richard soit amoureux de moi, mais c'est vite devenu lassant, parce qu'il me traitait toujours comme si je l'avais trompé ou trahi. Alors je voulais régler le problème une bonne fois pour toutes. Malheureusement, je n'ai pas réussi : il m'a harcelée encore longtemps après notre départ de Princeton.

— Il y avait des papiers disséminés chez le professeur et les tiroirs étaient ouverts, comme si l'assassin, ou quelqu'un d'autre, avait pris le temps de fouiller les lieux. Ce n'était certainement pas Spoel, parce qu'il s'était enfui en entendant la porte d'entrée s'ouvrir. Alors, c'était peut-être Flynn, qui serait revenu... Auquel cas, qu'aurait-il pu chercher ?

— Aucune idée, monsieur Freeman. Je vous ai dit tout ce que je savais.

— Lorsqu'il vous a téléphoné l'année dernière, vous a-t-il avoué quelque chose ? A-t-il fait des révélations à propos des événements de cette nuit-là ?

— Non... Enfin, pas exactement. Richard était bouleversé et tenait des propos incohérents. Tout ce que j'ai compris, c'est qu'il m'accusait d'être impliquée dans la mort de Wieder et de l'avoir manipulé pour atteindre mon but sordide. Il était plus pitoyable qu'effrayant.

À aucun moment elle n'avait déploré la fin tragique de Flynn ni la mort brutale du professeur. Elle s'exprimait d'une voix neutre, dénuée d'émotion, et j'en ai déduit qu'elle avait soigneusement préparé ses réponses à l'avance, dans l'éventualité où on l'interrogerait.

En sortant du bar, je lui ai hélé un taxi. J'avais failli oublier le livre dédicacé sur la table, mais elle me l'avait montré avec un sourire, en disant que ce n'était pas une lecture adaptée aux clients d'un tel établissement.

— Que comptez-vous faire maintenant ? m'a-t-elle demandé avant de partir.

— Je l'ignore… Probablement rien. Après les aveux de Spoel, son avocat a voulu rouvrir le dossier, mais sans succès. Il sera exécuté dans quelques semaines, fin du voyage pour lui. Selon toute vraisemblance, cette affaire ne sera jamais résolue.

Laura Westlake a paru soulagée. Nous nous sommes serré la main et elle est montée dans le taxi.

Au même moment, mon téléphone a vibré dans ma poche. C'était un texto de Diana, m'annonçant qu'elle arriverait le lendemain soir. Elle me donnait son numéro de vol. J'ai répondu que j'irais la chercher à l'aéroport, puis je me suis dirigé vers le parking où j'avais laissé ma voiture et je suis rentré chez moi.

Le lendemain matin, je suis tombé sur le numéro de téléphone presque par hasard.

J'avais photocopié la liste des appels passés et reçus sur le téléphone de Derek Simmons avant et après le meurtre de sa femme, et j'ai décidé d'y jeter un coup d'œil. Il y avait vingt-huit lignes au total, divisées en cinq colonnes : le numéro du correspondant, l'adresse, le numéro de l'abonné, la date et la durée de l'appel.

313

L'une des adresses a attiré mon attention, pourtant le nom ne me disait rien : Jesse E. Banks. La communication avait duré quinze minutes et quarante et une secondes. Soudain, je me suis rappelé pourquoi cette adresse m'était familière et j'ai procédé à quelques vérifications. Il était évident qu'à l'époque, en 1983, ce nom et ce numéro n'avaient pas été jugés pertinents dans le cadre des investigations ; aujourd'hui, en revanche, ils revêtaient une importance cruciale à mes yeux. En décembre 1987, quand j'avais commencé à enquêter sur la mort de Wieder, il ne m'était pas venu à l'esprit d'établir un lien entre les deux affaires, d'autant que la première avait eu lieu quatre ans auparavant...

Puis je me suis souvenu de l'étrange remarque lancée par Derek Simmons quand il avait mis un terme à notre entretien. Elle m'avait déconcerté sur le moment, et j'ai fait des recherches sur Internet.

J'ai passé les deux heures suivantes à comparer les dossiers Simmons et Wieder, et peu à peu les différents éléments se sont mis en place dans mon esprit. J'ai appelé le bureau du procureur du comté de Mercer et demandé à rencontrer un assistant, à qui j'ai apporté tous mes documents. À la fin de notre conversation, il a téléphoné à l'inspecteur principal Brocato et pris avec lui toutes les dispositions nécessaires. Je suis ensuite rentré chez moi.

Je possédais un Beretta Tomcat calibre 32, que je gardais dans le placard au rez-de-chaussée. Je l'ai sorti de sa boîte, j'ai vérifié le cran de sûreté et inséré le chargeur contenant sept balles. On me l'avait offert en cadeau au moment de mon départ à la retraite et je ne m'en étais jamais servi. Après l'avoir essuyé avec un chiffon, je l'ai glissé dans ma poche.

Une fois garé près du poste de police, je suis resté assis au volant une bonne dizaine de minutes, en me disant que j'avais encore la possibilité de changer d'avis, de faire demi-tour et d'oublier toute cette histoire. Diana serait là dans deux heures et j'avais déjà réservé une table dans un restaurant coréen à Palisades Park.

Mais c'était plus fort que moi, il fallait que j'en aie le cœur net. J'ai fini par descendre de voiture et je me suis dirigé vers la maison au bout de la route. Une vieille chanson de Percy Sledge, *The Dark End of the Street*, me trottait dans la tête. L'arme dans ma poche cognait contre ma hanche à chaque pas, me donnant le sentiment que quelque chose de terrible allait se produire.

J'ai gravi les marches en bois et appuyé sur la sonnette. Derek Simmons a ouvert quelques instants plus tard et n'a pas paru surpris de me voir.

— Ah, vous revoilà… Entrez.

Il a tourné les talons et s'est éloigné dans le couloir.

Je lui ai emboîté le pas et, en pénétrant dans le salon, j'ai remarqué deux grosses valises et un sac de voyage posés près du canapé.

— Vous allez quelque part, monsieur Simmons ?

— En Louisiane. Leonora a perdu sa mère hier, elle doit s'occuper des funérailles et de la vente de la maison. Elle m'a dit qu'elle voulait pas rester seule, alors j'ai pensé qu'un changement d'air me ferait pas de mal. Un café ?

— Volontiers. Merci.

Il a rapporté deux grandes tasses de la cuisine. Il en a placé une devant moi puis a allumé une cigarette en m'opposant le regard insondable d'un joueur de poker qui essaie de deviner le jeu de ses adversaires.

— Qu'est-ce que vous attendez de moi, ce coup-ci ? s'est-il enquis. Vous avez un mandat ou vous pouvez plus vous passer de moi ?

— Je vous ai dit que j'avais pris ma retraite il y a des années, monsieur Simmons.

— Bah, on sait jamais…

— À quel moment au juste avez-vous recouvré la mémoire ? En 1987 ? Plus tôt ? À moins que vous ne l'ayez jamais perdue et que vous ayez joué la comédie pendant tout ce temps ?

— Pourquoi vous me demandez ça ?

— « L'heure est maintenant au base-ball. Merci pour votre coopération. » Vous avez dit que vous étiez au stade quand le commentateur a prononcé ces mots, au terme d'une *standing ovation* de huit minutes à la mémoire de Thurman Lee Munson, mort dans un accident d'avion dans l'Ohio. Mais c'était en 1979, monsieur Simmons. Comment pouvez-vous vous rappeler que vous assistiez à ce match dans le Bronx en 1979 et que vous avez entendu cette phrase ?

— Je vous ai dit qu'après mon agression j'avais essayé de tout réapprendre sur moi et…

— Arrêtez vos conneries ! On n'apprend pas quelque chose comme ça, on ne peut que s'en souvenir. Teniez-vous un journal en 1979 ? Y avez-vous noté ces mots ? Non, je ne crois pas. Et encore une chose : pourquoi avez-vous téléphoné à Joseph Wieder le matin où vous avez prétendu avoir découvert le corps de votre femme ? Quand l'avez-vous rencontré pour la première fois, en fait ? Quand et comment

316

vous êtes-vous arrangé avec lui pour obtenir une expertise psychiatrique en votre faveur ?

Pendant un moment, il s'est contenté de fumer en silence et de m'observer attentivement. Il était calme, mais les rides sur son visage semblaient plus accusées que dans mon souvenir. Pour finir, il a lancé :

— Vous portez un micro ?

— Non.

— Permettez que je vérifie ?

— Attendez, je vais vous montrer.

Je me suis levé, j'ai écarté les pans de ma veste puis déboutonné lentement ma chemise avant de me retourner.

— Alors, vous voyez ?

— OK.

Je me suis rassis sur le canapé sans rien ajouter. J'étais sûr qu'il attendait depuis longtemps une occasion de raconter toute l'histoire à quelqu'un. Tout comme j'étais sûr que, s'il quittait la ville, il ne reviendrait jamais. J'avais croisé dans ma vie quantité d'individus dans son genre. Or, un policier sent toujours quand l'homme devant lui est prêt à dire la vérité ; c'est comme s'il entendait le déclic prouvant qu'il a trouvé la bonne combinaison d'un coffre. Mais il ne faut surtout pas précipiter les choses. Il faut les laisser suivre leur cours.

— Z'êtes un drôle de flic !

Il a marqué une pause.

— Comment avez-vous découvert que j'ai parlé au téléphone avec Wieder ce matin-là ?

— J'ai consulté le relevé des appels, ai-je expliqué. Wieder venait d'acheter sa maison, il n'avait pas encore fait mettre le téléphone à son nom.

Le propriétaire précédent, un certain Jesse E. Banks, était mort et la propriété avait été vendue par l'intermédiaire d'une agence immobilière. Les enquêteurs qui ont vérifié les appels ont abouti à une impasse, alors ils ont abandonné cette piste. De toute façon, même s'ils étaient tombés sur le nom de Wieder, ils n'auraient pas jugé ce détail pertinent, puisqu'il n'avait aucun lien avec l'affaire en cours. Quoi qu'il en soit, vous avez été imprudent. Pourquoi l'avez-vous appelé de votre domicile ? N'y avait-il pas de cabine téléphonique dans le voisinage ?

— Je ne voulais pas sortir, a-t-il répondu en écrasant sa cigarette, qu'il avait fumée jusqu'au filtre. J'avais peur qu'on me remarque. Et je devais lui parler au plus vite : je savais pas si je serais arrêté sur-le-champ, dès l'arrivée de la patrouille.

— Vous l'avez tuée, c'est ça ? Je veux parler de votre femme.

Il a secoué la tête.

— Non, même si elle le méritait. Ça s'est passé comme je vous l'ai dit : je l'ai trouvée baignant dans son sang. Mais c'est vrai, j'étais au courant qu'elle me trompait…

Durant la demi-heure suivante, il m'a raconté sa version des faits :

Après son séjour à l'hôpital psychiatrique durant sa dernière année de lycée, sa vie avait été bouleversée. Tout le monde le croyait fou et, à sa sortie, ses camarades de classe l'avaient évité. Découragé, il avait renoncé à l'idée d'aller à la fac et s'était rabattu sur une formation d'électricien. Loin de lui apporter son soutien, son père avait pris ses cliques et ses claques.

Ayant perdu sa mère quand il était très jeune, Derek s'était retrouvé seul et, pendant une dizaine d'années, il avait vécu comme un robot, en suivant le traitement qu'on lui avait prescrit à l'hôpital – à vie, lui avaient dit les médecins. Mais il avait de plus en plus de mal à supporter les effets secondaires et, un jour, il avait tout arrêté.

Il avait rencontré Anne neuf ans après avoir quitté le lycée, et tout avait changé, du moins au début. Il était tombé amoureux d'elle, et elle avait paru l'aimer en retour. Anne, m'a-t-il dit, avait grandi dans un orphelinat de Rhode Island, d'où elle était partie à dix-huit ans. Elle avait dormi dans la rue, traîné avec des bandes de voyous et, à dix-neuf ans, elle s'était prostituée à Atlantic City. Elle avait touché le fond un peu avant de rencontrer Derek sur le parking d'un motel à Princeton, où il était venu réparer le système de chauffage.

Anne avait emménagé avec lui. Environ deux semaines plus tard, deux costauds armés s'étaient présentés chez eux en affirmant qu'elle leur devait une grosse somme. Derek n'avait pas posé de questions ; il était allé à la banque retirer environ cinq mille dollars – toutes ses économies –, qu'il leur avait remis. Les deux hommes avaient pris l'argent en disant qu'ils les laisseraient tranquilles. Deux mois plus tard, avant Noël, il avait demandé la main d'Anne, qui avait accepté.

Pendant un moment, a dit Derek, tout s'était bien passé entre eux mais, au bout de deux ans, leurs rapports s'étaient dégradés : Anne s'était mise à boire et le trompait chaque fois qu'elle en avait l'occasion. Elle n'avait pas de liaison durable, plutôt une succession d'aventures sans lendemain avec des inconnus, et ne semblait pas se soucier que son mari l'apprenne. Si elle veillait à préserver les apparences en public, elle se transformait en harpie dès qu'ils étaient seuls : elle l'insultait, l'humiliait, le traitait de dingue et de loser, lui reprochait leur existence misérable et son incapacité à gagner plus. Elle répétait qu'elle rêvait d'une vie plus intéressante et menaçait sans cesse de le plaquer.

— C'était une vraie garce, vieux. Quand je lui ai dit que je voulais des gosses, vous savez ce qu'elle m'a répondu ? Qu'elle voulait pas des attardés comme moi. Voilà ce qu'elle a sorti au mec qui l'avait ramassée sur un parking et épousée ! Vous voulez savoir pourquoi je supportais tout ça ? Parce que j'étais dingue d'elle. Elle aurait pu me faire n'importe quoi, je l'aurais pas quittée. En fait, j'avais qu'une trouille : qu'elle me laisse tomber pour le premier minable venu. Quand je marchais dans la rue, j'avais l'impression que tout le monde rigolait derrière mon dos. Quand je croisais des types en ville, je me demandais toujours s'ils la baisaient. Mais je pouvais pas me résoudre à la flanquer à la porte.

Et puis, un nouveau changement s'était opéré en elle, et il avait compris qu'il se passait quelque chose. Anne soignait sa tenue, se maquillait… Elle avait arrêté de boire et semblait plus heureuse que jamais. Elle en était venue à l'ignorer complètement : elle rentrait tard à la maison et partait tôt le matin, si bien qu'ils se voyaient à peine et ne s'adressaient quasiment plus la parole. Elle ne se donnait même plus la peine de lui faire des scènes.

Il n'avait pas mis longtemps à découvrir de quoi il retournait.

— Je vous épargne les détails, a-t-il dit. Un soir, je l'ai suivie et je l'ai vue entrer dans un hôtel avec un type plus âgé. Croyez-le ou non, je lui en ai même pas parlé ; j'ai juste prié pour qu'il la largue et qu'elle me revienne. J'avais trop souffert d'être seul, avant de la rencontrer.

— Le type avec elle, vous le connaissiez ?

— Oh oui ! C'était Joseph Wieder. Il était riche, influent, célèbre… et il avait rien de mieux à faire que de s'envoyer ma femme, qui avait trente ans de moins que lui ? J'ai jamais vraiment compris comment ils s'étaient connus. Beaucoup de profs et d'étudiants de l'université traînaient dans le café où elle bossait, c'est peut-être là qu'ils s'étaient rencontrés… Bref, j'avais beau avoir un grain, j'étais pas idiot : je me doutais bien que Wieder serait prêt à tout pour éviter un scandale.

Alors, ce matin-là, quand il avait découvert le corps d'Anne, Derek avait appelé le professeur dont il avait trouvé le numéro dans les affaires de sa femme. Il lui avait expliqué la situation et avait ajouté que la police essaierait sans doute de lui faire porter le chapeau, compte tenu des circonstances. Il avait ensuite menacé de l'impliquer en révélant qu'il couchait avec Anne. Pour finir, il lui avait dit qu'il avait déjà été interné et lui avait suggéré de le déclarer pénalement irresponsable afin de lui éviter un procès et la prison.

De fait, il avait été arrêté, accusé du meurtre et envoyé à l'hôpital psychiatrique de Trenton, où Wieder lui avait rendu visite à d'innombrables reprises, sous prétexte qu'il s'intéressait tout particulièrement à son cas. Le professeur avait promis que, dans les trois mois, Derek serait transféré à l'hôpital de Marlboro, où les conditions de détention seraient bien meilleures. Mais dans l'intervalle, Derek avait été attaqué par un autre patient.

— Quand je suis sorti du coma, je reconnaissais plus personne, m'a-t-il affirmé. Je me rappelais pas pourquoi j'étais à l'hosto. Je me souvenais même plus de mon nom, c'est vous dire ! Les toubibs m'ont fait passer toutes sortes de tests, avant de conclure que mon amnésie était bien réelle. Wieder est devenu un médecin attentif et amical, touché par ce qui m'arrivait. Il m'a dit qu'il me soignerait gratuitement et arrangerait mon transfert immédiat à Marlboro. J'étais bouleversé par sa gentillesse.

» Je suis resté quelques mois à Marlboro, sans retrouver la mémoire. Bien sûr, je commençais à me rappeler des trucs : qui j'étais, qui étaient mes parents, dans quel lycée j'étais allé, des trucs comme ça... Et tout un tas de mauvais souvenirs : la mort de maman, l'hôpital psychiatrique, un boulot merdique, une femme qui me trompait, et une accusation de meurtre. J'ai fini par renoncer à en savoir plus. J'avais été un loser ; j'ai décidé de prendre un nouveau départ à ma sortie.

» C'était Wieder le président de la commission qui a accepté de me remettre en liberté. J'avais nulle part où aller, alors il m'a trouvé un logement, pas loin de chez lui, et m'a proposé de m'occuper de l'entretien de sa baraque. Elle était vieille, même si elle avait l'air en bon état, et y avait toujours des trucs à réparer. Peut-être que vous êtes pas au courant, alors je vous explique : quand on souffre d'amnésie rétrograde, on oublie tout ce qui touche à l'identité, pas les connaissances acquises. En gros, vous êtes toujours capable de faire du vélo, sauf que vous pouvez pas vous rappeler comment vous avez appris. Vous voyez ce que je veux dire ? Moi, je savais réparer les trucs cassés ou en panne, mais j'aurais pas pu expliquer d'où ça me venait.

Pour lui, a poursuivi Derek, Wieder était un saint. Il était toujours prévenant, s'assurait qu'il prenait son traitement, lui versait un salaire correct tous les mois pour les travaux qu'il effectuait, partait à la pêche avec lui… Au moins une fois par semaine, ils dînaient ensemble. Un jour, Wieder l'avait emmené à l'université et l'avait hypnotisé. Il ne lui avait cependant jamais parlé de ce qui s'était passé pendant la séance.

Un soir, à la mi-mars 1987, Derek était chez lui, à zapper à la recherche d'un film quand, au bout d'un moment, il était tombé sur les informations de NY1. Il était question d'un habitant du comté de Bergen qui venait de se tuer. Eh, c'est Stan Marini ! s'était-il dit en voyant la photo sur l'écran. Au moment de changer de chaîne, il s'était soudain rappelé que Stan était technicien de maintenance chez Siemens, où il avait lui-même travaillé, et qu'il s'était marié à la même période que lui avant d'aller s'installer à New York.

Il avait alors compris ce que ça signifiait : il se souvenait de quelque chose que personne d'autre ne lui avait dit et qu'il n'avait lu nulle part.

— Vous savez, ces types au Texas qui creusent pour trouver du pétrole, et tout d'un coup, ça jaillit du sol… Ben, c'était pareil pour moi. J'avais l'impression qu'un couvercle avait été soulevé et que tout ce qui était enfoui dans ma tête remontait à la surface.

Je pourrais même pas vous dire l'effet que ça m'a fait ! C'était comme regarder un film en accéléré.

Sa première idée avait été d'appeler Wieder, son bienfaiteur, mais il y avait finalement renoncé compte tenu de l'heure tardive. Par crainte de tout oublier de nouveau, il avait noté dans un cahier les souvenirs qui lui revenaient.

À ce stade de son récit, Simmons s'est levé et m'a proposé de l'accompagner dans le jardin. J'aurais préféré rester où j'étais, parce que j'ignorais s'il avait caché une arme quelque part, pourtant j'ai accepté pour ne pas le contrarier. Derek Simmons était presque aussi grand que moi et beaucoup plus fort ; en cas de bagarre, je n'aurais pas une chance, à moins de me servir du pistolet dans ma poche. L'avait-il seulement remarqué ?

Je l'ai suivi dans un jardin négligé, où seules quelques touffes de chiendent poussaient sur la terre nue, parsemée de dalles brisées. Un portique rouillé s'élevait au milieu. Simmons a pris une profonde inspiration dans l'air chaud de l'après-midi, allumé une autre cigarette et poursuivi son récit sans me regarder.

— Je me souvenais de tout, comme si c'était hier : ma rencontre avec Anne, les premiers temps, quand tout allait bien entre nous, avant qu'elle commence à me tromper, la façon dont j'avais découvert sa liaison avec ce foutu prof et dont elle m'avait roulé dans la farine... Je me suis aussi rappelé ce qui s'était passé ce matin-là, le corps dans l'entrée et mon coup de fil à Wieder, mon arrestation et tout ce que j'avais enduré à l'hôpital...

» Sur une impulsion, j'ai écrit le nom des médicaments que Wieder m'avait prescrits et je suis allé me renseigner à la pharmacie. Quand j'ai demandé au type au comptoir si c'était un traitement pour l'amnésie, il m'a répondu que non, c'était pour soigner la grippe et les problèmes de digestion. L'homme que je prenais pour un ami et un bienfaiteur depuis des années avait trouvé le moyen de me garder prisonnier, parce qu'il avait la trouille que je me souvienne de tout ce qui s'était réellement passé. Il voulait m'avoir à l'œil, vous pigez ? Bon sang ! J'ai cru que ma tête allait exploser… !

» Pendant quelques jours, j'ai pas mis le nez dehors. Lorsque Wieder s'est pointé, je lui ai dit que j'avais mal à la tête et que je voulais me reposer. Je regrettais presque d'avoir guéri de cette foutue amnésie.

— S'est-il rendu compte de quelque chose ?

— Je crois pas. À cette époque, il en avait que pour son boulot et son voyage en Europe. Et puis, pour lui, je faisais partie des meubles ; à mon avis, il me voyait même plus.

— Et vous l'avez tué.

— Je pensais qu'à ça depuis que j'avais retrouvé la mémoire, mais je voulais pas aller en taule ni chez les dingues. Ce jour-là, j'avais oublié ma boîte à outils chez lui. Dans la matinée, j'avais réparé les toilettes du rez-de-chaussée et il m'avait invité à déjeuner. Le lendemain, je devais bosser chez quelqu'un d'autre, près de chez moi, alors j'ai décidé d'aller récupérer mes outils. Avant de sonner, j'ai fait le tour de la maison et j'ai vu que le salon était éclairé. Wieder était assis à table avec cet étudiant, Flynn.

— Avez-vous vu aussi l'homme dont je vous ai parlé, Frank Spoel ?

— Non, mais d'après ce que vous m'avez dit, j'ai bien failli lui rentrer dedans… Je suis revenu à la porte, j'ai ouvert et aperçu la boîte à outils près du portemanteau. Wieder avait dû la prendre dans la salle de bains et la poser là à mon intention. Il s'est même pas aperçu de ma présence, il était trop occupé à discuter avec le jeune dans le salon.

» Là-dessus, je repartais chez moi quand je me suis dit, s'il arrive quelque chose à Wieder, le gamin sera le suspect idéal. Il est raide dingue de cette fille que le professeur drague, alors ça pourrait lui donner un mobile…

» Du coup, je me suis arrêté au bar vers 23 heures, pour me montrer au cas où j'aurais besoin d'un alibi. J'ai taillé le bout de gras avec le gérant, qui me connaissait. Il se préparait à fermer. Comme je savais qu'il avait pas de montre et qu'y avait pas d'horloge au mur, j'ai lancé au bout d'un moment : « Allez, salut, Sid, je me sauve, il est minuit. » Plus tard, dans son témoignage, il a déclaré qu'il était minuit, sans se rappeler que c'était moi qui le lui avais fait remarquer.

» En attendant, j'avais pas de plan. C'était bizarre, j'avais l'impression d'être dans un rêve… Je sais pas trop comment décrire ça. En plus, j'étais même pas sûr que Flynn soit parti ; comme il faisait toujours mauvais, j'avais peur que Wieder l'ait invité à passer la nuit chez lui. Mais bon, ça m'a pas arrêté. Quelques mois plus tôt, j'avais fauché une matraque plombée, gainée cuir, dans la boîte à gants d'une bagnole que je réparais. Vous en avez déjà manié une ? C'est sacrément efficace !

— J'en avais une, oui, dans les années 1970.

— Bref, le temps d'aller la chercher, et je suis retourné chez Wieder. J'ai déverrouillé la porte tout doucement et je suis entré. Les lumières étaient toujours allumées dans le salon, et j'ai découvert Wieder allongé par terre, dans un bain de sang. Il était dans un sale état : il avait le visage enflé et couvert d'ecchymoses. J'ai commencé par refermer les fenêtres, qui étaient grandes ouvertes, et après j'ai tout éteint. J'avais apporté une lampe électrique.

Il m'a dévisagé quelques instants.

— Pour moi, c'était Flynn qui l'avait tabassé. Je me suis dit qu'ils avaient dû s'engueuler après mon départ, et que ça avait dégénéré en bagarre. Quand on amoche quelqu'un à ce point, c'est qu'on est prêt à courir le risque de le tuer, pas vrai ? Suffit d'un coup un peu plus fort que les autres et... adieu, la compagnie !

» N'empêche, j'arrivais pas à me décider. C'était une chose de frapper un type qui m'avait envoyé à l'asile, avant de m'en faire sortir pour mieux me surveiller, et qui s'était dit mon ami alors qu'il baisait ma femme, mais c'en était une autre de frapper un blessé déjà à terre, plus mort que vif...

» À ce moment-là, je crois que j'aurais encore pu me tirer ou peut-être même appeler les secours, qui sait... Sauf que, alors que je me penchais vers lui, ma lampe électrique à la main, il a ouvert les yeux et m'a regardé. Et je me suis rappelé la nuit où j'avais vu Anne entrer dans cet hôtel avec lui, avant de monter l'escalier et d'aller coller l'oreille contre la porte de leur chambre. Comme si j'avais pas deviné ce qui se passait à l'intérieur... Je me suis souvenu aussi de cette garce en train de se moquer de moi et de me traiter d'impuissant – moi qui l'avais ramassée dans la rue !

» Alors j'ai pas pu me retenir : j'ai attrapé ma matraque et je l'ai cogné. Une fois, rien qu'une, de toutes mes forces.

» Ensuite, j'ai refermé la porte à clé et expédié la matraque dans le lac, puis je suis rentré. Avant de m'endormir, j'ai imaginé Wieder mort dans son salon et je peux vous assurer que ça m'a fait un bien fou. Je regrettais pas du tout d'avoir terminé le boulot qu'un autre avait commencé, ça, non ! Le lendemain, je suis retourné là-bas, et la suite vous la connaissez. Quand vous êtes venu, y a quelques jours, j'ignorais que c'était pas Flynn qui avait dérouillé le professeur. À vrai dire, j'avais pas vraiment repensé à tout ça ; pour moi, c'était une histoire oubliée depuis longtemps. Voilà, c'est tout.

— Wieder est mort deux heures plus tard, d'après le légiste. Vous auriez encore pu le sauver si vous aviez appelé les secours...

— C'est peut-être ce qu'a dit le toubib, mais moi, je suis sûr qu'il est mort sur le coup. De toute façon, quelle importance aujourd'hui ?

— Avant de partir, avez-vous ouvert les tiroirs et éparpillé les papiers du professeur pour essayer de faire croire à un cambriolage ?

— Non, j'ai pris le large.

Je me suis demandé pendant quelques secondes si je devais insister.

— Encore une chose, monsieur Simmons : vous n'avez jamais su qui avait tué votre femme cette nuit-là, n'est-ce pas ?

— Non.

— Et ça ne vous a jamais perturbé ?

— Peut-être que si. Et alors ?

— Vous découvrez la femme de votre vie poignardée dans votre appartement, et la première chose que vous faites, c'est téléphoner à son amant pour lui demander de vous sauver la mise… ? Vous avez prévenu les secours huit minutes après votre conversation avec Wieder. Bizarre, non ? Simple curiosité : le professeur vous a-t-il vraiment cru ? En avez-vous discuté avec lui, face à face ?

Il a sorti son paquet de cigarettes de sa poche et constaté qu'il était vide.

— J'en ai un autre quelque part dans mon atelier, a-t-il dit en indiquant la véranda vitrée.

— J'espère que vous n'envisagez rien de stupide.

Il m'a regardé d'un air surpris.

— Oh, vous voulez dire, comme de… ? (Il s'est esclaffé.) Vous pensez pas qu'on est trop vieux pour jouer aux cow-boys ? Y a pas d'armes ici, vous en faites pas. J'en ai jamais eu de toute ma vie.

Pourtant, quand il est entré dans l'atelier, j'ai glissé ma main droite dans ma poche, repoussé le cran de sûreté avec mon pouce et armé le chien. J'avais beau avoir été flic pendant plus de quarante ans, je n'avais jamais tiré sur personne.

À travers la vitre crasseuse, je l'ai vu farfouiller sur l'établi encombré de toutes sortes d'objets. Soudain, il s'est penché pour ouvrir une boîte. Il est revenu quelques instants plus tard, en tenant un paquet de Camel entre le pouce et l'index de la main droite.

— Vous voyez ? m'a-t-il lancé. Vous pouvez sortir la main de votre poche. Vous avez un flingue, pas vrai ?

— En effet.

Après avoir allumé une cigarette, il a rangé le paquet dans sa poche et m'a adressé un regard interrogateur.

— Et maintenant, qu'est-ce qu'on fait ? Vous devez bien vous douter que je répéterai jamais ça à un flic – un vrai, s'entend.

— Je m'y attendais, oui.

— Mais vous croyez que j'ai tué Anne ?

— Oui, c'est exactement ce que je crois. À l'époque, les enquêteurs ont fouillé dans sa vie à la recherche de pistes et j'ai lu leur rapport. Anne ne s'est jamais prostituée, monsieur Simmons. Avant de vous rencontrer, elle avait travaillé comme serveuse dans un bar d'Atlantic City, le Ruby's Cafe, pendant environ deux ans, et de l'avis général, c'était une jeune femme respectable, charmante et intelligente. Toutes ces salades que vous m'avez racontées – les hommes de main venus vous réclamer de l'argent, son passé houleux, ses aventures à droite et à gauche, ses amants qui se moquaient de vous derrière votre dos – sont nées de votre imagination. Rien n'est réel, vous avez tout inventé. Je ne suis même pas sûr que votre femme ait eu une liaison avec Wieder. Si ça se trouve, elle voulait juste solliciter son aide. Quand vous avez recouvré la mémoire, vous avez aussi recommencé à avoir des cauchemars, n'est-ce pas ?

Il m'a regardé droit dans les yeux, en se passant la langue sur la lèvre inférieure.

— Feriez mieux de vous en aller, vieux. Vous pouvez bien penser ce que vous voulez, c'est pas mon problème. Faut que je finisse mes valises.

— L'heure est maintenant au base-ball, Derek, c'est ça ?

Lentement, il a pointé sur moi son index gauche puis replié le pouce pour imiter la forme d'un pistolet.

— Vous avez été brillant sur ce coup-là, je dois bien le reconnaître, a-t-il déclaré en m'escortant jusqu'à la porte.

— Au fait, quand est-ce que Leonora est partie pour la Louisiane ? ai-je demandé.

— Y a deux semaines, à peu près. Pourquoi ?

— Pour rien. Au revoir, monsieur Simmons.

J'ai senti son regard peser sur moi jusqu'au moment où j'ai tourné au coin de la rue. De toute évidence, il ignorait que nous vivions désormais à l'heure de la technologie sans fil et qu'un simple stylo glissé dans une poche de poitrine pouvait dissimuler un micro.

Deux minutes plus tard, alors que je démarrais dans Witherspoon Street, j'ai entendu des sirènes de police. Je me suis alors rappelé avoir lu dans le dossier de Derek Simmons que son père était parti vivre dans un autre État des années plus tôt et n'avait plus jamais donné de nouvelles. Quelqu'un avait-il pris la peine de vérifier cette histoire, à l'époque ? Il m'avait aussi raconté que Wieder l'avait un jour hypnotisé. Le professeur avait-il découvert de quoi était réellement capable son patient ? Comment avait-il pu donner les clés de sa maison à un tel monstre ? Parce qu'il était convaincu qu'il s'agissait d'une amnésie irréversible et que Simmons resterait pareil à une bombe sans détonateur ? Sauf que le détonateur avait toujours été là...

En prenant la direction de l'aéroport, j'ai songé au manuscrit de Richard Flynn et à ces galeries de miroirs déformants qu'on trouvait dans les foires quand j'étais gosse, où tout à l'intérieur était à la fois vrai et faux.

La nuit tombait lorsque je me suis engagé sur l'autoroute. Toutes mes pensées se concentraient désormais sur Diana, et je me sentais aussi nerveux qu'un adolescent avant son premier rendez-vous. Me rappelant brusquement le pistolet dans ma poche, je l'ai sorti et, après avoir remis le cran de sûreté, je l'ai caché dans la boîte à gants. J'aurais terminé ma carrière de flic sans jamais avoir à me servir d'une arme contre quiconque et je me suis dit que c'était probablement une très bonne chose.

Au fond, je savais que je finirais par oublier cette affaire, tout comme j'oublierais les autres histoires qui constituaient mon existence – des histoires probablement ni meilleures ni pires que celles de tout un chacun. Il me semblait que si je devais choisir un seul souvenir à garder en tête jusqu'à la fin de mes jours, ce serait ce moment de calme, de silence et d'espoir sur la route en direction de l'aéroport, alors que je m'apprêtais à revoir la femme de ma vie en me disant qu'elle déciderait peut-être de rester avec moi.

Quand je l'ai aperçue dans la foule, j'ai tout de suite remarqué qu'elle n'avait qu'un petit sac, le genre de bagage qu'on prend en prévision d'un court séjour. J'ai agité la main, elle aussi. Quelques secondes plus tard, nous nous sommes rejoints près d'une librairie et je l'ai embrassée sur la joue. Sa couleur de cheveux était différente, elle portait un nouveau parfum et un manteau que je ne lui connaissais pas, mais son sourire n'avait pas changé.

— C'est tout ce que t'as apporté ? ai-je demandé en la débarrassant de son sac.

— J'ai loué une camionnette pour apporter le reste de mes affaires la semaine prochaine. Je compte séjourner un bon moment chez toi, alors tu ferais mieux de dire à cette jeune personne de déguerpir, et vite !

— Tu veux parler de Minnie ? Elle m'a plaqué, Dee. Je crois qu'elle est toujours amoureuse de Mickey.

C'est main dans la main que nous nous sommes dirigés vers le parking. En quittant l'aéroport, elle a commencé à me parler de notre fils, de sa femme et de notre petite-fille. Alors que je l'écoutais en conduisant, j'ai eu l'impression que, déjà, les souvenirs de l'affaire qui m'obsédait depuis des mois se détachaient de mon esprit, les uns après les autres, et s'envolaient au loin comme les pages d'un vieux manuscrit emportées par le vent.

Épilogue

Les remous causés par l'histoire de Derek Simmons se sont propagés jusqu'à une petite ville de l'Alabama. Danna Olsen m'a appelé quelques jours plus tard, alors que j'étais en route pour Los Angeles, où je devais rencontrer un producteur de télévision. J'avais aussi eu un entretien avec John Keller, qui venait de déménager sur la côte Ouest et louait une maison dans le comté d'Orange, en Californie.

— Bonjour, Peter, m'a-t-elle dit. Danna Olsen à l'appareil. Vous vous souvenez de moi ?

J'ai répondu par l'affirmative et nous avons bavardé quelques minutes avant qu'elle me fasse part de l'objet de son appel.

— Je vous ai menti quand vous êtes venu me voir, a-t-elle déclaré. Je savais où était le reste du manuscrit, je l'avais lu avant la mort de Richard, mais je ne voulais pas le donner, ni à vous ni à personne. J'étais furieuse, parce que je m'étais rendu compte à quel point Richard avait aimé cette autre femme, Laura Baines. Même s'il semblait en colère contre elle, il ne faisait aucun doute dans mon esprit qu'il l'aimait encore au moment de sa mort. Il ne s'est

335

pas montré honnête envers moi. Je m'étais occupée de lui, j'avais supporté toutes ses excentricités – et, croyez-moi, il y en avait beaucoup –, et lui, il avait consacré les derniers mois de sa vie à ce livre. Alors que j'étais là, à ses côtés... Je me suis sentie trahie.

J'étais quelque part dans Rosewood Avenue, à West Hollywood, devant le restaurant où j'étais censé rejoindre le producteur.

— Madame Olsen... Compte tenu des derniers développements – je veux parler de l'arrestation de Derek Simmons –, je ne crois pas que...

— Oh, je n'ai pas l'intention d'essayer de vous le vendre, s'est-elle empressée de dire pour clarifier les choses. Je pensais bien que le manuscrit ne vous intéresserait plus vraiment. Mais la dernière volonté de Richard, c'était d'être publié. Cette histoire avec Laura Baines mise à part, il avait toujours rêvé d'être écrivain, et je crois qu'il aurait été fou de joie si vous aviez accepté son projet. Malheureusement, il n'a pas vécu assez longtemps pour ça. Par conséquent, je me suis dit que ce serait peut-être une bonne chose de vous l'envoyer quand même.

Que faire ? me suis-je demandé. Il ne pouvait plus s'agir d'un récit présentant la vérité sur une affaire, puisque les hypothèses de Flynn venaient d'être balayées par les événements récents, preuve que l'auteur s'était laissé emporter par son imagination. John Keller avait eu une longue conversation téléphonique avec Roy Freeman, l'inspecteur à la retraite qui était devenu depuis peu le chouchou des médias – « Un ex-inspecteur résout un mystère vieux de vingt-huit ans » – et avait temporairement emménagé chez son ex-femme à Seattle pour échapper aux journalistes.

John m'avait envoyé un mail pour m'expliquer brièvement que toute l'affaire était élucidée.

Je ne pouvais cependant pas le dire à Danna Olsen ; elle n'en était certainement que trop consciente.

— Oui, ce serait formidable si je pouvais y jeter un coup d'œil, ai-je déclaré en faisant signe au producteur qui marchait vers le restaurant, le visage presque entièrement dissimulé par une paire de lunettes de soleil vertes qui lui donnaient l'air d'une sauterelle géante. Vous avez toujours mon adresse mail ? Bien. Je serai de retour demain, je trouverai le temps de le lire.

Le producteur m'a remarqué mais ne s'est pas donné la peine de presser le pas ni de me rendre mon salut. Il paraissait calme, presque détaché – une attitude sans doute censée souligner son importance.

Mme Olsen m'a assuré qu'elle avait mon adresse mail et qu'elle m'enverrait le manuscrit sur-le-champ.

— Les dernières semaines ont été difficiles pour Richard, et je crois que c'est perceptible dans les chapitres à la fin, a-t-elle ajouté. Il y a des choses là-dedans qui… Enfin, vous en jugerez par vous-même.

Ce soir-là, John Keller est venu me chercher devant mon hôtel. Il était bronzé et arborait une barbe de deux semaines qui lui allait bien.

Nous avons dîné ensemble dans un restaurant japonais de la 7e Rue Est, le Sugarfish, où il avait réservé une table. C'était l'endroit branché du moment, m'a-t-il dit. Toutes les cinq minutes, les serveurs nous apportaient de nouveaux plats dont j'aurais été bien en peine d'identifier le contenu.

— Non, c'est vrai ? s'est-il écrié quand je lui ai rapporté ma conversation avec Danna Olsen. Tu te rends compte ? Si elle t'avait donné le manuscrit à l'époque, tu ne m'aurais pas branché sur le coup, je n'aurais pas retrouvé Freeman et il n'aurait pas déterré tous ces vieux dossiers. Et on n'aurait sans doute jamais découvert la vérité à propos du meurtre…

— D'un autre côté, j'aurais un livre à vendre, ai-je souligné.

— Un livre qui ne raconterait pas la vérité.

— Et alors, quelle importance ? Tu veux que je te dise ? Richard Flynn aura joué de malchance jusqu'à la fin : même après sa mort, il n'a pas réussi à se faire publier.

— C'est une façon de voir les choses…

Il a levé sa petite tasse de saké pour porter un toast.

— À Richard Flynn, le loser !

Nous avons trinqué à la mémoire de Flynn, puis il m'a parlé avec enthousiasme de sa nouvelle vie et du plaisir qu'il prenait à travailler pour la télévision. Le pilote de la série dont on lui avait demandé de coécrire le scénario avait reçu de bonnes critiques, et il espérait bien poursuivre sa collaboration pour encore au moins une saison. J'étais heureux pour lui.

Je n'ai toujours pas lu le manuscrit. Je l'ai trouvé dans ma boîte mail en rentrant à New York. Après avoir imprimé les deux cent quarante-huit pages en Times New Roman 12, double interligne, je les ai rangées dans un dossier que j'ai posé sur mon bureau. Je le garde bien en vue, comme ces moines du Moyen Âge plaçaient devant eux un crâne humain pour ne pas oublier que la vie est éphémère et qu'après la mort vient l'heure du jugement.

Selon toute vraisemblance, Richard Flynn s'était mépris : Laura Baines avait sans doute laissé le professeur agoniser sur le sol et volé son manuscrit, mais elle n'avait pas été sa maîtresse. Derek Simmons lui aussi s'était trompé quand il avait cru que Richard Flynn s'était enfui par la baie vitrée après avoir rossé Wieder. Joseph Wieder lui-même avait tort à propos de la liaison entre Laura Baines et Richard Flynn. Tous avaient commis des erreurs d'interprétation, parce qu'ils avaient été confrontés à leurs propres obsessions en essayant de regarder par une fenêtre qui, en réalité, était un miroir.

Un grand écrivain français a dit un jour que le souvenir des choses passées n'est pas nécessairement le souvenir des choses telles qu'elles furent. Il avait sûrement raison.

Remerciements

J'aimerais exprimer ma reconnaissance à tous ceux qui ont contribué à ce livre.

Mon agent littéraire, Marilia Savvides, chez Peters, Fraser + Dunlop, qui a non seulement choisi mon manuscrit dans la pile mais a également fait un travail remarquable en m'aidant à le peaufiner une nouvelle fois. Merci pour tout, Marilia.

Francesca Pathak, de Century, et Megan Reid, chez Emily Bestler Books, qui ont révisé le texte, un processus qui n'aurait pu se dérouler plus agréablement et sereinement. Collaborer avec elles a été un privilège pour moi. Toute ma gratitude aussi aux formidables équipes de Penguin Random House UK et de Simon & Schuster USA. Francesca et Megan, je vous remercie pour toutes vos suggestions avisées, qui ont enrichi le manuscrit et lui ont donné son lustre.

Rachel Mills, Alexandra Cliff et Rebecca Wearmouth, qui ont vendu ce livre dans le monde entier en l'espace de quelques semaines seulement. Cette période inoubliable a été une fête de tous les instants pour nous ! Un grand merci à vous, mesdames.

Mon bon ami Alistair Ian Blyth, qui m'a aidé à voguer sur les eaux houleuses de la langue anglaise sans me noyer. Et la tâche n'a pas été facile. Merci, vieux.

J'ai gardé la personne la plus importante pour la fin : ma femme, Mihaela, à qui ce livre est dédié. Sans sa confiance en moi, j'aurais probablement abandonné la littérature depuis longtemps. Elle m'a toujours rappelé qui j'étais et à quel royaume j'appartenais vraiment.

Enfin, tous mes remerciements à toi, lecteur, qui as choisi ce livre parmi tant d'autres. Aujourd'hui, comme le dit cette citation attribuée à Cicéron, les enfants n'obéissent plus à leurs parents et tout le monde écrit un livre.

Note de l'auteur

Je suis né dans une famille d'origine roumaine, hongroise et allemande, et j'ai grandi à Fagaras, une petite ville roumaine située dans le sud de la Transylvanie. J'écris des histoires depuis que j'ai dix ans, même si j'ai fait beaucoup de choses différentes avant de décider, il y a trois ans, de tout envoyer promener et de devenir écrivain à plein-temps.

J'ai publié ma première nouvelle en 1989, et mon premier roman, *The Massacre*, deux ans plus tard. Il a été suivi, deux mois plus tard, par un autre titre, *Commando for the General*, un thriller politique dont l'action se déroule en Italie. J'ai publié quinze livres en Roumanie avant de quitter le pays pour aller m'installer à l'étranger il y a quatre ans.

Ce roman est le premier que je rédige en anglais. J'ai terminé le premier jet entre février et mai 2014. J'ai ensuite revu le manuscrit quatre ou cinq fois avant de l'envoyer à une dizaine d'agents littéraires qui l'ont tous refusé sans me donner d'explications. Je l'ai révisé encore deux fois, puis j'ai décidé de le confier à une petite maison d'édition.

Robert Peett, le fondateur et manager de Holland House Books, à Newbury, m'a répondu très vite en me disant qu'il adorait mon livre, mais que nous devrions nous rencontrer pour en parler. Nous nous sommes vus deux semaines plus tard, et il m'a dit devant un café que mon livre était peut-être trop bon pour sa maison d'édition ; il n'avait pas les moyens de me verser une avance, la distribution serait trop limitée, etc. Sur le moment, j'ai cru qu'il se moquait de moi. Il m'a ensuite demandé pourquoi je n'avais pas envoyé ce manuscrit à des agents littéraires. Je lui ai dit que je l'avais fait et que je n'avais essuyé que des refus. Il m'a néanmoins convaincu de réessayer.

C'était un jeudi. Le lendemain, j'ai envoyé le manuscrit à trois autres agents britannique, dont Marilia Savvides, de Peters, Fraser & Dunlop. Elle m'a demandé le manuscrit complet deux jours plus tard et m'a appelé trois jours après pour me proposer de me représenter. Quand je l'ai rencontrée, elle m'a affirmé que le projet allait faire un carton. Même si j'étais sur un petit nuage, je me sentais toujours un peu sceptique. Mais elle avait raison : en moins d'une semaine, nous avons reçu des offres extraordinaires émanant de plus de dix pays. Pour le coup, j'ai pris peur, parce que tout allait trop vite. Que Dieu vous bénisse, Robert Peett, pour votre honnêteté et votre gentillesse ! Aujourd'hui, le manuscrit a été vendu à plus de trente pays.

L'idée de ce livre m'est venue il y a trois ans, après une conversation avec ma mère et mon frère aîné, qui m'avaient rendu visite à Reading, où je vivais à l'époque. Je leur ai dit que je me souvenais de l'enterrement d'un joueur de foot local, mort très jeune dans un accident de voiture quand j'étais gosse. Ils ont répliqué que je commençais tout juste à marcher à l'époque et que je n'aurais pas pu être au cimetière avec eux. Je me suis obstiné, affirmant que je me rappelais le cercueil ouvert et le ballon placé sur la poitrine du mort. Ils m'ont dit que ce détail était vrai, mais que j'avais dû l'entendre lorsqu'ils en avaient parlé en rentrant de l'enterrement avec mon père. « Quoi qu'il en soit, tu n'étais pas avec nous », a affirmé ma mère.

Ce n'était qu'une banale anecdote à propos de l'incroyable capacité de l'esprit humain à maquiller ou même à falsifier les souvenirs, pourtant elle est à l'origine de ce roman. Est-il possible d'oublier complètement un événement et d'en créer un faux souvenir ? Et si notre imagination était capable de transformer une réalité prétendument objective en quelque chose d'autre, qui nous appartient en propre ? L'esprit est-il en mesure de réécrire un événement donné, d'agir à la fois comme un scénariste et un metteur en scène ? C'est le sujet abordé dans *Jeux de miroirs*, avec pour point de départ un meurtre commis à l'université de Princeton à la fin des années 1980.

Je dirais que mon livre s'attache moins au « qui » qu'au « pourquoi ». J'ai toujours pensé qu'au bout de trois cents pages, les lecteurs méritaient d'en savoir plus que le seul nom de l'assassin, même obtenu après quantité de rebondissements inattendus. Et je suis convaincu qu'un auteur devrait aspirer à découvrir le lieu magique où résident les histoires caractérisées à la fois par un solide sens du mystère et un vrai talent littéraire.

Faites de nouvelles rencontres sur pocket.fr

- Toute l'actualité des auteurs : rencontres, dédicaces, conférences...
- Les dernières parutions
- Des 1ers chapitres à télécharger
- Des jeux-concours sur les différentes collections du catalogue pour gagner des livres et des places de cinéma